솔로몬 케인

●오탈자, 번역 수정에 관한 제안은 arahanbook@naver.com으로 보내주시면 검토 후 반영하겠습니다.

Solomon Kane

솔로몬 케인

또 하나의 전설 액션 히어로의 탄생

로버트 E. 하워드 지음
미스터고딕 정진영 옮김

Content

미완성작

로버트 E. 하워드를 추모하며

H. P. 러브크래프트

1936년 6월 11일, 누구보다 왕성한 판타지 작가였던 로버트 어빈 하워드의 갑작스럽고 예기치 못한 죽음은 4년 전 헨리 S. 화이트헤드의 타계 이후, 위어드 픽션weird fiction 계에 닥친 최악의 상실입니다.

하워드 씨는 1906년 1월 22일 텍사스 주의 피스터에서 태어났습니다. 이곳에서 그는 남서부 개척의 대단원--거대한 평원과 리오그란데 계곡 하류에 들어서는 정착촌, 요란한 신흥도시와 더불어 석유 산업의 거대한 부흥--을 목도했지요. 아들을 먼저 떠나보내야 했던 그의 부친은 피스터의 초창기 의사 중에 한분이었습니다. 하워드 씨의 가족은 텍사스의 남쪽과 동쪽, 서쪽 그리고 오클라호마 서부에서 살았습니다. 최근에는 텍사스의 브라운우드에서 가까운 크로스 플레인에서 살고 있었습니다. 변경(邊境)의 분위기가 가득한 이곳에서 하워드 씨는 일찍이 남성적이고 웅혼한 전통에 탐닉했습니다. 이곳의 역사와 민속에 해박한 그였기에, 사적인 편지에서 웅장하고 힘찬 필치로 그려낸 묘사와 추억이 있었기에 그가 더 오래 살았더라면 크로스 플레인은 그의 문학 작품을 통해서도 널리 알려졌을 겁니다. 하워드 씨의 가족은 저명한 남부 개척 이주민의 혈통, 즉 스코틀랜드 계 아일랜드인의 후손으로 조상 대부분이 18세기에 조지아와 노스캐롤라이나에 정착했습니다.

열다섯 살부터 창작을 시작한 하워드 씨는 3년 후인, 브라운우드의 하워드 페인 상업학교 재학 시절에 첫 단편을 발표했습니다. 그것이 바로 「창과 송곳니」라는 단편인데, 1925년 7월에 《위어드 테일스》에 실렸지요. 1926년 4월, 같은 잡지에 중편 「늑대의 머리」를 발표하면서 그의 명성은 점점 높아졌습니다. 1928년 8월에는 『솔로몬 케인』 단편들을 발표하기 시작했지요. 영국 청교도인 솔로몬 케인은 거침없는 전사이자 정의의 사도로 아프리카 정글에 있는 원시도시의 폐허들을 비롯해 세계의 낯선 곳을 모험합니다. 이 일련의 단편들을 통해 하워드 씨는 본인의 가장 뛰어난 재능 하나를 입증합니다. 즉, 인류가 출현하기 이전의 공포와 마법이 스며든 성채와 지하의 미로가 곳곳에 간직된 초고대의 거대한 석제 도시에 대한 묘사는 어떤 작가도 모방할 수 없는 것이지요. 솔로몬 케인에서 하워드 씨의 작품을 특징짓는 유혈의 전투를 묘사하는데 있어 기법과 필치가 얼마나 진일보했는지 여실히 드러납니다. 그가 창조한 다른 영웅들과 마찬가지로 솔로몬 케인도 작품 속에 투영되기 오래 전인 소년 시절에 구상되었지요.

언제나 고대 켈트와 고대 역사를 열렬히 탐구했던 하워드 씨, 그는 1929년 8월 《위어드 테일스》에 「어둠의 왕국」을 발표하면서 곧바로 그에게 큰 유명세를 안겨준 선사 시대의 이야기를 연작으로 완성합니다. 인류 역사에서 아득히 먼 과거의 초기 종족--아틀란티스, 레무리아, 뮤가 바다에 가라앉기 전, 인류 이전의 파충류인들이 원시적 풍광에 머무는 시대--을 묘사합니다. 이중에서 핵심 인물은 발루시아의 왕, 컬이지요. 1932년 12월호 《위어드 테일스》에 발표한 「칼날 위의 불사조」를 필두로 보다 가까운 선사시대를 소개하는 키메리아인 코난 왕의 이야기가 펼쳐집니다. 이 시기는 대략 15,000년 전, 유사시대有史時代가 희미하게 동트기 직전입니다. 하워드 씨가 후기 단편을 통해 정교하게 확장하고 엄밀한 논리로 전개한 코난의 세계는 판타지 독자들에게 널리 알려져 있지요. 그 자신의 지침에 따라 무한한 영민함과 독창적인 상상력으로 세밀하게 준비한 역사 형태의 소묘는 지금 "하이보리언 시대"라는 제목 하에 연작 형태로 《팬터그래프》지에 실리고 있지요.

한편, 브랜 맥 몬 추장을 주축으로 하는 유명한 시리즈를 포함하여, 하워드 시는 초기 픽트 족과 켈트 족에 대한 많은 단편들을 썼습니다. 1932년 11월호 《위어드 테일스》에 발표된 공포의 걸작, 「지구의 벌레들」에서 전해지는 섬뜩하고 압도적인 힘을 잊을 수 있는 독자는 아마도 없을 것입니다. 이런 연작에서 벗어나 있되 다른 류의 강렬한 판타지를 선보인 작품을 꼽자면, 우선 불후의 연작 「해골 얼굴」과 현대를 배경으로 하는 몇 안 되는 작품들도 있지요. 이를 테면, 최근작인 「검은 카난」은 이끼로 뒤덮이고 어둠에 물든, 뱀이 득시글거리는 미국 최남단의 늪지라는 독특한 공간을 배경으로 강렬하고 숨 막히는 공포를 선보입니다.

판타지 외에도 하워드 씨는 놀라우리만큼 다작과 다재다능함을 보여주었습니다. 스포츠에 대한 큰 관심--아마도 원시적 대결과 힘을 사랑했던 그였기에 더더욱 그러했을--은 "스티브 코스티건"이라는 권투 영웅의 창조로 이어집니다. 멀고도 흥미로운 지역으로 떠나는 스티브 코스티건의 모험은 여러 잡지를 통해 독자들에게 즐거움을 주었지요. 동양적인 전쟁 소설들이 낭만적인 모험과 스릴에 대한 그의 절정을 보여주었다면, 점점 빈번해지던 서부의 삶과 관련된 작품들--『브렉켄릿지 엘킨스』 시리즈 등--은 그 자신이 직접적으로 알고 있는 배경을 반영하는 능력과 취향이 더해졌음을 보여줍니다.

기묘하고 호전적이며 모험적인 하워드 씨의 시는 산문에 버금갈 만큼 뛰어납니다. 발라드와 서사의 진정한 시혼이 깃들어 있을 뿐 아니라, 더 없이 선명한 이미지와 생동하는 리듬을 특징으로 하지요. 그의 많은 시가 고대의 글을 인용하는 형태를 취하는데, 이런 시들은 소설의 장마다 서시처럼 사용되기도 합니다. 그의 시들이 아직 출판되지 않는 것이 애석하나, 사후에라도 출간이 이루어지기를 소망해봅니다.

하워드 씨의 인물됨과 재능은 참으로 대단했습니다. 그는 무엇보다 야만인과 개척자 시대의 단순하고 유서 깊은 세계, 용기와 힘이 교묘함과 계략을 압도하고, 강건하고 용맹한 종족들이 싸우고 피를 흘리면서도 적대적인 자연에게 아무런 은혜를 구걸하지 않았던 시대를 사랑했지요. 그의 모든 작품들이 이 철학을 반영하며, 그것을 떼어놓고는 생명력을 찾아볼 수 없습니다. 그 누구도 하워드 씨 보다 폭력과 유혈을 더 자신 있게 쓰지 못했습니다. 그가 전투 묘사에서 보여준 본능적인 재능은 아마 실제 전쟁에서도 효과적이었을 겁니다. 그의 진정한 재능은 독자들이 그의 작품을 읽고 추측할 수 있는 것 이상입니다. 그리고 더 오래 살았더라면, 그가 사랑하는 남서의 서사시로 본격 문학에서도 큰 족적을 남겼을 겁니다.

무엇이 하워드 씨의 소설을 이토록 독보적으로 만드는지, 정확히 설명하기는 녹록치 않습니다. 그러나 진짜 비밀은, 작품이 겉보기에 상업적이든 아니든, 작가 자신이 모든 작품 속에 투영되어 있다는 것이지요. 그는 스스로 받아들인 이윤추구의 수단보다 더 위대했습니다. 겉으로는 배금주의에 물든 편집자와 상업적인 비평가들에게 순응하는 태도를 보였을 때조차 그가 지닌 내적인 힘과 진정성은 표면을 뚫고 나와 그가 쓴 모든 작품에 그의 개성을 각인시켰지요. 그가 생기 없는 인물이나 상황을 설정하고 그대로 방치해두는 경우는 거의 없었습니다. 결말에 도달하기 전, 그의 작품들은 통속적인 편집 방침--삶에 대한 하워드 씨 자신의 경험과 지식이 아니라 생기 없는 통속성의 표본상자에서 뭔가를 끄집어내려는 편집 관행--에도 불구하고 언제나 생명력과 현실감을 띠기 마련입니다. 그는 싸움과 살육을 묘사하는데 있어 발군이었을 뿐아니라 괴기한 공포와 섬뜩한 긴장감의 실감나는 감정을 창조하는데 있어서도 가히 독보적이었습니다. 그가 작품을 지나치게 심각하게 끌고 가는 경우를 제외한다면, 중요하지 않은 분야에서조차 그를 능가할 작가는 없을 것입니다. 하워드 씨는 스스로 성취하지 않았다고 생각하는 순간에서조차 성취한 사람입니다. 성의 없이 글품을 파는 수많은 글쟁이들이 여전히 겉만 그럴싸한 유령과 뱀파이어와 우주선 그리고 오컬트 탐정들을 양산하고 있는 지금, 이런 천재 예술가가 유명을 달리해야 하다니 우주적 아이러니 cosmic irony의 참으로 안타까운 부분입니다.

남서부 삶의 많은 것에 해박했던 하워드 씨는 텍사스 주 크로스 플레인의 전원적인 풍광 속에서 부모님과 함께 살았습니다. 글쓰기는 그의 천직이었습니다. 그는 너른 분야를 읽었고, 미국 남서부와 선사시대의 영국 및 아일랜드 나아가 고대 동양과 아프리카처럼 서로 다른 다양한 분야에서 심도 깊게 역사 연구도 병행했습니다. 문학에서는 섬세함보다는 박력을 선호했고, 대담한 완결성으로 모더니즘을 거부했습니다. 그의 우상은 잭 런던이었지요. 정치에 대해서는 자유주의자였고, 어떤 형태의 시민적 불의에도 가차 없는 비판자였습니다. 그의 주된 여가는 스포츠와 여행이었습니다. 특히 여행은 언제나 역사적인 사유로 가득한 유쾌하고도 생생한 묘사의 편지들로 이어지곤 했지요. 한편으로는 예리한 풍자 또 한편으로는 지극히 다정하고 정중하며 유쾌한 사람이긴 했으나, 그의 전문이 유머는 아니었지요. 많은 친구들이 있었음에도 하워드 씨는 어떤 문학 파벌에도 속하지 않았고, "예술가연하는" 무리를 질색했습니다. 그에게 향해진 찬사들은 학구적인 재능이 아니라 인물과 이야기의 힘 때문이지요. 판타지 장르에서 동료 작가들과 흥미롭고도 많은 서신을 주고받았지만--재기발랄하고 다재다능함으로 그에게 깊은 인상을 준 E. 호프만 프라이스를 제외하고는-- 직접 만나지는 않았습니다.

하워드 씨는 키 180센티미터에 타고난 전사처럼 건장한 체구의 소유자였습니다. 켈트인의 푸른 눈동자를 제외하고는 전체적으로 아주 까무잡잡한 편이었지요. 게다가 최근에는 몸무게가 보통

90킬로그램에 육박했습니다. 힘차고 정열적인 삶을 신봉했던 그가 그 유명한 캐릭터, 요컨대 대담무쌍한 전사이자 모험가, 왕권의 찬탈자인 키메리아인 코난을 그저 우연히 구상해낸 것은 아닙니다. 서른 살의 죽음은 가장 뛰어난 작가의 비극이자, 판타지 소설이 쉬이 회복할 수 없을 타격입니다. 하워드 씨의 장서들은 하워드 페인 상업학교에 기증되었고, 이곳은 앞으로 책과 원고와 편지를 포함하는 로버트 어빈 하워드 기념관의 요체가 될 것입니다.

붉은 그림자

제 1 장 솔로몬의 도래

어둑한 나무 사이에서 몽롱한 달빛이 은빛 안개를 환영처럼 흩뿌리고 있었다. 계곡을 따라 속삭이는 미풍은 달빛 안개와는 또다른 그림자 하나를 데려왔다. 연기 냄새가 희미하면서도 또렷하게 떠돌았다.

그는 나무 밑에 웅크린 어둠을 주시하면서 조심스럽게 걸어갔다. 그곳은 광활하고 위험한 지역이었다. 나무 아래 어디든 죽음의 그림자가 도사리고 있을 터였다. 그가 갑자기 칼자루에서 손을 떼고 앞을 살피기 시작했다. 죽음이 정말 거기에 있었다. 그러나 그는 두려워하지 않았다.

"하데스(그리스 신화에 나오는 저승의 왕—옮긴이)의 불꽃!" 그가 중얼거렸다. "소녀잖아! 얘야 대체 무슨 일을 당한 거니? 나를 무서워 말거라."

소녀가 어둠속에서 창백한 백장미 같은 얼굴을 들어 그를 쳐다보았다.

"누구, 아저씨는 누구세요?" 소녀의 목소리가 떨렸다.

"그냥 집 없는 떠돌이란다. 하지만 만인의 친구지." 그는 솔직하고 부드러운 목소리로 말했다.

소녀가 상체를 일으키려고 애쓰자, 그가 곧 무릎을 꿇고 소녀를 부축해 앉혔다. 소녀가 그에게 어깨를 기대었다. 자기도 모르게 손이 소녀의 가슴을 스치자 그는 얼굴을 붉히며 물러났다.

"무슨 일인지 말해보렴." 그는 아기를 대하듯 부드럽게 달래는 목소리로 말했다.

"르루(Le Loup, 늑대)." 소녀의 숨 가쁜 목소리가 곧 희미해졌다. "르루와 부하들이 우리 마을, 저 계곡 위로 이 킬로미터 조금 안되는 마을로 내려왔어요. 약탈하고 죽이고 태우고—"

"그래서 연기 냄새가 났구나." 남자가 혼잣말처럼 말했다. "계속 말해보렴."

"저는 도망쳤어요. 르루라는 자가 저를 쫓아와 붙잡고는—" 소녀의 말소리는 소름끼치는 침묵 속으로 가라앉았다.

"무슨 말인지 알겠다. 얘야, 그 다음에는 어떻게 됐니?"

"그 다음에는 저를 칼로 찔렀어요. 천상의 성인들이시여! 굽어 살피소서."

갑자기 소녀의 가냘픈 몸이 축 늘어졌다. 남자는 소녀를 땅에 누이고 그녀의 이마를 가볍게 쓰다듬었다.

"죽었어!" 그가 중얼거렸다.

그는 천천히 일어서서 무의식적으로 두 손을 망토에 닦았다. 그의 이마에 검은 주름이 깊게 자리 잡았다. 그러나 함부로 맹세를 하거나 신 혹은 악마의 이름으로 분노의 말을 쏟아내지는 않았다.

"이 일의 대가로 죽어야 할 자들이 있다." 그가 냉정하게 말했다.

제 2 장 늑대의 소굴

"멍청이!" 그 독기어린 말에 상대방은 주눅이 들었다.

멍청이라는 힐난을 받은 사람은 아무 대꾸 없이 부루퉁하게 시선을 떨어뜨렸다.

"너뿐 아니라 내 밑에 있는 놈들 전부 다!" 그는 몸을 앞으로 빼 밀고 그들 사이의 투박한 탁자를 주먹으로 내리쳤다. 그는 키가 크고 건장한 사내로 표범과도 같은 유연함을 지니고 있었다. 얼굴은 마르고 표독스러워 보였다. 이리저리 부라리는 두 눈엔 안하무인의 경멸감이 가득했다.

상대방이 심드렁하게 말했다. "그 솔로몬 케인이라는 자는 지옥에서 온 악마야. 농담이 아니라고."

"흥! 멍청한 놈! 그 자도 인간이다. 총알이나 칼을 맞으면 죽는 인간이란 말이다."

"진, 후안 그리고 라 코스타도 그렇게 생각했지." 상대방이 무겁게 입을 열었다. "그들은 지금 어디 있지? 그들의 해골에서 뼈를 발라먹은 이 산의 늑대들에게 물어보시지. 케인이라는 놈이 어디 숨었는가? 산과 계곡 멀리까지 뒤졌는데 놈의 흔적조차 찾지 못했어. 르루, 잘 들어. 놈은 지옥에서 왔어. 한 달 전에 탁발 수사를 죽이는 바람에 재앙이 닥친 거야."

조바심이 난 르루가 탁자를 두들겨댔다. 거칠고 방탕한 삶의 흔적에도 불구하고 그의 날카로운 얼굴은 사색가의 분위기를 자아냈다. 탁발수사 운운하는 동료들의 미신에도 그는 눈 하나 깜짝하지 않았다.

"흥! 다시 말하겠다. 그 탁발수사는 케인이 한낮에 숨어있을지도 모를 동굴과 비밀 골짜기들을 알고 있었어."

"그리고 밤마다 나와서 우리를 죽이고 있지." 상대가 침울하게 말했다. "늑대가 사슴을 사냥하듯 그자가 우리를 쫓아 여기까지 왔어. 빌어먹을, 르루 너는 스스로 늑대라고는 하지만 결국에는 너보다 더 강하고 노련한 상대를 만난 거야! 우리가 그자를 처음으로 알게 된 건 진을 찾아냈을 때지. 세상에서 가장 지독한 악당이라는 진이 자기 칼에 가슴을 찔린 채 나무에 박혀 있었어. 죽은 진의 얼굴에 SLK라는 글자가 새겨져 있었고. 그리고 곧 스페인 출신의 후안이 당했어. 우리에게 발견됐을 때 후안은 죽기 전에 살인자가 솔로몬 케인이라는 영국인이라고 알려줬잖아. 우리를 전부 죽여 없애겠노라 벼르고 있더래! 그 다음에 또 누구였지? 라 코스타. 너 다음 가는 검객이었던 그가 케인을 찾아내겠다고 나섰잖아. 죽을 운명이었는지 라 코스타도 그자를 만나기는 한 모양이야! 낭떠러지에서 칼에 찔린 라 코스타의 시체를 찾아냈으니까. 자 다음 차례는 누굴까? 우리 모두가 그 영국 놈의 손에 죽어야 하나?"

"가장 뛰어난 부하들이 놈의 손에 죽은 건 사실이야." 산적 우두머리가 생각에 잠겨서 말했다. "조금 있으면 그 오두막에 갔던 부하들이 돌아올 거야. 케인이란 작자는 그 다음에 손을 봐주지. 놈이 영원히 숨지는 못해. 어, 그런데 저건?"

두 사람은 탁자에 드리우는 그림자를 보고 재빨리 고개를 돌렸다. 산적의 본거지로 사용 중인 동굴 입구에 한 남자가 비척비척 들어섰다. 휘둥그레 치켜 뜬 눈빛이 횡했다. 그는 굽은 다리로 비틀거렸고 옷은 검붉게 물들어 있었다. 간신히 걸어온 남자가 탁자에 부딪쳤다가 바닥으로 나뒹굴었다.

"씨발!" 르루가 자리에서 벌떡 일어서면서 욕설을 내뱉었다. "이 새끼야, 나머지는 어디 있어?"

"죽었어요! 전부 죽었어요!"

"어떻게? 이 병신 새끼야, 말해 봐!" 르루가 남자를 거칠게 잡아 흔들자, 남자는 겁에 질린 눈으로 쳐다보았다.

"달이 막 뜰 무렵, 우리는 오두막에 도착했어요." 남자가 중얼거렸다. "저는 밖에서 망을 보고 나머지는 집주인을 잡아 족치려고 오두막에 들어갔어요. 금을 어디에 숨겼는지 알아내려고요."

"그래, 그래! 그 다음엔?" 르루는 조바심 때문에 화가 치밀었다.

"그 다음엔 세상이 핏빛으로 변했어요. 오두막이 요동치면서 위로 솟구쳤고 시뻘건 빗물이 계곡에 넘쳤어요. 그때 오두막의 은 둔자와 온통 검은 옷을 입은 키 큰 남자가 숲에서 나왔어요."

"솔로몬 케인!" 르루의 맞은편에 앉아있던 산적이 놀라서 말했 다. "알았다! 내 이놈을—"

"입 닥쳐. 이 멍청아!" 르루가 호통을 쳤다. "계속 말해봐!"

"저는 도망쳤어요. 쫓아온 케인한테 부상을 입긴 했지만 아무 튼 이리로 놈보다 먼저 도망쳐왔습니다."

남자는 탁자 위로 고꾸라졌다.

"제기랄!" 르루가 울화통을 터뜨렸다. "케인이라는 놈이 어떻게 생겼더냐?"

"악마처럼—"

남자의 목소리가 힘없이 잦아들었다. 죽은 남자는 탁자에서 미 끄러져 붉은 퇴적물처럼 바닥에 널브러졌다.

"악마처럼!" 다른 산적이 불쑥 말했다. "그것 봐! 그 놈은 악마 라니까! 내가 뭐랬어—"

그는 동굴 입구를 힐끔거리다가 겁에 질린 얼굴로 입을 다물었 다.

"케인?"

"얼씨구." 르루는 상대를 골려줄까 싶었지만 그러기엔 경황이 없었다. "라몬, 한눈팔지 말고 망이나 잘 봐. 조금 있다가 레트(Rat. 쥐—옮긴이)와 나도 나갈 테니까."

입구에 스쳤던 얼굴은 사라졌고, 르루는 다른 산적 레트를 쳐 다보았다.

"이 패거리도 이젠 끝장이야." 그가 말했다. "너와 나 그리고 저 도둑놈 라몬도 전부 여길 떠야 해. 다른 수라도 있어?"

레트의 창백한 입술이 간신히 옴짝거렸다. "도망쳐야지!"

"맞아. 궤짝에서 금은보화를 꺼내 비밀 통로로 도망치자고."

"라몬은?"

"우리가 준비를 끝낼 때까지 망을 봐야지. 그런 다음에…… 보물을 삼등분할 필요는 없잖아?"

레트의 사악한 얼굴에 미소가 스쳤다. 그런데 불현 듯 뇌리를 스치는 생각이 있었다.

"저 녀석이 그랬잖아?" 레트가 바닥에 쓰러져 있는 시체를 가리켰다. "자기가 놈보다 이리로 먼저 도망쳤다고. 그렇다면 케인이란 놈이 여기까지 쫓아왔다는 말이잖아?"

르루가 조급하게 고개를 끄덕이자, 레트는 서둘러 궤짝을 열었다.

투박한 탁자 위에서 촛불이 흔들리면서 기이하고도 을씨년스러운 분위기를 자아냈다. 죽은 시체 주변으로 서서히 번져가는 피 웅덩이 쪽으로 붉은 빛이 불안하게 흔들렸다. 황동으로 테두리를 한 궤짝들이 동굴 벽을 따라 놓여 있는데, 거기서 끄집어낸 보석과 금화 더미에도 촛불이 일렁였다. 그리고 르루의 칼집에 꽂힌 단도에도, 그의 눈에도 번뜩임이 스쳤다.

궤짝들이 비고, 핏물이 벤 바닥에서 엄청난 양의 금은보화가 반짝였다. 르루가 하던 동작을 멈추고 귀를 기울였다. 동굴 밖은 조용했다. 달도 없었다. 르루의 예리한 직감 속에서 검은 살인자 솔로몬 케인이 어둠과 그림자 사이를 미끄러져 들어오는 모습이 보였다. 그는 기분 나쁘게 히죽 웃었다. 이번에는 그 영국인이 뜨거운 맛을 볼 차례라고 생각했다.

"아직 궤짝이 남았잖아." 그가 궤짝 하나를 가리켰다.

흠칫 놀란 레트가 뭐라고 구시렁대면서 그 궤짝을 향해 몸을 구부렸다. 르루는 고양이처럼 잽싸게 레트의 등에 칼을 꽂았다. 레트는 끽소리 한번 지르지 못하고 고꾸라졌다.

"보물을 이등분할 필요가 있나?" 르루가 중얼거리면서 죽은 레트의 웃옷에 칼날을 닦았다. "이번에는 라몬 차례렷다."

그는 입구 쪽으로 발길을 돌렸다. 그러나 이내 우뚝 멈춰서더니 뒷걸음질 쳤다.

처음에는 입구에 서 있는 남자의 그림자라고 생각했다. 그런데 그림자가 아니라 사람이었다. 그 모습이 너무도 어두웠고 움직임도 없는데다 약해진 촛불 때문에 기묘한 그림자 효과를 준 것이었다.

르루만큼이나 키 큰 남자가 머리에서 발끝까지 검은색 옷으로 그것도 음울한 얼굴과 딱 어울리는 차림을 하고 서 있었다. 그가 손에 들고 있는 기다란 레이피어(16-17세기 무렵에 유럽에서 호신용이나 검투용으로 사용하던 가늘고 긴 검―옮긴이)가 아니더라도 긴팔과 떡 벌어진 어깨가 검객임을 암시하고 있었다. 전체적으로 음산하고 침울해 보이는 남자였다. 가무잡잡하고 창백한 안색 때문에 흐릿한 불빛 속에서 유령처럼 보였고, 그런 인상은 새카만 눈썹을 찌푸리고 있어서 더욱 도드라졌다. 움푹 들어간 커다란 눈이 빤히 산적을 노려보고 있었다. 르루는 그 눈동자의 색깔이 무엇인지 판단이 서지 않았다. 깃털 없는 모자에 반쯤 가려져 있긴 했지만 반듯하고 넓은 이마가 기이하리만큼 침울한 메피스토펠레스의 분위기를 상쇄하고 있었다.

이마뿐 아니라 광신도라고는 볼 수 없는 눈빛과 가늘고 오뚝한 콧날에 이르기까지 그는 몽상가이고 이상주의자이며 내성적인 사람에 가까웠다. 누군가 그곳에서 서로를 마주보고 서 있는 두 남자의 눈빛을 보았더라면 강렬한 인상을 받았을 터이다. 두 남자의 눈빛 모두 엄청난 힘을 짐작케 했지만 서로 닮은 점은 그것이 전부였다.

산적의 잔인하고 탁한 눈은 기묘한 보석처럼 변화무쌍하고 야릇한 빛을 발하고 있었다. 조롱과 잔혹함과 무자비함이 느껴지는 눈빛.

반면에 검은 옷을 입은 남자의 눈은 짙은 눈썹 아래 움푹 들어간 곳에서 차갑지만 심오한 빛을 띠었다. 그 눈을 들여다보고 있노라면, 누구든 깊디깊은 빙하 속을 들여다보는 듯한 착각에 빠질 것이다.

두 남자의 눈빛이 교차하는 동안, 공포라면 이골이 난 르루마저 등골이 오싹해지는 묘한 냉기를 느꼈다. 난생 처음 맛보는 느낌, 그건 스릴을 쫓아온 그의 일생에서도 뜻밖의 스릴이었다. 그가 갑자기 웃음을 터뜨렸다.

"당신이 솔로몬 케인이오?" 그가 짐짓 무심하게 점잔을 빼면서 물었다.

"내가 솔로몬 케인이다." 목소리가 웅숭깊고 기운찼다. "신을 만나볼 준비는 끝냈는가?"

"여부가 있겠소이까, 나리." 르루가 허리를 굽히고 말했다. "그 어느 때보다 만반의 준비가 다 되어있소이다. 나리한테 똑같은 질문을 드려도 될 런지."

"내가 질문을 제대로 못했나 보군." 케인이 심각하게 말했다. "다시 묻겠다. 너의 주인인 악마를 만날 준비는 끝냈는가?"

"그 질문에 대해서라면, 나리." 르루는 무심하게 자신의 손톱을 들여다보았다. "내키지는 않지만 딱 좋은 설명을 할 수 있소이다."

르루는 라몬에게 무슨 일이 생겼을지는 궁금하지 않았다. 케인이 동굴 안까지 들어와 있으니 그것으로 알고도 남았다. 케인의 레이피어에 핏자국이 남아있는지 확인해볼 필요조차 없었다.

"나리, 내가 알고 싶은 것이 뭔고 하니," 산적이 말했다. "무슨 이유로 내 패거리를 그리 괴롭혔는지 또 무슨 수로 그 멍청한 것들을 죄다 쓸어버렸는지 하는 거요."

"마지막 질문엔 답하기가 쉽군 그래." 케인이 대답했다. "그 은둔자가 많은 금을 가지고 있다는 소문은 나도 들었다. 독수리 떼가 썩은 고기에 모여들 듯 네 놈의 쓰레기 패거리들이 그쪽으로 찾아올 거라고 생각했다. 오두막 주변에서 며칠 밤낮을 망을 보는데 오늘밤 산적들이 나타나더군. 그래서 내가 은둔자에게 미리 알려주고 그와 함께 오두막 뒤편의 숲속으로 갔다. 그리고 불한당들이 오두막 안으로 들어갔을 때, 미리 연결해둔 도화선에 부싯돌로 불을 붙였다. 불꽃이 붉은 뱀처럼 타들어가더니 오두막 밑에 설치해둔 폭약에 닿은 거야. 곧바로 오두막과 함께 열세 명의 죄인들은 화염과 연기 속에서 지옥으로 가 버렸지. 실은 한 놈이 도망치긴 했지. 내가 썩은 나무뿌리에 걸려 넘어지지만 않았더라면 그 놈도 도망치지 못하고 숲속에서 내 손에 죽었을 걸."

"나리." 르루가 또 한 번 허리를 굽혔다. "기꺼이 찬사를 보내는 바요. 비록 적일지언정 용감하고 빈틈없는 상대에겐 으레 찬사를 보내야죠. 하지만 궁금한 게 있소. 왜 나리는 사슴을 쫓는 늑대처럼 나를 찾아다니는 거요?"

"몇 달 전," 케인이 더 험악하게 인상을 쓰면서 말했다. "너와 네 부하들이 계곡 아래의 작은 마을을 습격했다. 자세한 건 나보다 네가 더 잘 알고 있겠지. 어린 소녀 하나가 너의 탐욕을 피해 계곡 위로 도망쳤다. 하지만 지옥의 앞잡이 같은 네놈은 끝내 소녀를 붙잡아 유린하고 죽어가게 버려두었지. 난 그 소녀를 발견하고 그 죽은 시체 앞에서 네 놈을 찾아 죽이겠다고 다짐했다."

"흠." 르루는 생각에 잠겼다. "그래, 그 계집, 생각나네. 결국 그런 나약한 감정 때문이라 그거요! 나리가 색을 밝힐 줄은 미처 몰랐소. 훌륭한 나리께서 질투를 해서야 쓰나. 널린 게 계집인데."

"르루, 입 조심해라!" 케인이 무서운 기세로 소리쳤다. "지금껏 고문으로 사람을 죽인 적이 없다만 기어이 네놈이 날 그리 만들려는 구나!"

케인의 입에서 나온 말투와 특히 뜻밖의 독설에 르루는 슬며시 경계심이 들었다. 르루는 눈을 가늘게 치켜뜨고 레이피어 쪽으로 손을 가져갔다. 일순 긴장감이 돌았다. 이윽고 르루가 조심스럽게 긴장을 풀었다.

"그 계집이 누구요?" 그가 태평하게 물었다. "마누라요?"

"처음 보는 소녀였다." 케인이 대답했다.

"빌어먹을!" 산적이 욕설을 내뱉었다. "알지도 못하는 계집 때문에 복수를 하다니 너는 대체 어떤 놈이냐?"

"그게 바로 내 일이다. 그 정도면 내게 충분한 이유니까."

케인은 스스로도 설명할 수 없었고, 자신이 왜 복수에 나섰는지에 대해 생각해본 적도 없었다. 진정한 열정과 자극, 그것만으로도 그의 행동을 설명하기에 충분했다.

"당신 말이 맞소." 르루는 대화에 열중하는 척 하면서 조금씩 뒤로 물러섰다. 그 동작이 얼마나 교묘했던지 앞에서 지켜보고 있던 날카로운 케인의 눈까지 속일 수 있었다. "형씨." 그가 말했다. "당신이 마치 갤러헤드(아서왕의 전설에 등장하는 원탁의 기사 중 하나—옮긴이)처럼 떠돌면서 약자를 구해주는 고귀한 기사인척 말한대도 난 상관없어. 하지만 나와 당신은 달라. 지금 바닥에 어마어마한 돈이 널려 있어. 우리 사이좋게 나눠 가집시다. 그리고 당신은 우리 같은 놈들을 싫어한다니, 빌어먹을, 그냥 각자 길을 가면 그만이잖아."

케인이 몸을 앞으로 옹크렸다. 차가운 눈동자에서 섬뜩한 위협감이 전해졌다. 먹잇감을 덮치려는 커다란 독수리 같았다.

"이봐, 내가 너 같은 쓰레기로 보이나?"

갑자기 고개를 획 젖힌 르루가 눈알을 이리저리 굴리면서 미친 원숭이처럼 들썩거렸다. 차라리 미치광이 같았다. 그의 웃음소리가 동굴 안을 쩌렁쩌렁 울렸다.

"빌어먹을! 멍청한 놈 같으니. 난 너랑 같은 족속이라고 생각 안 해! 몽디외(맙소사), 케인 나리. 내가 품어준 계집들이 한둘이 아닌데, 그년들 전부를 위해 복수를 하려면 꽤나 바쁘시겠네!"

"죽일 놈! 너 같은 천한 놈과 말장난이나 하고 있다니!" 케인이 갑자기 노기등등한 목소리로 호통을 쳤다. 불시에 시위를 떠난 화살처럼 그의 깡마른 몸이 눈 깜짝할 사이에 앞으로 튀어나갔다.

그 순간, 르루는 미친 듯이 웃고는 케인만큼이나 민첩하게 뒤쪽으로 돌아섰다. 타이밍이 절묘했다. 그는 탁자를 옆으로 집어던져 촛불을 꺼뜨린 뒤, 어둠에 잠긴 동굴 속을 냅다 달려갔다.

케인이 어둠 속에서 마구 레이피어를 찔러댔지만 빈 허공을 가르는 소리만 들려왔다.

"안녕, 갤러헤드 나리!" 앞쪽 어딘가에서 비아냥거리는 소리가 들려왔다. 그러나 격분에 휩싸여 소리가 나는 쪽으로 달려간 케인은 부질없이 단단한 동굴 벽을 상대해야 했다. 어딘가에서 또 비웃음 소리가 메아리치는 것 같았다.

케인은 어렴풋한 동굴의 입구를 노려보다가 혹시 르루가 슬쩍 옆으로 지나간 다음 동굴 밖으로 빠져나가려는 건 아닐까 생각했다. 그러나 입구 쪽에서 아무런 형체도 보이지 않았다. 그가 더듬더듬 초를 찾아 불을 켰을 때, 동굴은 텅 비어 있었다. 케인 자신과 바닥에 있는 시체 두 구가 전부였다.

제 3 장 북의 찬가

어스레한 강 너머에서 들려오는 나지막한 소리가 있었다. 둥, 둥, 둥! 음울하게 되풀이되는 소리. 멀리서 또 다른 소리가 희미하게 섞이고 있었다. 윙, 위잉, 윙! 현악기를 뜯는 듯한 그 울림은 북소리와 앞서거니 뒤서거니 말을 주고받는 것 같았다. 대체 무슨 사연을 전하는 것인가? 지도에도 없는 음침하고 스산한 정글에 기괴한 비밀이라도 있는 것인가?

"이 내포에 스페인 배가 들어와 있는 게 확실한가?"

"예, 나리." 흑인은 이 내포에 백인들이 배를 남겨두고 정글로 들어갔노라 맹세했다.

케인이 심각한 얼굴로 고개를 끄덕였다.

"그러면 나 혼자 뭍으로 올라가겠다. 너는 일주일을 기다렸다가 내가 돌아오지 않거나 소식을 듣지 못하면 네가 원하는 곳으로 배를 타고 가거라."

"예, 나리."

케인이 타고 온 배 양쪽에 파도가 평화롭게 부딪쳤다. 그가 찾아온 마을은 강둑에 있었지만 내포 뒤쪽으로 정글에 가려져 있어서 배에서는 보이지 않았다.

케인은 밤에 뭍으로 오르는, 가장 위험해 보이는 방법을 택했다. 그럴만한 이유가 있었다. 만약에 그가 찾는 사람이 마을에 있다면, 낮에는 도저히 접근할 수 없을 터였다. 한밤에 정글을 통과해야 하는 위험천만한 길이었으나 그는 평생을 그런 위험 속에서 살아왔다. 그렇다고 해도 어둠을 틈타 마을 사람들 모르게 흑인마을에 들어가는 건 성공할 가능성도 희박하고 목숨까지 걸어야하는 도박이나 마찬가지였다.

강변에서 그가 몇 마디 지시를 내리자, 노 젓는 사람들은 내포에서 멀리 정박해둔 배로 돌아갔다. 그는 돌아서서 정글의 어둠 속으로 빨려 들어갔다. 그리고 한손에는 검, 다른 손에는 단도를 쥔 채 북소리가 들려오는 방향을 가늠하며 조심스럽게 나아갔다.

그는 칼을 들고도 표범처럼 날쌔게 움직였다. 온 신경을 곤두세우고 방향에 집중했지만 길은 녹록치 않았다. 몸을 휘감고 얼굴을 때리는 덩굴 때문에 발길이 더디었다. 커다란 나무줄기 사이를 더듬거려야 했고, 덤불에서는 묘한 소리와 위협적인 그림자들이 쉴 새 없이 들고났다. 발치에서 꿈틀거리는 것을 밟고 질색하며 물러선 것이 벌써 세 번째였다. 한번은 나무 사이에서 불길하게 번뜩이는 야수의 눈과 마주치기도 했다.

둥, 둥, 둥. 단조로운 북소리는 계속해서 들려왔다. 전쟁과 죽음(사람의 목소리). 피와 욕망. 인간의 희생과 인간의 축제! 아프리카의 영혼(북소리). 정글의 영혼. 외계에 있는 어둠의 신을 향한 찬가, 으르렁거리고 알 수 없는 소리를 지껄이는 신들, 인간이 태초에 알았던 신들. 야수의 눈과 쩍 벌린 입과 커다란 배와 피 묻은 손을 지닌 검은 신들이여(북소리).

케인이 숲을 헤치고 나가는 동안, 온갖 소음과 북소리가 노도처럼 귓전을 때렸다. 그의 영혼 깊숙한 곳에서 자기도 모르게 동요하고 화답하려는 울림이 느껴졌다. 너도 밤의 자식이라(북소리). 네 안에 무구한 세월을 거쳐 돌아온 밤의 힘, 원시의 힘이 있나니. 우리에게 가르치게 하라. 우리에게 가르치게 하라(북의 찬가).

그는 앞으로 검을 쭉 빼들고 신중하게 움직였다. 사방에서 나무들이 음산한 거인의 모습처럼 비춰지는 상황, 그래서 아무리 작은 움직임이라도 놓치지 않으려고 어둠을 노려보았다. 때때로 커다란 나무줄기들이 서로 얽히어 길을 막는 바람에 시야가 막히기도 했다.

그는 검은 유령처럼 어두운 숲길을 갔다. 긴장의 끈을 놓지 않고 보고 들었다. 그리고 아직은 위험한 징조가 없다고 생각하는 순간, 어둠 속에서 거대하고 모호한 형체가 솟구치더니 소리 없이 그를 덮쳤다.

제 4 장 검은 신

둥, 둥, 둥. 어딘가에서 귀를 먹먹하게 만드는 단음과 운율이 똑같은 말을 되풀이하고 있었다. "멍청이, 멍청이, 멍청이!" 손을 뻗치면 닿을 듯한 거리였다. 두 개의 소리가 하나로 합쳐질 때까지 머릿속이 울리고 욱신거렸다. "멍청이, 멍청이, 멍청이, 멍청이—"

안개가 옅어지다가 사라졌다. 케인은 손을 들어 머리를 만지려다가 손과 발이 묶여 있는 걸 깨달았다. 오두막 바닥에 혼자 누워 있는 걸까? 그는 내부를 살펴보기 위해 몸을 틀었다. 혼자가 아니었다. 어둠 속에서 그를 바라보는 두 개의 눈동자가 빛나고 있었다. 조금씩 그 형체의 윤곽이 잡히기 시작했다. 케인은 아직 어지러움을 느끼면서 어둠 속의 남자가 그를 때려 기절시킨 장본인이라고 생각했다. 그런데 아니었다. 그 남자는 그 정도로 강한 일격을 날릴 수 있을 것 같지가 않았다. 깡마른 늙은이. 그 시든 육체에서 살아있는 것이라고는 눈동자, 뱀의 그것을 닮은 눈 밖에 없는 것 같았다.

그 남자는 오두막의 문가에 웅크리고 있었는데, 로인클로스 (loin-cloth, 허리에 간단히 두르는 옷—옮긴이)와 팔다리의 허접한 장신구를 제외하고는 벌거숭이나 다름없었다. 상아로 만든 기이한 조각, 동물과 사람의 뼈 혹은 가죽 따위가 그의 팔다리를 수놓는 장신구였다. 그런데 그가 불쑥 영어로 말했다.

"하, 정신이 드시오? 백인 양반. 여긴 어쩌다가 온 거요, 에?"

케인은 코카서스 인종답게 꼭 필요한 질문은 참지 않았다.

"영어는 어디서 배웠소?"

흑인이 히죽 웃었다.

"어렸을 때 오랫동안 노예 생활을 했다오. 내 이름은 은롱가, 쥬쥬 족의 위대한 주술사요. 나 같은 흑인도 없지! 어이 백인, 당신은 형제를 찾고 있소?"

케인이 소리쳤다. "그렇소! 형제! 한 남자를 찾고 있소."

흑인이 고개를 끄덕였다. "그래서 찾았소, 에? 죽었군 그래!"흑인이 또 히죽 웃었다. "나는 강인한 쥬쥬 족이오."

그의 말은 도무지 종잡을 수가 없었다. 그가 가까이 몸을 빼밀었다. "백인, 당신은 표범 같은 눈을 가진 남자를 찾고 있소, 에? 맞소? 하! 하! 하! 하! 이봐요 백인, 내 말 잘 들으시오. 그 표범 눈 사나이와 송가 추장은 아주 가까운 사이요. 지금은 의형제가 됐소. 내가 당신을 돕겠소. 그러니까 나를 도와주시오, 에?"

"댁이 나를 도우려는 이유가 뭡니까?" 케인이 미심쩍은 기색으로 물었다.

그 쥬쥬 부족 남자가 더 가까이 다가와서 속삭였다. "그 백인은 송가 추장의 오른팔이오. 송가는 은롱가보다 더 강해요. 백인은 아주 강한 쥬쥬요! 다른 백인이 그 표범 눈의 사나이를 죽이면 그 백인은 은롱가의 의형제가 되오. 은롱가는 송가보다 더 강해져요. 그게 결론이오."

그 흑인이 거무스름한 유령처럼 너무도 홀연히 오두막에서 사라지는 바람에 케인은 그것이 전부 꿈이라는 사실을 미처 깨닫지 못했다.

케인은 바깥에서 일렁이는 불꽃을 볼 수 있었다. 북소리는 여전했지만, 이번에는 아주 가까이서 여러 소리들이 뒤죽박죽 섞였고, 케인의 마음속에서 절로 화답하고픈 충동은 사라지고 없었다. 리듬이나 동기는 없이 그저 왁자지껄한 소음처럼 들리면서도 그 밑바닥에는 조롱과 야만과 만족감이 자리 잡고 있었다. '정글이 속임수를 쓰고 있군.' 케인은 생각했다. 아직도 어지러웠다. '남자를 유혹하는 정글의 여자처럼.'

두 명의 전사가 오두막으로 들어섰다. 그 거구의 흑인들은 온몸을 섬뜩하게 색칠하고 투박한 창을 들고 있었다. 그들은 백인을 들어 올리고 오두막을 나갔다. 그러고는 들판을 지나서 어느 기둥에 케인을 기대어 세워놓고 묶었다. 사방에서 곁눈질하는 검은 얼굴들이 일렁이는 모닥불에 따라 또렷해졌다가 희미해져갔다. 케인의 눈앞에 오싹하고 역겨운 형체가 어슬렁거렸다. 일정한 생김새가 없고 인간의 기괴한 모조품 같은 검은 괴물. 아프리카의 형태 없는 영혼처럼 여전히 온 몸에 피 칠을 하고 웅크리고 있는 공포, 그것이 바로 검은 신이었다.

양옆에서 앞쪽으로 두 명의 남자가 조악하게 만든 왕관을 쓰고 앉아 있었다. 오른쪽에 앉아있는 남자는 흑인으로, 검은 살과 근육 덩어리처럼 볼품없이 덩치만 컸다. 투미한 얼굴에 돼지처럼 작은 눈이 깜박거렸고, 축 늘어진 두툼하고 뻘건 입술은 오만하게 다물어져 있었다.

그리도 또 한 사람—

"아, 형씨, 또 만났네." 그렇게 말한 이는 산속 동굴에서 케인을 비웃던 쾌활한 악당과는 사뭇 딴판으로 변해 있었다. 옷은 너덜너덜 찢겨져 있었고, 얼굴에는 그새 주름이 더 생겨 있었다. 몇 년 동안 험한 생활을 한 모양이었다. 그러나 여전히 반짝이는 눈빛만은 예전처럼 불안하게 이리저리 흔들렸고, 목소리에도 변함없이 비아냥거림이 묻어 있었다.

"네 놈의 역겨운 목소리를 마지막으로 들었던 게 아마," 케인이 침착하게 말했다. "캄캄한 동굴에서였지. 쥐새끼처럼 잘도 내빼더군."

"그렇다고 칩시다." 르루가 태연하게 말했다. "그러는 댁은 어둠 속에서 코끼리처럼 우왕좌왕 뭘 하셨소?"

케인이 주저하다가 말했다. "나는 산을 떠난 뒤에—"

"동굴 앞으로 말이오? 엉? 하긴 형씨가 너무 멍청해서 비밀 문을 찾기는 어려울 거라고 생각은 했지. 참 한심하네. 동굴 벽 앞에 황금 자물쇠가 채워진 궤짝을 밀었더라면 내가 빠져나온 비밀 통로를 찾아냈을 텐데 말이야."

"난 가장 가까운 항구로 가서 배를 타고 이탈리아까지 너를 뒤쫓아 갔다. 하지만 너는 이미 사라지고 없더군."

"어이쿠, 말도 마쇼, 플로렌스에서 형씨한테 거의 붙잡힐 뻔 했지. 하! 하! 하! 갤러헤드 나리가 여인숙 정문을 부수고 있는 동안, 난 뒷 유리창으로 빠져나갔거든. 형씨의 말이 발을 절뚝거리지 않았더라면 로마로 가는 길목에서 잡히고 말았을 걸. 그뿐이 아니라, 갤러헤드 나리가 부두에 막 도착했을 때 내가 탄 배가 간신히 출항했다니까. 왜 그렇게 나를 쫓아다니는 거요? 도무지 이해할 수가 없으니 원."

"네 놈은 내가 반드시 죽어야할 악당이기 때문이다." 케인이 차갑게 말했다. 그러나 그 자신도 이해하지 못했다. 지금껏 세상을 떠돌며 약자를 돕고 악인들과 싸워왔음에도 케인 자신은 그 이유를 몰랐고 왜냐는 의문도 품어본 적이 없었다. 그것은 그의 집념이자 삶의 원동력이었다. 약자에 대한 학대와 폭압은 시뻘건 분노의 불씨가 되어 그의 영혼에 영원히 사그라지지 않는 불을 지폈다. 그런 증오의 불길이 절정으로 타오를 때는 가장 철저히 응징하지 않고서는 마음의 평온을 얻을 수 없었다. 스스로 그런 생각을 잠시나마 해보았다면, 그 자신이 신의 심판을 행하는 집행자이며 죄인의 영혼에 천벌을 내리는 신의 사자라고 여겼을지 모른다. 그러나 엄격히 말해서 솔로몬 케인은 스스로 믿는 것과는 달리 철저한 청교도는 아니었다.

르루가 어깨를 으쓱했다. "내가 형씨를 오해하고 있었나 보네. 몽 디외(빌어먹을)! 나 역시도 원수를 쫓을 때는 세상 끝까지라도 포기하지 않는 사람이니까. 형씨를 기꺼이 죽여줄 용의는 있지만, 내게 선전포고를 했다는 것 외에 난 형씨에 대해 아는 게 없소."

케인은 아무 말 없이 온몸을 휘감는 무언의 분노를 느끼고 있었다. 르루는 그에게 단순한 적 이상이었지만, 케인은 정작 그런 사실을 아직 깨닫지 못했다. 케인에게 있어 르루는 청교도들이 일생 동안 맞서 싸우는 그 모든 것을 상징하는 상대였다. 잔학함과 폭력, 억압과 전횡.

복수에 찬 케인의 명상을 깨뜨린 건 르루의 목소리였다. "그건 그렇고 그 보물은 어쨌소? 씨발, 그걸 모으느라 내가 몇 년 동안 얼마나 고생했는지 아쇼? 젠장, 도망치느라 시간이 없어서 금화와 시시한 장신구만 한 움큼 집어왔는데."

"널 찾아내는데 필요한 만큼만 가졌다. 나머지는 네 놈이 약탈한 마을에 돌려주었다."

"씨발!" 르루가 욕설을 내뱉었다. "형씨는 내가 본 사람 중에서 가장 멍청한 인간이야. 그 많은 보물을 버리다니. 그것도 천하고 더러운 마을 상놈들에게 퍼주다니, 생각만 해도 열 뻗치네! 그래 봤자, 하! 하! 하! 어차피 놈들은 보물을 차지하려고 서로 훔치고 죽이느라 미쳐 날뛸 걸! 그게 사람의 본성이거든."

"못된 놈!" 케인이 불쑥 역정을 냈다. 괴로운 마음이 그대로 전해졌다. "네가 말한 대로 그들은 서로 한심한 짓을 하겠지. 하지만 나더러 어쩌란 말이냐? 그냥 동굴에 놔두었다면, 마을 사람들은 헐벗고 굶주렸을 것이다. 게다가 나중에 발견 된다 해도 그걸 노리고 도적과 살인자들이 몰려들겠지. 이게 다 네놈 때문에 벌어진 일이다. 금은보화를 원래의 주인들에게서 빼앗아오지만 않았어도 그런 문제는 없었을 테니까."

르루는 말없이 씩 웃었다. 케인은 저속한 사람이 아니었기에 그가 드물게 분노를 표출할 때는 그 효과가 배가되었고, 상대가 아무리 사악하고 파렴치한 인간이라 해도 간담이 서늘해지기 마련이었다.

케인이 말했다. "너는 왜 그렇게 도망을 치는 건가? 나를 정말로 무서워하는 건 아니잖은가."

"그 말은 맞소. 솔직히 나도 모르겠소. 도망치는 게 고치기 힘든 습관이어서 그런가. 그날 밤 산에서 형씨를 살려둔 게 실수였어. 공정하게 맞장을 뜬다면 형씨를 이길 자신이 있어. 하지만 지금도 그렇거니와 형씨를 몰래 매복했다가 죽이고 싶진 않았지. 형씨 같은 사람을 질색하는 나인데, 그때는 무슨 변덕이었는지 몰라. 빌어먹을, 게다가 내가 새로운 상황에 재미를 느꼈나 보오 이젠 인생에서 스릴을 맛보기도 힘들게 됐다고 생각하던 차였으니까. 사람은 모름지기 쫓고 쫓기고 해야 하거든. 형씨, 그래서 내가 쫓기는 입장이었지만, 방금 전까지 이 짓거리도 점점 신물이 나더라고. 형씨가 나를 놓쳐버렸다고 생각했거든."

"이 주변 출신인 흑인 노예가 포르투갈 선장에게 말하는 소리를 들었다. 스페인 선박에서 내린 백인 한 명이 정글로 들어갔다고. 그 말을 듣고 그 선장에게 이곳까지 데려다 달라고 했지."

"형씨, 그 노력에 경의를 표 하오만, 형씨도 나를 존경해야 할 거요! 난 미개인과 식인종이 사는 이 마을에 혼자 들어왔으니까. 배를 타고 오면서 노예한테 배워둔 말로 송가 왕의 신임을 얻고 저 광대 같은 은롱가를 내쫓았소. 내가 형씨보다 더 용감하다 이 말이지. 난 돌아갈 배도 없지만, 형씨는 기다리는 배가 있으니까."

"그래 네 용기는 가상하다." 케인이 말했다. "하지만 넌 식인종의 왕 노릇이나 하는데 만족해야 할 거다. 이중에서도 가장 더러운 놈이 바로 너다. 나는 네 놈을 죽이고 돌아가겠다."

"듣기 좋은 소리는 아니지만 형씨의 자신감은 칭찬할 만하군. 어이, 굴카!"

거구의 흑인 한 명이 그들 사이로 다가왔다. 그 흑인은 케인이 지금껏 만난 사람 중에서 가장 거구였음에도 몸놀림이 고양이처럼 민첩하고 유연했다. 팔다리가 나무 같았고, 움직일 때마다 우람하고 유연한 근육들이 물결을 일으켰다. 원숭이 같은 머리가 거대한 어깨 사이에 당당하게 놓여 있었다. 크고 검은 손은 원숭이의 굽은 손을 닮았고, 맹수 같은 눈 위로 이마가 비탈처럼 버티고 있었다. 납작한 코와 크고 두툼한 입술에 이르기까지, 원시적이고 탐욕스러운 야만의 전형적인 모습이었다.

"이쪽은 고릴라 도살자, 굴카." 르루가 말했다. "숲길에서 기다리고 있다가 형씨를 때려눕힌 장본인이지. 케인 나리, 형씨는 늑대 같은 사람이긴 하나, 뭍에 들어오는 형씨의 배가 발각되는 바람에 이미 많은 사람들이 감시를 하고 있었지. 그리고 형씨가 아무리 표범처럼 날쌔고 강한들, 굴카의 인기척조차 알아채지 못했소. 굴카는 여기 원시 숲에서 북쪽 끝에 사는 야수 중에서도 가장 포악하고 교활한 놈들을 사냥하지. 일명, '사람처럼 걷는 짐승', 굴카의 사냥감을 그렇게들 부르는데, 아, 저기에도 한 마리가 있군."

케인이 르루의 손가락을 쫓아 바라보니, 오두막의 지붕에 사람처럼 생긴 희한한 뭔가가 매달려 있었다. 괴물이 붙잡고 있는 깔쭉깔쭉한 처마끝이 괴물의 몸 밖으로 삐져나와 있었다. 모닥불에 생김새가 잘 보이지 않았지만, 사람처럼 생긴 기이하고 섬뜩한 털북숭이 생물체였다.

"굴카가 암컷 고릴라를 죽여서 마을로 가져왔거든." 르루가 말했다.

거구의 흑인이 몸을 숙이고 케인의 눈을 쳐다보았다. 케인이 지지 않고 무섭게 노려보자, 흑인은 곧 시선을 떨어뜨리고 몇 발자국 뒤로 물러섰다. 청교도의 엄한 눈빛이 고릴라 도살자의 영혼에 깃든 원시의 안개를 꿰뚫었던 모양이다. 흑인은 난생 처음 공포를 느꼈다. 공포를 떨치기 위함인지 흑인이 도전적인 눈빛으로 주위를 둘러보다가 난데없이 자신의 큼직한 가슴을 치기 시작했다. 억센 두 팔이 가슴을 향해 떨어질 때마다 둔중하고 깊은 울림이 메아리쳤다. 아무도 말이 없었다. 그렇게 원시의 야성이 표출되는 동안, 그 흑인보다는 좀 더 개화한 사람들은 즐거이 또 너그럽게 혹은 경멸스럽게 지켜보고 있었다.

굴카는 케인을 힐끔거리며 자기를 쳐다보고 있는지 확인했다. 그러다가 갑자기 야수처럼 울부짖으면서 앞으로 돌진해서는 둘러선 사람 중에서 한 남자를 끌어내는 것이었다. 붙잡힌 남자가 벌벌 떨면서 살려달라고 애원했지만, 거구의 흑인은 어둠에 묻든 석상 앞의 투박한 제단 위로 남자를 집어던졌다. 창이 솟구쳤다가 허공을 가르며 번뜩였고, 이내 애원 소리도 그쳤다. 검은 신은 일렁이는 모닥불 속에서 기괴한 모습으로 슬쩍 제단을 곁눈질하는 것 같았다. 술에 취해 있었다. 검은 신이 제물에 만족한 것일까?

뒤로 물러선 굴카가 케인 앞에 서서 피 묻은 창을 휘둘러 보였다.

르루가 웃음을 터뜨렸다. 그런데 그때 은롱가가 홀연히 나타났다. 어디서 나타났는지 모를 정도로 감쪽같은 출현이었다. 은롱가는 어느새 케인이 묶여있는 기둥 옆에 서 있었다. 환영술을 연구하는데 평생을 바쳐온 이 쥬쥬 인이 사라졌다 나타나는 고도의 마법을 터득한 모양이었다. 물론 그것이 사람들의 주의력을 얼마나 절묘한 타이밍으로 이용하는가에 불과하다고 해도 말이다.

쥬쥬 인은 굴카더러 물러서라고 위엄 있게 손짓했다. 그러자 고릴라 인간이 은롱가의 시선을 피해 물러서는가 싶더니 눈 깜짝할 사이에 돌아서서 손바닥으로 은롱가의 관자놀이 부분을 무섭게 후려쳤다. 은룽가는 황소처럼 쓰러졌고, 곧바로 케인과 가까운 기둥에 묶였다. 흑인 무리에서 알아들을 수 없는 술렁임이 일었지만, 송가 왕의 노기 띤 눈빛을 대하고는 곧 잠잠해졌다.

르루가 왕관을 뒤로 고쳐 쓰고 떠들썩하게 웃어댔다.

"갤러헤드 나리, 사냥 놀이는 여기서 끝이오. 저 늙은 멍청이가 자신의 술책을 감쪽같다고 생각한 모양이군! 내가 오두막 밖에 숨어 있다가 당신들이 하는 흥미진진한 대화를 다 들었는데 말이야. 하! 하! 하! 검은 신이 한잔할 시간이지만, 형씨, 내가 이미 송가를 설득해서 당신 둘을 불태우기로 했어. 평소처럼 축제를 벌이지 못해 찜찜하긴 해도, 화형 쪽이 더 재미있을 거야. 형씨의 발에다 일단 불을 붙이고 나면, 제아무리 악마 할아버지가 온대도 형씨의 해골까지 시커멓게 그을리는 건 막지 못해."

송가가 조급하게 뭐라고 소리를 지르자, 흑인들이 나무를 가져다가 은룽가와 케인의 발치에 쌓아올렸다. 그쯤에서 정신이 든 은룽가가 원주민 말로 뭐라고 소리쳤다. 어둠 속 군중들이 또 다시 술렁였고, 송가가 그들을 향해 무섭게 다그쳤다.

케인은 주위에서 벌어지는 광경을 거의 무관심한 눈빛으로 지켜보고 있었다. 또 다시 그의 영혼 어딘가에서 어렴풋한 원시의 울림이 꿈틀거렸고, 영겁의 흐릿한 장막에 가려져 있던 오랜 기억이 되살아나는 것 같았다. 태고의 기억이 전부 떠올랐다. 음침한 밤에 일렁이던 살벌한 불길, 그리고 잔뜩 기대에 차서 곁눈질하던 야수의 얼굴들, 저기 어둠 속에 도사리고 있는 저 검은 신! 검은 신은 언제나 어둠 뒤편에 웅크리고 있었다. 태초의 잿빛 새벽에서 들려오는 외침, 숭배자들의 광적인 찬가, 고막을 찢어대는 북소리,

찬송하는 사제들 그리고 사방에서 진동하는 역겹고 자극적인 피비린내. '이 모든 걸 언젠가 어딘가에서 본 적이 있어.' 케인은 생각했다. '가만 있자, 내가 핵심적인 역할을 했던 거 같은데……'

케인은 요란한 북소리를 뚫고 누군가의 말소리를 들었다. 북소리가 다시 높아지고 있다는 것조차 깨닫지 못하고 있었다. 말을 거는 사람은 은롱가였다.

"나는 위대한 쥬쥬 인이오! 자, 보시오. 내가 엄청난 마법을 행합니다. 송가!" 그의 목소리가 떠들썩한 북소리를 잠재우며 날카롭게 솟구쳤다.

은롱가가 외치는 소리를 듣고 송가는 히죽 웃었다. 북소리는 이제 불길한 단음으로 낮아졌고, 케인은 르루의 말소리를 또렷하게 들을 수 있었다.

"은롱가가 지금 입에 올리기만 해도 죽는 무시무시한 마술을 선보이겠다는 거요. 지금까지 살아있는 인간 앞에서는 한 번도 행한 적인 없는 마술이라네. 쥬쥬 부족의 이름 없는 마술. 형씨, 똑바로 지켜보쇼. 의외로 재미있을지도 모르니까." 르루가 가볍게 비웃었다.

한 흑인이 웅크리고서 케인의 발치에 있는 장작에 횃불을 갖다 댔다. 작은 불길이 곧 타오르기 시작했다. 또 다른 흑인이 은롱가의 발치에 불을 붙이려다가 주춤했다. 은롱가는 축 쳐져 있었다. 머리를 가슴에 늘어뜨린 것으로 봐서 숨이 끊어진 듯 했다.

르루가 와서 보고는 막말을 내뱉었다. "재수 없게 시리! 불속에서 몸부림치는 꼴을 보려고 했더니, 혹시 이놈이 수작을 부리는 거 아냐?"

흑인 한 명이 조심스럽게 쥬쥬의 마법사를 건드려본 뒤 뭐라고 말했다.

르루가 웃었다. "겁에 질려서 죽었다는데. 허, 위대한 마법사께서―"

그는 갑자기 말꼬리를 흐렸다. 북치는 사람들이 한꺼번에 죽기라도 했는지 북소리가 뚝 그쳤다. 마을을 짓누르는 안개처럼 사위는 침묵에 잠겼고, 정적 속에서 케인이 들을 수 있는 소리라고는 자신의 발에 열기를 훅 끼치는 불길의 타닥거림뿐이었다.

모두의 시선이 제단 위의 시체로 향해졌다. 시체가 움직이고 있었다!

처음에는 손이 씰룩거렸고, 곧이어 팔 하나가 획 움직였다. 그러더니 서서히 몸통과 사지 전체에서 움직임이 일었다. 종잡을 수 없이 움직이던 시체가 옆으로 뒹군 끝에 힘없는 팔다리가 땅에 닿았다. 뭔가가 태어나듯, 아니 능살 맞은 파충류가 보이지 않는 껍질을 깨고 튀어나오듯 섬뜩하게 비틀거리던 시체가 드디어 두 다리를 넓게 벌리고 일어서서 아직은 뻣뻣한 두 팔을 갓난쟁이처럼 부질없이 흔들었다. 어디선가 헐떡이는 누군가의 숨소리만 들려올 뿐 정적은 좀처럼 깨지지 않았다.

케인도 그저 바라만 보고 있었다. 그때처럼 할 말을 잃고 아무 생각도 할 수 없을 정도로 충격을 받은 건 난생 처음이었다. 청교도인 그가 보기에는 필시 사탄의 손이 나타난 것만 같았다.

왕좌에 앉아있던 르루는 믿기지 않는 광경 앞에서 얼어붙어서는 눈을 휘둥그레 치켜떴고, 자기도 모르게 들었던 손을 그대로 멈추고 다시 내릴 줄을 몰랐다. 그 옆에 있던 송가는 눈과 입을 크게 벌린 채 손가락으로 왕좌의 팔걸이를 마구 두들겨대고 있었다.

똑바로 일어선 시체가 죽마를 탄 것처럼 비틀거리다가 이윽고 시력을 잃은 눈으로 붉은 달을 똑바로 쳐다보았다. 어두운 정글 위로 달이 막 떠오른 참이었다. 시체는 갈팡질팡 원을 그리듯 걸었고, 중심을 잡으려는 듯 두 팔을 기괴하게 뻗었다. 그러다가 두 개의 왕좌와 검은 신 가까이 비틀거리며 걸어왔다. 케인의 발치에서 타들던 나뭇가지들이 팽팽한 침묵 속에서 대포처럼 맹렬한 소리를 내기 시작했다. 시체가 위태롭게 검은 발을 앞으로 내딛더니 곧 자동인형처럼 뻣뻣하고 거칠게 발걸음을 옮기기 시작했다. 이윽고 시체는 검은 신 양쪽에 앉은 채 충격에 할 말을 잃고 있는 두 남자에게 다가갔다.

"아, 아, 아!" 어디선가 요란한 탄식이 들려왔다. 겁에 질린 흑인 숭배자들이 반원형으로 모여 있던 어둠 쪽이었다. 음산한 유령은 계속 걸었다. 왕좌까지는 세 발짝, 그때 피비린내 나는 삶을 살아오면서 처음으로 공포에 직면했던 르루가 뒤로 움찔 물러났다. 한편 송가는 자신을 옭아매고 있는 공포의 사슬을 초인적인 힘으로 끊어보려 발버둥 치고 있었다. 이윽고 거친 비명으로 한밤의 침묵을 가른 송가가 벌떡 일어서서 창을 집어 들고는 협박조로 고함을 치기도 하고 되는대로 지껄여댔다. 그런데도 유령이 섬 뜩한 행진을 멈추려들지 않자, 송가는 억센 근육을 쥐어짜듯 온힘을 다해 시체의 가슴에 창을 꽂았다. 시체는 조금도 멈추는 기색이 없었고—죽은 자가 또 죽을 수는 없기에—송가 왕은 공포를 막아보려는 듯 두 팔을 뻗은 채 그 자리에 얼어붙었다.

그 순간, 거세진 모닥불과 스산한 달빛이 보는 이로 하여금 영원히 지울 수 없는 광경을 또렷하게 비추었다. 시체의 변함없는 눈동자가 송가의 휘둥그레진 눈을 똑바로 노려보았다. 송가의 눈에는 세상에서 가장 무시무시한 공포의 그림자가 어려 있었다. 곧이어 시체의 손이 휙 뻗어 나왔다가 위로 향해졌다. 시체의 두 손은 송가의 어깨에 올라가 있었다. 그 손길이 닿는 순간, 왕은 움츠리는 듯 보였는데 그가 토해낸 비명 소리는 그 후로 현장에 있던 목격자들에게 죽을 때까지 악몽으로 남을 터였다. 송가가 고꾸라지자, 시체도 뻣뻣한 동작으로 함께 쓰러졌다. 그들은 검은 신의 발치에 쓰러져서 꼼짝하지 않았다. 의식이 몽롱해진 케인의 눈에는, 석상의 크고 비정한 눈동자가 섬뜩하면서도 웃음어린 표정으로 그들을 빤히 내려다보고 있는 것 같았다.

　왕이 쓰러지는 순간, 흑인 무리에서 고함이 터졌다. 케인은 정신이 가물가물했지만 깊은 증오심 때문에 무의식적으로 르루 쪽을 바라보았다. 왕좌에서 일어선 르루가 어둠 속으로 사라지는 것이 보였다. 그러나 르루의 모습은 곧 검은 신 앞으로 몰려든 흑인들에 의해 가려졌다. 케인은 잠시 잊고 있던 고통에 새삼 발을 굴렀고, 흑인들이 그를 풀어주었다. 마법사도 기둥에서 풀려 땅에 눕혀졌다. 흑인들은 좀 전의 일을 은롱가의 소행으로 믿었고, 그들 자신과 마법사의 복수가 깊이 관련되어 있었다. 케인은 이런 사정을 조금은 이해할 수 있었다. 그는 허리를 굽히고 은롱가의 어깨를 잡았다. 은롱가가 죽었다는 건 의심의 여지가 없었다. 온몸이 이미 싸늘해져 있었다. 그는 다른 시체들을 쳐다보았다. 송가도 죽었고, 그를 죽인 시체도 꼼짝 없이 누워 있었다.

케인이 일어서려다가 멈칫했다. 꿈을 꾸고 있는 걸까? 아니면 시체의 몸에서 갑자기 느껴지는 온기가 진짜일까? 그는 심란한 마음으로 다시 허리를 굽히고 마법사의 시체를 살폈다. 시체의 팔다리에 서서히 온기가 퍼졌고 피가 돌았다.

은롱가가 눈을 뜨고 신생아처럼 무표정한 눈빛으로 케인을 올려다보았다. 케인은 지켜보다가 소름이 돋았다. 좀 전에 보았던 파충류의 모습이 다시 떠올랐고, 마법사의 두툼한 입술이 히죽 벌어진 것도 보였다. 은롱가가 상체를 일으키자, 흑인들 사이에서 기이한 찬가가 흘러나왔다.

케인은 주위를 두리번거렸다. 흑인들이 전부 무릎을 꿇고 이리저리 몸을 흔들고 있었다. 그들의 외침 속에서 케인이 알아들을 수 있는 말이 있었다. "은롱가!" 공포와 숭배의 황홀경에 빠진 것처럼 은롱가의 이름의 계속 되풀이되었다. 마법사가 일어서자, 모두 엎드렸다.

은롱가는 흡족한 듯 고개를 끄덕였다.

"나는 위대한 쥬쥬 인, 위대한 신이다!" 그가 케인에게 말했다. "보았소? 내 유령이 나와서 송가를 죽이고 다시 내게 돌아왔소! 위대한 마법! 나는 위대한 신이다!"

케인은 어둠 속에 웅크리고 있는 검은 신을 힐끔 쳐다보았다. 은롱가는 주문으로 악마를 깨우듯 그 석상을 향해 두 팔을 펼쳐 들었다.

"나는 영원하다. (케인의 생각에는 검은 신이 그렇게 말하는 것 같았다.) 누가 지배하든 나는 마신다. 추장, 살인자, 마법사 그들은 망자의 유령처럼 잿빛 정글을 지나간다. 나는 여기 서 있고, 지배한다. 내가 정글의 영혼이다."

케인은 안개의 환영 속을 배회하는 느낌이 들었지만 퍼뜩 정신을 차렸다. "백인! 그자가 어디로 도망갔지?"

은룽가가 뭐라고 소리쳤다. 흑인들이 손가락으로 가리켰다. 누군가 케인의 레이피어를 찾아 건네주었다. 안개가 옅어지다가 사라졌다. 케인은 복수자이고 불의의 응징자로 돌아왔다. 호랑이처럼 맹렬하게 검을 잡아채고 어둠 속으로 사라졌다.

제 5 장 혈흔의 끝

린덴(참피나무, 보리수 따위의 참피나무 속 식물—옮긴이)과 덩굴이 케인의 얼굴을 때렸다. 열대야의 후덥지근한 증기가 안개처럼 그를 에워쌌다. 그 무렵 정글 위로 높이 솟구친 달은 백색광 속의 검은 그림자를 또렷하게 드러냈고, 정글의 대지를 기괴한 모습으로 비추었다. 케인은 자신이 쫓는 남자가 앞에 있는지는 장담할 수 없었다. 그러나 부러진 나뭇가지와 짓밟힌 덤불은 누군가 그쪽으로 지나갔으며, 그것도 조심스럽게 길을 골라간 것이 아니라 다급히 뛰어갔음을 보여주고 있었다. 케인은 흔들림 없이 흔적을 따라갔다. 자신이 하고자 하는 복수의 정당성을 믿었기에 인간의 운명을 결정하는 미지의 존재들이 결국은 그를 르루에게 데려가 줄 것이라고 확신했다.

뒤쪽에서 북소리가 높아졌다 낮아졌다. 은룽가가 승리를 거둔 이 밤, 그들은 송가 왕의 죽음과 '표범 눈을 가진 백인'의 패배 그리고 더욱 음산한, 요컨대 이름 없는 쥬쥬 부족의 이야기를 낮은 울림으로 전하려고 하는 것이다.

그는 꿈을 꾸고 있었던 것일까? 케인은 발길을 재촉하면서 의아해졌다. 이 모든 것이 사악한 마법의 결과인가? 시체가 벌떡 일어나 살인을 하고 다시 죽는 광경을 그는 두 눈으로 똑똑히 보았다. 죽은 사람이 다시 살아나는 것도 보았다. 은롱가가 진짜 자신의 사령(死靈)과 영혼과 생명을 시체에 보내 자신의 뜻대로 행한 것인가? 아무렴, 은롱가는 기둥에 묶인 채 진짜 죽었고, 제단에서 죽은 남자가 일어나서 한 일은 은롱가가 살아있었더라면 꼭 하려던 일과 같은 것이었다. 그렇다면 보이지 않는 힘이 시체에 생명을 불어넣었고, 은롱가를 되살린 것이다.

그래, 케인은 생각했다. 그는 틀림없는 사실로 받아들였다. 정글과 강이 닿는 으슥한 어딘가에서 은롱가는 삶과 죽음을 통제하고 육체의 속박과 한계를 극복하는 비밀을 터득했을 터이다. 이런 오지의 음산하고 피비린내 나는 어둠 속에서 태어난 어둠의 지혜가 어떻게 그 마법사에게 전해진 것일까? 대체 어떤 제물과 제식을 바쳤길래 검은 신들이 그토록 흡족해져서 마법의 비밀을 알려주었을까? 그리고 자신의 자아와 사령을 보내는 동안 은롱가가 망자만이 닿을 수 있는 안개 속의 아득히 먼 대지를 지나면서 체험했을 상상과 시간을 초월하는 여행은 과연 무엇이었을까?

어둠 속에 지혜와 마법이 있나니.(북소리의 조용한 암시) 지혜를 구하려거든 어둠 속으로 들어가라. 고대의 마법은 빛을 싫어한다. 우리는 인간에게 지혜와 우매함이 생기기 이전의 망각된 세월을 기억하고 있다.(북소리의 속삭임) 우리는 짐승의 신들을 기억한다. 뱀 신, 원숭이 신 그리고 미지의 검은 신에 이르기까지 이들은 피를 마시며 마음껏 육욕을 채웠고, 이들의 목소리는 어두운 산골을 뒤흔들었다. 삶과 죽음의 비밀은 그들의 것. 우리는 기억한다. 우리는 기억한다.(북소리의 노래)

케인은 바삐 움직이는 동안 그들의 이야기를 들었다. 또 그들은 강 멀리 깃털달린 검은 전사들에 대해서도 말했지만. 케인은 이해할 수 없는 내용이었다. 그들은 그들만의 방식으로 그에게 이야기를 전했다. 그리고 그 언어는 더욱 심오하고 근원적인 것이었다.

검푸른 하늘에 높이 솟은 달이 그의 길을 밝혀주더니 마침내 빈터로 들어섰을 때 거기 서 있는 르루의 모습까지 또렷하게 보여주었다. 르루의 칼날이 달빛을 머금고 기다란 은빛으로 빛났다. 그는 어깨를 짝 펴고 평소처럼 오만방자한 미소를 머금고 있었다.

"지루한 추격전이었소. 형씨." 그가 말했다. "프랑스의 산속에서 시작되어 아프리카의 정글에서 끝이 나는군. 이젠 이 놀음에도 지쳤소. 이제 형씨가 죽어야겠어. 난 마을에서 도망친 게 아니야. 그것만 빼고 다 인정하지. 예를 들어 은롱가의 마법에 정신이 나갈 뻔 했다는 것도 인정하지. 게다가 부족 전체가 내게 등을 돌릴 거라는 것도 알고 있었어."

케인은 조심스럽게 다가섰다. 그 악당에게서 느껴지는 일말의 기사도를 정정당당한 결투의 의미로 받아들여도 좋을지 의구심이 들었다. 케인은 반신반의했지만 그의 예리한 시선에도 빈터 주변에서 포착되는 수상한 움직임은 없었다.

"형씨, 각오하쇼!" 르루의 목소리가 카랑카랑했다. "이 멍청한 짓거리를 끝내야할 시간이야. 여긴 우리 둘 뿐이야."

이제 두 남자는 서로 닿을 듯 가까워졌다. 그런데 말을 하던 르루가 갑자기 전광석화처럼 빠르게 검을 뻗었다. 느린 쪽이 죽어야 하는 상황. 그러나 케인은 슬쩍 피하면서 르루가 뒤로 물러서는 순간 은빛 칼날을 휘날리며 일격을 가했다. 르루의 옷깃이 잘려졌다. 르루는 자신의 꼼수가 빗나간 것을 인정하고 난폭하게 웃었다. 그러더니 쇠로 만든 흰색 부채를 돌리듯 성난 호랑이처럼 검을 휘두르며 덤벼들었다.

두 검객의 레이피어가 맞부딪치며 불똥을 튀었다. 용호상박의 접전. 르루는 맹렬하면서도 기술이 뛰어났고, 상대에게 허점을 보이지 않으면서 상대의 틈을 놓치지 않았다. 마치 살아있는 불꽃처럼 뒤로 튀었다가 뛰어오르고 페인팅 동작을 취하다가도 어느새 찌르고 방어하며 내리쳤다. 그러면서도 미치광이처럼 조롱과 욕설이 뒤섞인 웃음을 그치지 않았다.

반면에 케인의 기술은 냉정하고 정확하며 빨랐다. 쓸데없는 움직임을 줄이고 꼭 필요한 동작만 취했다. 언뜻 르루보다 방어에 치중하는 인상이었지만 공격할 때는 거침이 없었고 찌를 때는 공격하는 뱀처럼 빠르게 칼날을 뻗었다.

신장, 힘, 리치(팔을 뻗었을 때 손이 닿는 거리—옮긴이) 어느 것 하나 우열을 가리기 어려웠다. 르루가 속도 면에서 간발의 차로 앞선다면, 케인은 적확한 기술면에서 조금 앞섰다. 르루의 검법은 용광로가 분출하듯 격렬하고 역동적이었다. 케인 역시 타고난 검객임이 분명했으나 본능적이기보다는 사색적인 싸움꾼이었고, 천부적인 투사에게만 가능한 균형감을 겸비하고 있었다.

찌르고 피하기에 이은 페인팅 동작 그리고 순식간에 휘도는 칼날……

"하!" 케인의 뺨에서 피가 흐르자 르루가 거친 웃음을 토했다. 그는 피를 보자 더욱 격한 흥분에 휩싸여서 늑대라는 자신의 변명에 걸맞게 공격을 해왔다. 피에 굶주린 살육자의 기세에 케인은 어쩔 수 없이 물러서야 했지만 표정만큼은 조금도 변하지 않았다.

몇 분이 흘렀다. 처음처럼 치열한 양상이 계속되었다. 그들은 빈터의 한복판에서 싸우고 있었다. 르루는 말짱한 반면, 케인은 뺨과 가슴과 팔다리에서 흐르는 피로 옷이 붉게 물들어 있었다. 르루는 달빛 아래서 표독스러운 비웃음을 흘리고 있었지만 내심 이상한 생각이 들었다.

그는 숨결이 가쁘고 팔에서 힘이 빠지고 있었다. 그런데 저 무쇠 인간은 조금도 지친 기색이 없으니 어떻게 된 일인가? 케인의 부상이 깊지는 않다 해도 계속되는 출혈로 인해 그쯤에서 힘이 약해지고 몸놀림이 둔해져야 하는데 르루로서는 의아한 일이었다. 그러나 케인이 힘에 부친다고 해도 그런 기색을 드러내지는 않을 것 같았다. 생각에 잠긴 듯 음울한 케인의 표정에 아무런 변화도 없었고, 처음처럼 한결 같고 냉정한 분노로 결투에 임하고 있었다.

지치기 시작한 르루가 분노와 힘을 다해 필사적으로 마지막 일격을 가했다. 그 뜻밖의 일격은 상대방의 허를 찌를 만큼 거셌고, 사람이 대적할 수 없을 만큼의 분노와 속도가 실려 있었다. 솔로몬 케인은 자신의 살을 꿰뚫는 차가운 금속을 느끼고 처음으로 비틀거렸다. 그가 뒷걸음질 치자, 르루가 거친 고함과 욕설을 퍼부으며 피 묻은 칼을 노도처럼 휘둘렀다.

케인은 사력을 다해 르루의 검을 막았다. 두 개의 검이 허공에서 만나 뒤엉켰다. 르루의 검이 허공을 가르는 순간 그의 입술에서 승리의 환호성이 사라졌다.

칼을 휘두르는 찰나 르루가 십자가처럼 두 팔을 펼쳐들고 떡하니 멈춰선 것이다. 케인은 자신의 레이피어가 달빛 속에 은빛 줄을 그을 때 르루의 마지막 비웃음 소리를 들었다.

멀리서 북소리가 들려왔다. 케인은 찢어진 옷에 습관적으로 칼을 닦았다. 추격전이 드디어 끝을 고했다. 케인은 묘한 허무감을 맛보았다. 적을 죽이고 나면 늘 그랬다. 뭔가 훌륭한 일을 해냈다는 성취감이 들지 않았다. 적이 결국에는 그의 복수심에서 벗어나고 말았다는 허탈함이라고 할까.

어깨를 으쓱한 케인은 자신의 몸을 살피기 시작했다. 결투의 열기가 사라진 지금, 비로소 출혈로 인한 무력감과 현기증을 느끼기 시작했다. 마지막에 입은 부상은 자칫 치명적일 수 있었다. 몸을 틀어 피하지 않았더라면 르루의 칼이 그의 몸을 관통했을 것이다. 빗나간 칼은 그의 갈비뼈를 찢고 어깻죽지 아래의 근육을 파고들었다. 상처가 길었지만 다행히 깊지는 않았다.

케인은 주변을 살피다가 빈터 가장자리로 흐르는 작은 개울을 발견했다. 그는 그곳에서 일생일대의 실수를 저지르고 말았다. 출혈로 인한 현기증과 그날 밤에 벌어진 기묘한 일들의 여파가 채 가시지 않았기 때문이었으리라. 그는 레이피어를 내려놓고 무기 없이 개울로 갔다. 개울물에 상처를 씻어내고 찢겨진 옷 조각으로 정성껏 상처를 감았다.

일어서서 되돌아가려는데, 그가 처음 빈터로 들어섰던 자리의 나무 사이로 뭔가 스쳤다. 곧이어 거대한 그림자가 숲속에서 모습을 드러냈을 때 케인은 자신의 운명을 깨달았다. 그것은 고릴라 도살자, 굴카였다. 케인은 은롱가를 찬양하는 흑인 무리 중에 굴카가 없었음을 떠올렸다. 그 아둔한 머리로 어떻게 부족들의 이상한 낌새와 증오심을 간파하고 그들의 보복을 피해서 그것도 그 자신이 난생처음 두려움을 느꼈던 케인의 뒤를 쫓아왔단 말인가? 검은 신이 자신의 추종자에게 호의를 베풀었나보다. 하필이면 케인이 지치고 무방비인 상태에서 맞닥뜨리게 했으니 말이다. 이제 굴카는 마음껏 케인을 죽일 수 있었다. 표범이 먹잇감을 사냥하듯 천천히, 전처럼 덤불에서 때려눕히는 것이 아니라 조용히 그리고 불시에 케인을 죽일 것이다.

흑인이 함박웃음을 지으며 입맛을 다셨다. 그를 지켜보면서 케인은 냉철하게 기회를 엿보았다. 굴카는 이미 레이피어 두 자루가 어디에 놓여있는지 알고 있었다. 그래서 케인이 아니라 레이피어 쪽으로 다가갔다. 칼이 없다면 그 뜻밖의 결투에서 케인이 이길 가능성은 없었다.

무력감은 걷잡을 수 없는 분노가 되어 서서히 케인을 휘감았다. 관자놀이의 맥박이 팔딱팔딱 뛰어올랐고, 흑인을 노려보는 눈빛이 섬뜩하게 이글거렸다. 그는 손가락을 펴고 갈고리처럼 그러당겼다. 그 억센 손아귀에 붙잡히고도 살아남은 자는 없었다. 굴카의 목이 아무리 두툼하고 단단할지라도 케인의 손아귀에서 썩은 가지처럼 부러질 것이었다. 그러나 탈진감은 그런 생각마저 부질없게 만들었다. 게다가 굴카의 검은 손에서 번뜩이는 창날은 달빛이 없어도 능히 시야에 들어올 만큼 또렷하고 위협적이었다. 케인은 도망쳐야한다는 생각도 할 수 없었다. 지금까지 일대일 상황에서 도망친 적은 없었다.

고릴라 도살자가 빈터로 들어섰다. 그 모습이 원시 석기 시대의 대변자처럼 거대하고 무시무시했다. 히죽 벌어진 입안이 붉은 동굴처럼 보였다. 그 자신의 괴력을 믿는 오만함이 몸에 배어 있었다.

케인은 단박에 끝날지 모르는 결투를 앞두고 온몸을 긴장시켰다. 그리고 약해지는 힘을 붙잡으려고 안간힘썼다. 소용없었다. 피를 너무 많이 흘렸다. 앞에서 창날은 음흉하게 흔들렸고, 달빛은 붉은 안개가 되어 다가오는 흑인의 흐릿한 모습을 비추었지만 그래도 그는 두 발로 서서 죽음을 맞겠다는 각오로 휘청거리는 무릎에 힘을 주었다.

얼굴이 일그러질 정도로 애를 썼건만 케인은 몸을 숙여야했다. 손으로 개울물을 퍼서 얼굴에 끼얹었다. 기분이 좀 나아졌다. 그는 몸을 똑바로 일으켜 세웠고, 내심 주저앉기 전에 굴카가 어서 공격해 주기를 바랐다.

굴카는 먹잇감을 쫓는 거대한 고양이처럼 서서히 그리고 사뿐하게 빈터의 한복판까지 와 있었다. 그는 목적을 이루기 위해서 조금도 서두르지 않았다. 케인을 실컷 농락하고 싶었다. 기둥에 묶여 있을 때 그의 시선을 떨어뜨리게 만든 케인의 냉혹한 눈에서 공포를 보고 싶었다. 그런 다음에 피의 굶주림과 가학의 욕망을 오롯이 채우면서 천천히 케인을 죽일 것이다.

굴카가 갑자기 걸음을 멈추고 획 돌아서면서 창날을 반대로 바꾸었다. 케인은 그 모습을 지켜보면서 의아했다.

그것은 언뜻 정글의 어둠보다 더 검게 보였다. 처음에는 아무런 움직임도 소리도 없었지만 케인은 본능적으로 고요한 나무숲 어둠 속에 뭔가 섬뜩한 위협이 숨어있음을 알아챘다. 어딘가에 웅크리고 있는 육중한 공포, 케인은 자신의 영혼을 얼어붙게 만드는 듯한 괴상한 그림자와 그것의 눈빛을 느꼈다.

굴카도 케인의 존재를 까맣게 잊고 있었다. 그는 반쯤 웅크리고 서서 창을 들고 숲속의 어둠을 뚫어져라 쳐다보았다. 케인이 그쪽을 다시 쳐다보았다. 이번에는 어둠 속에서 움직이는 것이 있었다. 그것이 환영처럼 모습을 바꾸고는 빈터로 들어섰다. 굴카가 나타났을 때와 분위기가 흡사했다. 케인은 눈을 가늘게 뜨고 쳐다보았다. 죽기 전의 환영일까? 그가 보고 있는 대상은 꿈의 나래에 실려 망각의 세월을 거슬러 올라가던 끔찍한 악몽에서 어렴풋이 본적이 있는 것이었다.

케인은 처음에 그것이 인간을 닮은 불경한 존재라고 생각했다. 웬만큼 키가 큰 사람과 비슷한 키에 똑바로 서 있어서였다. 그러나 그것은 인간이라고 하기엔 체격이 지나치게 넓고 굵었으며 커다란 팔이 보기흉한 발에 닿을 듯 늘어져 있었다. 그때 야수의 얼굴이 달빛에 확연히 드러났다. 어리둥절해진 케인은 검은 신이 살아나서 피에 굶주림으로 어둠속에서 뛰쳐나온 것이라고 생각했다. 그러고 보니 온몸이 털로 덮여 있었고, 원주민 마을에서 오두막 지붕에 매달려있던 사람 같은 짐승이 떠올랐다. 케인은 굴카를 쳐다보았다.

흑인은 창을 든 채로 고릴라와 마주섰다. 케인은 두렵진 않았지만 몽롱해지는 의식 속에서 저 짐승을 서식지로부터 이토록 멀리까지 오게 만든 일이 대체 무엇인지 궁금해졌다.

거대한 원숭이가 달빛 아래 서 있었고, 그 움직임에서 엄청난 위엄마저 느껴졌다. 그것은 굴카보다는 케인과 가까운 위치에 있었지만 백인은 안중에도 없는 모양이었다. 그것의 작고 이글거리는 눈은 아주 강렬하게 흑인을 노려보고 있었다. 그것은 좌우로 묘하게 흔들거리면서 발을 옮겼다.

이 음산한 석기 시대를 다룬 드라마의 배경음악처럼 멀리서 북소리가 나지막이 밤공기를 수놓았다. 그것은 빈터 한복판에 웅크린 야만이자, 핏발선 눈과 피에 굶주림으로 정글을 빠져나온 원시였다. 흑인은 짐승보다 더 원시적인 눈빛으로 마주보고 있었다. 또 다시 기억의 유령들이 케인에게 속삭였다. '너는 전에도 이런 광경을 보았다. (그들이 속삭였다) 아득히 먼 과거, 태초의 날에 짐승과 짐승을 닮은 인간들이 패권을 놓고 싸우던 시절에 말이다.'

굴카가 고릴라의 반경에서 물러서더니 몸을 웅크리고 창으로 공격 태세를 갖추었다. 갖은 재주를 다 동원해 고릴라를 속이고 단숨에 죽일 요량이었다. 굴카도 그런 괴물과 맞닥뜨린 것은 처음이었다. 무섭지는 않지만 자신이 서지 않았다. 고릴라는 덤벼들거나 피하려는 기미를 보이지 않았다. 그저 성큼성큼 굴카를 향해 곧장 걸어갔다.

고릴라와 맞선 흑인도, 그런 광경을 지켜보고 있는 백인도 북쪽의 울창한 숲에서 아득히 먼 곳까지 찾아온 괴수의 애증이란 게 과연 무엇인지는 알 길이 없었다. 굴카는 지금 흑인 마을의 오두막 지붕에 매달린 암컷 고릴라를 죽인 장본이었고, 암컷 고릴라는 자기의 배우자를 죽인 살육자이며 원수인 굴카를 쫓아온 것이다.

결전이 임박했다. 짐승과 짐승을 닮은 인간이 지금 가까이서 대치하고 있었다. 갑자기 땅을 뒤흔드는 포효와 함께 고릴라가 공격에 나섰다. 털북숭이가 돌진해오는 창을 커다란 팔로 비껴 치는가 싶더니, 어느새 고릴라와 굴카가 서로 맞붙어 있었다. 곧이어 무수한 나뭇가지들이 한꺼번에 부러지는 듯한 소리가 들려왔다. 곧 굴카가 조용히 쓰러졌다. 팔다리와 몸통이 기이하고 부자연스러운 자세로 꺾여 있었다. 고릴라는 승리를 기념하는 태고의 석상처럼 굴카를 내려다보았다.

케인은 북소리의 속삭임을 들었다. 정글의 영혼, 정글의 영혼. 그 구절은 그의 마음속에서 단조롭게 되풀이되었다.

그날 밤 검은 신 앞에서 권력자로 행세하던 이가 셋인데, 그들은 어디에 있는가? 마을에서 들려오는 북소리는 한때 생사의 결정자였다가 지금은 겁에 질린 얼굴로 주검이 된 송가 왕에 대해 속삭였다. 그리고 케인이 바다와 육지를 건너 수만리 길을 쫓아온 남자가 빈터 한복판에 똑바로 누워 있었다. 마지막으로 고릴라 도살자 굴카는 자신을 죽인 야수의 발치에 쓰러져 있었다. 그를 이 정글의 진정한 아들로 만들었던 야만의 힘에 결국은 자기 자신이 당한 셈이었다.

그러나 검은 신은 아직 건재하다, 케인은 현기증을 느끼며 생각했다. 이 어둠의 대지로 물러나 피에 굶주린 야수로서 누가 살든 죽든 아랑곳없이 피를 마시는 존재.

케인은 그 거대한 원숭이가 언제쯤 자기를 노리고 공격할지 생각했다. 그러나 고릴라가 그를 보는 것 같지 않았다. 복수심이 아직 채워지지 않았는지 고릴라는 허리를 굽히고 흑인을 들어올렸다. 그러고는 구부정하게 정글 속으로 걸어갔고, 그 동안 굴카의 축 늘어진 팔다리가 기괴하게 흔들렸다. 나무 앞에 멈춰 선 고릴라는 커다란 몸을 허공으로 가뿐히 틀어 올리고 굴카의 시체를 나뭇가지 위에 내던졌다. 온몸이 산산이 부서지는 무지막지한 소리가 들려왔고, 고릴라 도살자의 시체가 나뭇가지에 끔찍한 몰골로 매달렸다.

잠시 후 깨끗한 달빛이 굴카의 시체를 올려다보고 있는 거대한 원숭이를 비추었다. 그리고 이내 검은 그림자처럼 소리 없이 정글 속으로 사라져버렸다.

케인은 빈터의 한복판까지 천천히 걸어가 레이피어를 집어 들었다. 출혈도 이제 그쳤고 원기도 어느 정도 회복된 상태라 배가 기다리는 해안까지는 너끈히 갈만했다. 케인은 빈터의 가장자리에서 멈춰 서서 힐끔 뒤를 돌아보았다. 달빛 아래 하얗게 누워 있는 르루와 그의 얼굴, 그리고 마을의 암컷 고릴라처럼 나무 사이에 매달려있는 굴카의 검은 그림자.

아스라이 북소리가 들려왔다. "이 땅의 지혜는 태곳적으로 거슬러간다. 이 땅의 지혜는 검다. 그것을 우리는 섬기고 파괴한다. 살려거든 도망쳐라. 그러나 우리의 영창을 반드시 기억하라. 반드시. 반드시." 북소리가 노래했다.

케인은 해변에서 기다리는 배를 향해 오솔길로 접어들었다.

별 속의 해골

그는 살인자들이 어떻게 지상을 걸어 다니는지 말해 주었다.

1

토커타운으로 가는 길이 둘 있다. 하나는 직선에 가까운 지름길로 고지대의 스산한 황무지를 지나고, 훨씬 긴 다른 하나는 동쪽의 야산 주위를 돌아 늪지의 언덕과 수렁 사이를 굽이굽이 들고 나는 험한 길이다. 늪지 쪽은 위험하고 고된 길이었다. 그래서 솔로몬 케인은 자신이 떠나온 마을에서 소년 한 명이 헐레벌떡 달려와 늪 길로 가라고 간청하는 바람에 놀라 멈춰 섰다.

"늪 길!" 케인은 소년을 물끄러미 쳐다보았다. 케인은 키가 크고 말랐는데, 창백한 얼굴과 움푹 들어간 눈은 청교도의 칙칙한 복장 때문에 더욱 음울해보였다.

"예, 나리. 그 길이 훨씬 안전합니다." 소년은 아연실색하는 솔로몬 케인에게 그렇게 대답했다.

"마을 사람들이 늪 길로 가라고 권한 것을 보면, 황무지 길에 악마가 출몰하는 게 틀림없다."

"수렁 때문에 어두워지면 잘 볼 수 없습니다. 마을로 돌아갔다가 아침에 길을 떠나는 것이 좋겠습니다."

"늪 길로 말이지?"

"네. 나리."

케인은 어깨를 으쓱하고는 고개를 저었다.

"땅거미가 진 뒤에 곧 달이 뜰 게다. 달빛에 의지하면 몇 시간 만에 황무지를 지나 토커타운에 도착할 거야."

"나리, 다시 생각해 보십시오. 아무도 그 길로 다니지 않습니다. 황무지에는 인가가 전혀 없습니다. 반면에 늪지대에는 에즈라 노인이 홀로 사는 집이 있습니다. 기드온이라는 미치광이 사촌이 늪지대를 방황하다 횡사를 한 후로 노인 혼자 살고 있지요. 에즈라 노인은 수전노이긴 하지만 나리에게 하룻밤 잠자리는 마다하지 않을 겁니다. 가야한다면 늪 길로 가야 합니다."

케인은 소년을 매섭게 노려보았다. 소년은 불안하게 발을 떨고 있었다.

"이 황무지 길이 그토록 위험하다면," 청교도가 말했다. "왜 마을 사람들이 쓸데없는 말만 하고 그런 내막은 알려주지 않았겠느냐?"

"사람들은 그런 얘기를 꺼립니다. 사람들이 충고한대로 나리가 늪 길로 가기를 바랐지만, 나리가 갈래 길에서 방향을 틀지 않는 걸 보고 저를 보내 길을 다시 안내하라 했습니다."

"빌어먹을!" 케인이 버럭 소리를 쳤지만 어딘지 그런 험한 말은 익숙해 보이지 않았다. "늪 아니면 황무지라고? 대체 뭐가 그리 위험하길래 몇 킬로미터나 돌아서 더군다나 수렁과 늪을 헤치고 가라는 건가?"

"나리." 소년이 목소리를 낮추고 바투 다가섰다. "저희는 화를 당할까봐 그런 말을 입에 올리기 저어하는 그저 소박한 사람들입니다. 하지만 황무지 길은 저주를 받은 곳이라 사람이 다니지 않은지가 일 년이 넘었습니다. 그런 길을 밤에 가다가는 무슨 일을 당할지 모릅니다. 아주 사악한 요물이 그 길을 배회하며 사람을 노리고 있으니까요."

"그래? 그 요물이란 게 뭐냐?"

"아무도 모릅니다. 눈으로 직접 본 사람이 없으니까요. 하지만 최근에 길손들이 늪지 쪽에서 오싹한 웃음을 소리를 들었다고 합니다. 죽어가는 사람의 끔찍한 비명 소리를 들었다는 사람들도 있습니다. 나리, 제발 마을로 돌아가시지요. 그곳에서 밤을 보내고 아침에 늪 길로 토커타운에 가시면 됩니다."

케인의 깊고 음울한 눈동자에서 잿빛 얼음을 스치는 마녀의 횃불처럼 불빛이 번뜩였다. 그는 짜릿한 흥분을 맛보았다. 모험! 목숨을 건 모험과 극적인 사건의 유혹! 케인 자신도 그런 흥분을 느낄 줄은 미처 몰랐다. 그는 들뜬 마음을 숨기지 않고 이렇게 말했다.

"요물이 있다면 악마가 존재한다는 반증이기도 하다. 어둠의 제왕들이 이 지역에 저주를 걸어둔 거야. 강한 남자라면 사탄과 맞서 싸워야한다. 지금까지 사탄과 싸워온 내가 꽁무니를 뺄 수야 없지."

"나리." 소년이 말을 하려다가 논쟁을 벌여봤자 부질없음을 깨닫고 이내 입을 다물어버렸다. 그리고 이렇게만 덧붙였다. "발견된 시체들은 멍투성이로 갈가리 찢겨 있었습니다."

소년은 갈림길에 서서 한숨지었다. 황무지를 향해 거침없이 걸어가는 키 크고 마른 남자를 바라보고 있자니 마음이 착잡했다.

야산 하나가 고지의 소택지로 들어가는 관문처럼 가로막고 있었다. 케인이 야산언저리에 다다랐을 때 해가 지고 있었다. 핏빛처럼 붉은 태양은 무성한 잡초를 태워버릴 듯 황무지의 음침한 지평선에 내려앉았다. 지켜보던 소년은 눈앞에 언뜻 핏빛 바다가 펼쳐져 있는 느낌이 들었다. 곧이어 동쪽에서 검은 그림자가 미끄러지듯 늘어졌고 서녘의 이글거리는 불빛도 점점 사위어갔다. 솔로몬 케인은 짙어지는 어둠을 향해 기세 좋게 걸었다.

길은 사람의 발길이 닿지 않았음에도 또렷하게 나 있었다. 칼과 총을 든 케인은 빠르면서도 신중하게 움직였다. 별빛 아래 밤바람은 흐느끼는 유령처럼 수풀 사이에서 소곤거렸다. 별무리 속의 해골처럼 앙상한 달이 떠오르기 시작했다.

그때 갑자기 케인이 멈춰 섰다. 앞쪽 어딘가에서 기이하고도 오싹한, 어딘지 메아리 같은 소리가 들려왔기 때문이다. 곧이어

같은 소리가 이번에는 더 크게 들려왔다. 케인은 다시 걷기 시작했다. 혹시 잘못들은 것일까? 아니!

멀리서 무시무시한 도살자의 속삭임이 떠돌고 있었다. 그리고 또 다시, 이번에는 더 가까이. 그것은 결코 사람의 웃음소리가 아니었다. 기쁜 기색이라고는 없이, 그저 증오와 전율과 영혼을 갉아대는 공포만 전해졌다. 케인은 멈춰 섰다. 두렵지는 않았으나 잠시 정신이 멍멍했다. 그리고 다시 오싹한 웃음소리를 향해 걸어가는데 사람의 비명 소리가 들려왔다. 케인의 발걸음이 빨라졌다. 요사스러운 불빛과 떠오르는 달빛 아래서 오락가락 시야를 어지럽히는 그림자들 때문에 화가 치밀었다. 웃음소리가 점점 더 커졌고, 그에 따라 비명소리도 높아졌다. 곧 사람의 다급한 발소리가 들려왔다. 케인은 달리기 시작했다. 멀리서 누군가가 생명의 위협을 받고 쫓기고 있었다. 그를 쫓는 공포가 무엇인지는 신만이 알 터이다. 쫓기던 발소리가 갑자기 멈추는가 싶더니, 처참한 비명과 정체불명의 오싹한 소리가 뒤섞이기 시작했다. 사람이 결국 붙잡힌 모양이었다. 등골이 오싹해진 케인의 눈앞에 사람 하나와 그를 뒤에서 난도질하고 있는 섬뜩한 악마의 모습이 어른거렸다. 그때 끔찍한 소음과 버둥대는 소리가 순식간에 멈추었고, 주위는 밤의 깊은 침묵에 휩싸였다. 그리고 또 다시 들려오는 발소리, 이번에는 쓰러질 듯 휘청거렸다. 계속되는 비명소리도 간간이 가쁜 숨에 막혔다. 케인의 이마와 온몸에 식은땀이 흘렀다. 견디기 힘들 정도로 공포감이 증폭되고 있었다. 단 한순간만이라도 밝은 빛이 비추어준다면 좋으련만! 소리로 판단해 보건대 그 끔찍한 만행은 가까이서 벌어진 것이었다. 그러나 들썩거리는 그림자들은 모조리 소름끼치는 어스름에 가려져서 황무지 전체가 흐릿한 환영과 앙상한 나무와 거인 같은 덤불들로 뒤섞인 신기루처럼 보였다.

케인이 속력을 높이면서 소리쳤다. 거기에 화답하듯 정체불명의 비명들이 날카롭게 터져 나왔다. 또 한 번 발버둥치는 소리가 들려왔고, 곧 기다란 수풀의 그림자 속에서 어떤 형체 하나가 비척비척 빠져나왔다. 생김새는 사람인데 온몸에 피 칠을 한 오싹한 몰골의 남자, 그가 케인의 발치에 쓰러져서 마구 몸부림을 쳤다. 그러고는 떠오르는 달을 향해 섬뜩한 얼굴을 들고 횡설수설 헛소리를 하다가 또 다시 쓰러져 자신의 핏속에서 죽었다.

달은 어느새 높이 떴고 빛도 밝아졌다. 케인은 처참하게 찢긴 시체를 향해 허리를 굽혔다. 스페인 종교재판과 마녀사냥꾼들의 소행을 익히 보아온 그에게도 몸서리처질만큼 시체의 상태는 드물고 끔찍했다.

나그네였나 보군, 케인은 생각했다. 그 순간 혼자가 아님을 깨닫고 간담이 서늘해졌다. 고개를 들고, 냉철한 시선으로 죽은 남자가 비틀거리며 빠져나왔던 수풀을 노려보았다. 아무 것도 보이지 않았다. 그러나 그 자신을 똑바로 노려보고 있는 또 다른 눈동자, 지상의 것이 아닌 오싹한 눈빛이 거기 있었다. 아니 그렇다는 직감이 들었다. 그는 똑바로 서서 권총을 빼들었다. 달빛은 창백한 핏빛 호수처럼 황무지를 비추었고, 나무와 수풀들은 이제 본래의 크기와 모양을 띠고 있었다. 어둠이 걷히는 순간, 케인은 보았다! 처음에는 수풀 속에서 한 줄기 안개가 흔들리고 있는 그림자려니 생각했다. 그는 시선을 떼지 않았다. 점점 헛것이 보이는군, 그는 생각했다. 그때 안개 같던 것이 모호한 형체를 띠기 시작했다. 두 개의 섬뜩한 눈빛이 그를 향해 번뜩였다. 지상에 불안한 새벽이 열린 이후로 인간 대대로 전해져온 근원의 공포를 응집해놓은 눈빛, 그것은 지상의 것이 아닌 광기에 휩싸여있어서 더더욱 소름이 끼쳤다. 안개처럼 모호한 생김새는 머릿속을 휑하니 비어버릴 정도로 충격적인 인간의 변형인 동시에 도저히 인간이라고는 할 수 없는 것이었다. 그것의 뒤에 있는 수풀과 덤불이 훤히 비쳤다.

케인의 관자놀이에서 피가 솟구쳤지만, 그는 얼음처럼 냉정했다. 눈앞에서 불안정하게 흔들거리는 그것이 인간에게 얼마나 끔찍한 해를 가할 수 있을지는 알 수 없었다. 그러나 케인의 발치에 널브러져 있는 피범벅의 시체가 그 요물의 가공할만한 위해를 말없이 증언하고 있었다.

케인에게 한 가지 분명한 것이 있었다. 그 무엇도 스산한 황무지를 건너 그를 쫓아내지 못할 것이며, 비명도 도망침도 없을 것이다. 그가 죽어야만 한다면 지금 당장 죽을 것이고, 처절한 고통 또한 마다하지 않을 것이다.

입이라고 하기에는 모양이 불분명하고 오싹한 것이 쩍 벌어지더니 또 다시 사악한 웃음을 터뜨렸다. 가까이에 있는 영혼을 송두리째 뒤흔드는 웃음소리. 목숨을 건 운명의 한복판에서 케인은 침착하게 긴 권총을 겨누고 방아쇠를 당겼다. 요물은 분노와 조롱이 뒤섞인 광기의 괴성을 지르고는 연기처럼 날아와 그를 향해 긴 팔을 뻗었다.

케인은 굶주린 늑대처럼 민첩한 몸놀림으로 두 번째 총알을 발사했지만 별반 효과가 없었다. 이번에는 칼집에서 긴 레이피어를 뽑아들고 안개처럼 생긴 적의 심장부를 찔렀다. 허공을 가른 칼날이 정확하게 적의 정중앙을 관통했지만 정작 뭔가에 부딪치는 느낌은 없었다. 그런데 차가운 손가락들이 케인의 팔다리를 움켜잡았고, 야수의 발톱으로 그의 옷과 살갗을 찢어대기 시작했다.

그는 쓸모없는 칼을 버리고 상대를 붙잡으려고 안간힘썼다. 발톱 같은 칼로 무장한 채 날아다니는 그림자 아니면 떠도는 안개와 싸우는 형국이었다. 그의 육중한 주먹은 허공을 쳤고, 아무리 억센 남자라도 붙잡히면 죽음을 면치 못했던 그의 두 팔에 스치거나 붙잡히는 건 아무 것도 없었다. 손에 잡히거나 진짜인 것은 없이 오로지 갈고리 발톱을 지닌 원숭이의 손가락이 그의 살을 파고들었고, 타는 듯 이글거리는 광기의 눈동자가 그의 영혼을 진저리치게 만들었다.

케인은 절체절명의 위기에 빠졌음을 깨달았다. 옷은 이미 누더기처럼 갈가리 찢겼고 이십여 군데의 깊은 상처에서 피가 흐르고 있었다. 그러나 그는 조금도 움츠러들지 않았다. 도망친다는 생각은 아예 없었다. 하나뿐인 적으로부터 도망친 적이 없을 뿐 더러 그런 생각을 하는 것 자체가 모욕이었다.

도움을 청할 방법은 없기에 좀 전에 죽은 남자의 시체 옆에 나란히 눕는 수밖에는 없어 보였다. 그렇다고 두렵지는 않았다. 그의 유일한 바람은 스스로 부끄럼 없이 죽음을 맞되 가능하다면 초자연적인 적에게 큰 상처를 입히는 것이었다. 남자는 죽기 전까지 희미한 달빛 아래서 온힘을 다해 요물과 맞서 싸웠다. 딱 한 가지를 제외하고 요물이 모든 면에서 월등한 싸움이었다. 그러나 그 한 가지로 불리한 다른 요소들을 능히 극복하고도 남았다. 만약에 저 추상적인 존재가 음산한 실체로서 나타나기를 꺼린다면 혹은 그런 용기가 없다면 단단한 무기로 과연 저 모호한 유령과 대적할 수 있을까? 케인은 팔다리와 주먹을 이용해 싸우고 있었다. 그리고 마침내 유령이 조금씩 물러서는 느낌이 들었고 무서운 도살자의 웃음은 어느새 당황하고 성난 외침으로 바뀌어 있었다. 인간의 유일한 무기는 지옥의 문 앞으로 나아가 지옥의 사자 앞에서도 물러서지 않는 용기다. 케인이 그걸 알지는 못했다. 그가 유일하게 알고 있는 것은 자신을 잡아 뜯고 찢어대던 발톱의 힘이 점점 약해지고 오싹한 눈동자에서 분노의 빛이 더욱 강해진다는 것뿐이었다. 그는 숨을 몰아쉬며 거침없이 돌진했고, 마침내 상대를 붙잡아 힘껏 내동댕이쳤다. 그들이 뒤엉키어 황무지를 엎치락뒤치락하는 동안, 그것은 연기로 만든 뱀처럼 몸태질을 하며 그의 팔다리를 휘감았다. 그것의 괴성을 알아듣는 순간, 케인은 온몸에 소름이 돋았고 머리칼이 쭈뼛 일어섰다. 그것은 사람의 말을 듣고 이해하는 것과는 달랐다. 요물이 속삭임과 처량한 불평과 울부짖는 침묵으로 전해준 그 무시무시한 비밀은 얼음송곳이 되어 그의 영혼에 푹 박히었다. 그는 깨달았다.

2

수전노라는 에즈라 노인의 오두막은 늪지 한 복판 길가에서 주변의 음침한 나무들에 반쯤 가려져 있었다. 벽은 무너져가고 지붕은 내려앉기 직전, 창백하고 거대한 녹색의 균류 괴물들이 달라붙어 문과 창문 가까이에서 마치 안을 들여다보려는 것처럼 몸을 꼬고 있었다. 위쪽으로 구부러진 나무마다 잿빛 가지가 뒤엉켜 있어서 그 아래 파묻힌 오두막은 어깨너머를 흘끔거리는 난쟁이 도깨비 같았다.

늪지로 들어가는 굽잇길은 썩은 그루터기와 무성한 늪, 거품이 이는데다 뱀이 득시글거리는 웅덩이와 수렁을 거쳐 오두막을 지났다. 요즘에는 많은 이들이 그 길을 지나가지만, 에즈라 노인을 본 사람은 거의 없었다. 그나마 균류로 뒤덮인 창문을 통해 균류를 닮은 누런 얼굴이 스쳐가는 게 고작이었다.

수전노 에즈라 노인은 비틀리고 구부정한데다 음침한 분위기에 이르기까지 늪지와 퍽 닮아 있었다. 손가락은 기생식물처럼 오그라들어 있었고, 머리카락은 우중충한 늪에 길들여진 두 눈 위로 황갈색의 이끼처럼 늘어져 있었다. 시체를 떠올리게 만드는 노인의 눈동자에서 늪지의 죽은 연못처럼 몹시 불쾌하고 메스꺼운 뭔가가 전해졌다.

그런 노인의 눈동자가 지금 오두막 앞에 서 있는 남자를 향해 번뜩였다. 키가 크고 마른 체구에 피부가 검은 사내, 초췌한 얼굴엔 발톱 자국이 나 있었고 팔다리엔 붕대가 감겨 있었다. 남자 뒤로 멀찍이 많은 마을 사람들이 서 있었다.

"댁이 늪지 길에 산다는 에즈라요?"

"그렇소만 무슨 일이죠?"

"기드온이라는 댁의 사촌은 어디에 있소? 댁과 함께 사는 미치광이 청년 말이오."

"기드온? 아, 그 아인 늪에 갔다가 돌아오지 않았어요. 틀림없이 길을 잃고서 늑대에게 잡아먹혔거나 수렁에 빠지지 않았다면 살무사에게 물려 죽었겠지."

"얼마나 오래 됐소?"

"일 년이 넘었소만."

"이봐요, 에즈라 노인. 댁의 사촌이 실종된 직후에 마을 사람한 명이 늪을 지나 집으로 돌아오다가 정체불명의 요물에게 갈가리 찢겨 죽었소. 그 후로 이 늪지는 황천길이 되었소. 처음에는 마을 사람들 다음에는 이쪽을 지나던 외지인들까지 요물에게 잡혀 죽었단 말이오. 많은 사람들이 죽었소.

어젯밤에 내가 늪을 지나오다 또 한 명의 희생자가 쫓기는 소리를 들었소. 늪지에 요물이 있다는 걸 모르는 외지인이었소. 에즈라 노인, 요물은 무서운 놈이오. 그 불쌍한 사람은 중상을 입고 두 번씩이나 요물에게서 도망쳤지만 그때마다 놈에게 붙잡혀 끌려갔소. 결국에는 내 발치에 쓰러져 죽었는데, 그 모습이 차마 눈뜨고 볼 수 없을 정도로 처참했소."

마을 사람들이 불안하고 두려운 표정으로 서로 수군거렸다. 에즈라 노인은 슬그머니 눈길을 피했다. 그러나 솔로몬 케인의 근엄한 표정은 조금도 누그러지지 않았고, 독수리 같은 눈빛은 수전노에게 못 박혀 있었다.

"알았어요, 알았어!" 에즈라 노인이 황망히 말했다. "딱한 일이요. 딱한 일! 하지만 왜 나한테 그런 말을 하는 거죠?"

"당연히 딱한 일이요. 내 말을 더 들어보시오. 그 요물이 어둠 속에서 빠져나와서 죽은 남자를 사이에 두고 나와 싸웠소. 흠, 그 힘겹고 오랜 싸움에서 내가 어떻게 놈을 물리쳤는지는 모르겠소. 하지만 선과 빛의 힘이 내편이었고, 그것은 지옥의 힘보다 더 강했소.

마침내 나는 놈보다 더 강해졌고, 놈은 결국 도망쳐 버렸소. 놈을 뒤쫓았지만 소용이 없었소. 그런데 놈이 도망치기 전에 내게 끔찍한 사실을 알려줍디다."

에즈라 노인이 화들짝 놀라더니 잔뜩 움츠러들었다.

"에이, 왜 나한테 그런 말을 하는지 원." 노인이 중얼거렸다.

"나는 마을로 돌아가 그 일을 알렸소." 케인이 말했다. "이 늪지에서 저주를 말끔히 없앨 수 있는 힘이 내게 있다는 걸 깨달았으니까. 이 봐 늙은이, 우리와 같이 가야겠어!"

"가다니 어딜?" 수전노가 숨을 헐떡였다.

"늪에 있는 썩은 참나무."

에즈라가 뭔가에 맞은 것처럼 비틀거렸다. 그러고는 마구 악을 쓰면서 도망가려고 돌아섰다.

그 순간 케인이 준엄한 명령을 내렸고, 두 명의 건장한 남자가 뛰어나와 수전노를 붙잡았다. 그들은 노인의 팔을 비틀어 단도를 빼앗고 팔을 꺾어 제압했다. 노인은 자신의 차고 끈적끈적한 피부에 남자들의 손이 닿자 진저리를 쳤다.

케인은 그들에게 따라오라 신호를 보내고 오솔길을 따라 성큼성큼 걸어갔다. 남자들은 노인을 데려가느라 애를 먹으면서 케인의 뒤를 따랐다. 늪을 지나기를 여러 차례, 오솔길은 야산 너머 습지의 평원까지 이어져 있었다.

해는 지평선까지 미끄러져 내려왔다. 에즈라는 휘둥그레진 눈으로 다시는 못 볼 것처럼 해를 노려보았다. 늪지의 평원 저 멀리, 지금은 썩어가는 껍데기뿐인 거대한 참나무가 교수대처럼 솟아 있었다. 그곳에서 솔로몬 케인이 멈춰 섰다.

에즈라 노인은 사내들의 손에서 벗어나려고 버둥거리며 연신 알아들을 수 없는 고함을 질렀다.

"일 년 전 쯤." 솔로몬 케인이 말했다. "당신은 미치광이 사촌 기드온에게 온갖 몹쓸 짓을 했고 그것이 마을 사람들에게 탄로 날까 두려워했소. 그래서 우리가 방금 걸어온 오솔길로 사촌을 데려와 한밤중에 이곳에서 죽인 것이오."

움찔했던 에즈라가 악에 받쳐 소리를 질렀다.

"새빨간 거짓말!"

케인이 민첩한 마을 청년에게 뭐라고 말했다. 청년은 썩어가는 나무줄기를 기어오른 뒤 나무 틈새에서 뭔가를 끄집어냈다. 그것은 덜컥하는 소리와 함께 수전노의 발치에 떨어뜨렸다. 에즈라는 듣기에 고약한 비명을 힘없이 토했다.

그것은 사람의 유골 즉 쪼개진 두개골이었다.

"이걸 어떻게 알았지? 넌 사탄이야!" 에즈라 노인이 마구 지껄였다.

케인은 팔짱을 꼈다.

"간밤에 엎치락뒤치락하다가 요물이 내게 알려주었소. 그리고 요물을 쫓아 이 나무까지 왔소. 그 요물이 바로 기드온의 유령이었으니까."

에즈라는 또 비명을 지르고는 거칠게 몸부림쳤다.

"당신은 알고 있었소." 케인이 근엄하게 말했다. "요물이 지금까지 무슨 짓을 했는지. 당신은 미치광이 유령을 무서워했지. 그래서 시체를 늪 속에 숨기지 않고 여기 놔둔 것이오. 유령은 자기가 죽은 장소에 출몰한다는 걸 알았을 테니까. 당신의 사촌은 살아서는 미치광이였고, 죽어서는 자기를 죽인 살인자를 찾을 수 없었소. 살인자를 알았더라면 당신의 오두막으로 찾아왔겠지. 유령은 당신을 증오했지만 미쳐버린 영혼으로는 누가 누구인지조차 구별할 수 없었소. 그래서 자기를 죽인 살인자를 놓치지 않으려고 눈에 띄는 사람들을 모조리 해친 것이오. 하지만 이제 망자도 당신을 알아볼 것이오. 앞으로 영원히. 원한으로 유령이 되었고, 무엇이든 살아있는 건 찢고 죽일 수 있게 되었소. 살아서는 당신을 끔찍이 무서워했지만, 죽어서는 조금도 당신을 무서워하지 않을 것이오."

케인이 말을 멈추었다. 그는 해를 힐끔 쳐다보았다.

"기드온의 유령이 처량한 한탄과 속삭임과 울부짖는 침묵으로 내게 그런 사실을 알려주었소. 당신의 죽음만이 유령을 달랠 수 있소."

에즈라는 숨죽인 채 묵묵히 귀를 기울이고 있었다. 케인이 노인의 운명을 선고했다.

"가혹한 일이긴 합니다." 케인이 엄숙하게 말했다. "싸늘한 핏속에서 내가 계획한 대로 사람을 처형해야 하니까요. 하지만 그대가 죽음으로써 다른 사람들이 살 수 있소. 그대가 죽어 마땅함을 신도 알아주실 터.

그대는 밧줄과 총알 혹은 칼로 죽어서는 안 되오. 그대가 죽인 망자의 발톱으로 죽어야 하며, 그것만이 망자의 혼을 달래줄 것이오."

그 말을 듣고 에즈라는 머릿속이 하얗게 비는 것 같았다. 그는 무릎을 꿇고 굽신거리며 차라리 말뚝에 묶어 산채로 태워 죽이라고 울부짖었다. 케인의 얼굴은 시체처럼 싸늘하게 굳어 있었다. 마을사람들은 너무 가혹한 일을 벌이고 있는 건 아닌지 저어하면서 노인을 참나무에 묶었다. 그들 중 누군가가 노인에게 신의 가호를 빌었다. 그러나 에즈라는 아무 대꾸도 하지 않은 채 시끄럽게 울부짖기만 했다. 그러자 신의 가호를 빌어주었던 사람이 노인의 뺨을 때리려고 했으나 케인이 그를 제지했다.

"사탄의 가호나 받으라고 놔두시오. 그편이 더 어울리니까." 청교도가 냉엄하게 말했다. "곧 해가 질 것이오. 결박한 끈을 느슨하게 해두어 어두워질 때쯤 노인 스스로 풀 수 있게 하시오. 희생양처럼 묶여 죽는 것보다 자유로운 상태에서 죽음을 맞는 게 좋겠지요."

사람들이 돌아서서 떠나려는데 에즈라 노인이 횡설수설 사람 같지 않은 소리로 떠들어댔다. 그러나 이내 입을 다물고는 지는 해를 무섭게 노려보았다.

사람들은 평원을 가로질러 돌아갔다. 케인은 나무에 묶여있는 기괴한 형체에 마지막 눈길을 주었다. 어스름 속에서 노인은 나뭇가지에 자란 커다란 균류처럼 보였다. 그때 갑자기 수전노가 섬뜩하게 외쳤다.

"죽여라! 죽여라! 별 속에 해골이 있다!"

"비틀리고 비열하고 사악한 노인이지만 죽는 것보다 사는 게 나았겠지." 케인이 한숨지었다. "화형과 희생 의식이었더라면 불을 질러 숲과 균류 따위를 태워버리고 그 찌꺼기까지 정화시킬지도 모르지. 그러면 신이 저런 영혼에게도 안식의 공간을 마련해 주셨을 지도 모르고. 마음이 무겁군."

"아닙니다, 나리." 마을 사람 하나가 말했다. "나리께서는 신의 뜻대로 한 겁니다. 오늘밤 나리가 하신 일 덕분에 선한 자만이 남을 것입니다."

"아니오." 케인이 어두운 표정으로 말했다. "나는 아는 것이 없소. 아는 것이 없소."

어느새 해가 지고 어둠이 놀라울 정도로 빠르게 퍼져나갔다. 미지의 공간에서 튀어나온 거대한 그림자가 서둘러 어둠으로 세상을 덮어버리려는 듯이…… 짙은 어둠을 뚫고 기이한 메아리가 울렸다. 사람들은 발길을 멈추고 뒤돌아보았다.

아무 것도 보이지 않았다. 평원은 어둠의 바다였고 하늘거리는 수풀 사이에서 미풍만이 숨 가쁜 재잘거림으로 죽음의 침묵을 깨뜨리고 있었다.

그때 저 멀리 붉은 달이 평원 위로 떠올랐고 순간적으로 오싹한 실루엣이 선명한 무늬처럼 달빛을 검게 막아섰다. 뭔가가 달을 지나 날아왔다. 뒤틀리고 그로테스크한 그 형체의 다리가 땅에 닿을 듯 스쳤다. 그리고 바로 그 뒤로 나는 그림자처럼 또 하나의 이름도 형태도 없는 요물이 뒤따라왔다.

경쟁하듯 두 개의 그림자가 거침없이 달을 가렸다. 곧이어 한 쌍의 그림자는 뭐라 표현할 길 없는 무형의 덩어리로 합쳐졌다가 어둠 속으로 사라졌다.

평원 너머에서 오싹한 웃음소리가 들려왔다.

달그락거리는 뼈

"어이, 주인장!" 그 외침은 침울한 침묵을 깨고 검은 숲에 불길하게 메아리쳤다.

"소인 생각에는 이곳에 금기의 뭔가가 있는 합니다."

두 남자는 숲속 여인숙 앞에 서 있었다. 묵직한 통나무로 야트막히 지은 건물은 아무렇게나 길게 뻗어 있었다. 작은 창문들은 꽉 막혀 있었고 출입문도 닫혀 있었다. 문 위쪽으로 불길한 표시가 보였다. 쪼개진 두개골.

그런데 출입문이 천천히 열리더니 수염 난 얼굴이 밖을 내다보았다. 얼굴의 주인은 뒤로 물러서서 들어오라는 시늉을 해보였다. 어딘지 마뜩찮은 기색이었다. 탁자 위에 촛불 하나, 벽난로 안에는 불꽃이 꺼질 듯 타오르고 있었다.

"성함이?"

"솔로몬 케인." 두 남자 중에서 키가 큰 쪽이 짤막하게 말했다.

"개스턴 라몬." 다른 남자가 퉁명스럽게 말했다. "그런데 이름은 알아서 무얼 할 거요?"

"검은 숲을 찾는 외지인들은 거의 없습죠." 여관주인이 심드렁하게 말했다. "많은 건 산적이지요. 저기 탁자에 앉으세요. 곧 음식을 내오리다."

두 남자는 행낭을 들고 자리에 앉았다. 한명은 키가 크고 마른 체구에 깃털 없는 모자와 칙칙한 검은색 옷차림이었다. 이런 행색이 근접하기 힘든 얼굴의 창백함을 도드라지게 만들었다. 반면에 또 다른 남자는 행색이 사뭇 딴판이었다. 여행을 하느라 화려함이 다소 퇴색하기는 했으나 레이스와 짙은 보라색으로 치장을 하고 있었다. 이목구비가 뚜렷한 미남자인데 불안한 눈동자는 잠시도 가만있질 못하고 이리저리 움직였다.

여인숙주인이 포도주와 음식을 투박한 탁자에 올려놓고, 어둠 속으로 물러나 음울한 조각상처럼 서 있었다. 어렴풋해졌던 그의 모습이 활활 타오르는 벽난로 불빛 속에서 선명한 무늬처럼 바뀌자, 덥수룩한 수염에 가려진 얼굴은 마치 무성한 덤불 속의 짐승 같았다. 수염 위로 커다란 코가 윤곽을 드러냈고, 조그맣고 벌건 눈동자는 깜박거리지도 않고 손님들을 쳐다보고 있었다.

"당신은 누구요?" 연배가 어려보이는 남자가 불쑥 물었다.

"클레프트 스컬(쪼개진 두개골) 여인숙의 주인입죠." 상대방이 부루퉁하게 대답했다. 마치 얼마든지 더 물어보라며 자극하는 말투였다.

"손님은 많소?" 라몬이 물었다.

"두 분이 오는 건 드물죠." 주인이 툴툴거렸다.

그 소리를 듣고 고개를 든 케인이 여인숙주인의 말에서 숨은 뜻을 찾기라도 하듯 그 작고 붉은 눈을 쳐다보았다. 영국인의 냉정한 시선 앞에서 주인은 반짝이던 눈을 휘둥그레 치켜떴다가 이내 시선을 떨어뜨렸다.

"잠을 자야겠소." 케인이 식사를 마치고 불쑥 말했다. "날이 밝는 대로 또 길을 떠나야 하니까."

"나도 마찬가지요." 프랑스인이 덧붙였다. "주인장, 방으로 안내해 주시오."

두 남자가 말없는 주인을 따라 길고 어두운 복도를 걸어가는 동안 벽면에 검은 그림자들이 흔들렸다. 주인의 땅딸막한 체구가 들고 있는 작은 촛불에 부풀어서 뒤쪽에 길고 으스스한 그림자를 드리웠다.

방에 들어서자 두 남자는 서로를 힐끔 쳐다보았다. 가재도구라고는 침대 두 개와 의자 그리고 묵직한 탁자 하나가 전부였다.

"문을 잠글 수 있는지 보자고." 케인이 말했다. "주인의 인상이 꺼림칙해."

"문고리와 문설주는 있는데요." 개스턴 라몬이 말했다. "빗장이 없네요."

"탁자를 쪼개서 빗장을 만들지 뭐." 케인이 생각에 잠겨서 말했다.

"몽디외(맙소사)!" 라몬이 말했다. "겁이 많으시네요, 형씨."

케인이 얼굴을 찌푸렸다. "자다가 죽고 싶진 않아." 그가 퉁명스럽게 말했다.

"허허!" 프랑스인이 웃었다. "우리가 숲길에서 우연히 만난 게 해지기 한 시간 전쯤이니까, 그동안 서로 얼굴 한번 제대로 못 봤네요."

"난 자네를 어디선가 봤는데." 케인이 대꾸했다. "어디였는지는 생각이 나지 않지만 말이야. 흑심을 드러내기 전까지는 모든 사람들이 다 정직하고 선한 법일세. 게다가 난 권총을 손에 쥐고 잠을 얕게 자는 편이거든."

프랑스인이 또 웃음을 터뜨렸다.

"형씨가 낯선 사람과 한방에서 어찌 잠을 잘지 걱정이네요! 하! 하! 좋습니다, 영국인 형씨. 나가서 다른 방에 있는 빗장을 하나 가져옵시다."

그들은 촛불을 들고 복도로 나섰다. 쥐 죽은 듯 조용한 어둠 속에서 작은 촛불은 붉고 불길하게 흔들렸다.

"이 여인숙에는 주인 말고 다른 손님이나 하인은 없나 봐." 솔로몬 케인이 중얼거렸다. "이상한 여인숙일세! 참, 이름이 뭐랬지? 독일어라 선뜻 와 닿지가 않는데, 클레프트 스컬이라고 했던가? 이름 한번 으스스하군."

그들은 옆방에 들렀지만 거기에도 빗장은 없었다. 이윽고 복도 끝에 있는 마지막 방까지 이르렀다. 얼핏 보기에 다른 방과 같았으나 문짝에 막혀있는 조그만 창이 나 있었다. 또한 출입문은 바깥쪽에서 빗장이 채워져 문설주 한쪽 끝에 단단히 고정되어 있는 것도 달랐다. 그들은 빗장을 들어 올리고 안으로 들어갔다.

"여긴 창문이 없군 그래." 케인이 중얼거렸다. "봐!"

바닥이 검게 얼룩져 있었다. 벽면과 침대 하나, 그나마 군데군데 부서지거나 뭉텅뭉텅 쪼개진 부분도 있었다.

"이방에서 사람들이 죽었군." 케인이 심각하게 말했다. "저기 벽에 박혀 있는 게 빗장 아닌가?"

"맞아요. 하지만 너무 단단히 박혀 있는데요." 프랑스인이 빗장을 잡아당기면서 말했다. "그런데……"

그때 빗장이 박혀 있던 벽면이 갑자기 열리는 바람에 개스턴 라몬이 놀라 소리를 질렀다. 작은 비밀 방이 모습을 드러냈다. 두 남자는 그 작은 방에 놓여있는 오싹한 물체를 들여다보았다.

"사람의 해골이잖아!" 개스턴이 소리쳤다. "봐요, 뼈 밖에 안남은 다리가 바닥에 묶여 있잖아요! 저 사람은 여기에 갇혀서 죽은 거예요."

"아냐." 케인이 말했다. "해골이 쪼개져 있어. 주인장이 여인숙 이름을 지은 데는 이런 오싹한 이유가 있었나보군. 죽은 사람도 우리처럼 악마의 손에 걸려들었다가 봉변을 당한 길손이 틀림없어."

"그럴지도 모르죠." 개스턴이 심드렁하게 말했다. 그는 해골의 다리뼈에서 커다란 쇠고리를 태평하게 빼내고 있었다. 여의치 않자 그는 칼을 빼내 범상치 않은 힘으로 쇠고리에 연결된 사슬을 잘랐다. 해골의 다리뼈에 연결된 쇠고리와 사슬은 통나무 바닥 깊숙이 설치되어 있었다.

"이 해골을 왜 바닥에 묶어놓았을까요?" 프랑스인이 생각에 잠겨서 말했다. "형씨! 쇠사슬이 남아돌아서 그런 것도 아닐 테고. 이봐요, 선생……" 그가 하얀 해골을 향해 얄궂게 말했다. "선생을 놓아줄 테니 지금이라도 가고 싶은 대로 가구려!"

"그만해!" 케인이 굵고 낮은 목소리로 말했다. "망자를 놀리다니 못 써."

"자기 목숨은 스스로 지켰어야죠." 라몬이 웃었다. "어쨌든 나는 어느 놈이건 나를 죽이면 끝까지 그 놈을 없애버릴 거요. 송장이 되어 천길 바다 속에 떨어진대도 반드시 그렇게 할 거요."

케인은 비밀 방의 문을 닫고 출입문 쪽으로 돌아섰다. 그는 악마나 마녀 따위의 얘기를 좋아하지 않았다. 서둘러 여인숙주인을 만나 죄를 따져 묻고 싶었다.

그가 밖으로 나가려는데 목덜미에 차가운 금속이 와 닿았다. 권총의 총구였다.

"형씨, 꼼짝 마!" 목소리는 낮고 은근했다. "움직였다가는 머리통을 박살내 버릴 거야."

청교도는 치솟는 분노를 억누르고 두 손을 들었다. 라몬이 케인의 권총과 칼을 빼앗았다.

"이제 돌아서." 개스턴이 한발 뒤로 물러서면서 말했다.

케인은 말쑥한 길동무를 무섭게 쳐다보았다. 개스턴은 모자를 벗어 손에 쥐고 다른 손으로 긴 권총을 겨누고 있었다.

"개스턴, 이 백정 같은 놈!" 영국인은 침울하게 말했다. "프랑스 놈을 믿은 내가 바보지! 지금까지 잘도 속였구나, 살인자 놈!

그 구역질나는 모자를 벗으니까 이제 기억나는 군. 네 놈을 본 게 수 년 전 칼레(프랑스 북부, 도버 해협에 면한 항구도시—옮긴이)에서였어."

"맞아. 앞으론 두 번 다시 날 못 볼 거야. 저건 뭔지?"

"쥐떼가 저 해골을 건드리고 있어." 케인은 검은 총구가 살짝 흔들리기를 기다리면서 악당을 매처럼 쏘아보았다. "뼈가 달그락거리는 소리."

"됐어." 상대방이 대답했다. "자, 케인 씨. 내가 알기로는 형씨한테 돈이 두둑이 있다던데. 형씨가 잠들 때까지 기다렸다가 죽일 생각이었지만 기회가 저절로 찾아 왔어. 형씨는 아주 잘 속아 넘어가는군."

"함께 빵을 나눠먹은 사람까지 조심해야 할 줄은 미처 몰랐다." 케인의 목소리에서 깊은 분노감이 전해졌다.

악당은 냉소적인 웃음을 지었다. 그는 눈을 가늘게 뜨고 출입문 쪽으로 천천히 뒷걸음질 쳤다. 케인의 근육이 저절로 팽팽해졌다. 도약하려는 거대한 늑대처럼 그는 온몸을 웅크렸다. 그러나 개스턴의 손은 바위처럼 흔들림이 없었고 권총의 총구도 까딱하지 않았다.

"총알 한 방이면 죽어라 드잡이를 벌일 필요도 없어." 개스턴이 말했다. "꼼짝 마, 형씨. 죽어가는 사람한테 당하는 사람들을 봤거든. 그런 일을 대비해서 거리를 충분히 벌려놓아야겠어. 형씨가 총을 맞고 미친 듯이 달려들 테지만, 나한테 오기도 전에 죽을 거야. 그러면 우리 주인장은 비밀의 방에다 해골을 하나 더 추가할 수 있는 거고. 내가 주인장을 직접 죽이지만 않는다면 말이야. 그 멍청이는 나를 모르고 나도 놈을 모르거든. 게다가……"

프랑스인은 총구를 겨눈 채 문간까지 갔다. 벽감(조각상 등을 두기 위해 벽을 움푹 들여놓은 곳—옮긴이)에 있는 촛불은 문간까지 빛을 비추지 못하고 묘하게 흔들렸다. 그런데 난데없이 개스턴의 등 뒤 어둠 속에서 뭔가가 일어서더니 번뜩이는 칼날을 내리쳤다. 프랑스인은 도살당한 황소처럼 무릎을 꿇었고, 쪼개진 두개골에서 뇌가 쏟아져 나왔다. 그 뒤로 여인숙주인이 무시무시한 모습으로 서 있었다. 프랑스인을 죽인 무기가 여전히 그의 손에 꽉 들려 있었다.

"어이!" 그가 으르렁거렸다. "물러서!"

개스턴이 쓰러지는 순간, 케인은 앞으로 튀어나갈 태세였지만 여인숙주인이 왼손에 들고 있던 긴 권총을 그의 얼굴에 겨누었다.

"물러서!" 그가 호랑이처럼 무섭게 좀 전의 말을 되풀이했다. 케인은 위협적인 무기와 광기의 붉은 눈동자를 피해 뒤로 물러섰다.

영국인은 잠자코 서 있었다. 프랑스인보다 훨씬 더 강렬하고 섬뜩한 여인숙주인의 위협 때문에 소름이 돋을 정도였다. 이 여인숙주인에게선 어딘지 인간이 아닌 뭔가가 전해졌다. 그는 지금 고약하게 웃어대면서 거대한 야수처럼 이리저리 몸을 흔들고 있었다.

"개스턴 이 백정 놈!" 그가 버럭 소리를 지르고는 발치에 있는 시체를 걷어찼다. "하! 하! 쓸 만한 산적 놈이었는데 이젠 사냥을 못하겠군! 검은 숲을 어슬렁거리는 이놈한테서 나도 들은 얘기가 있지. 정작 이 놈은 금을 차지하려다가 죽고 말았군! 자, 이제 네 금은 내 것이렷다. 그리고 금보다 더 값비싼 복수까지 덤으로!"

"난 당신과 원수진 일이 없소." 케인이 침착하게 말했다.

"모든 사람이 내 원수다! 봐, 내 손목에 있는 이 표시! 내 발목에 있는 이 표시! 그뿐이 아니야. 내 등 깊숙이 새겨진 태형의 상처! 게다가 이 머릿속에는 누명을 쓴 채 차갑고 숨 막히는 감옥에서 견뎌야 했던 세월의 깊은 상처들이 있다!" 목소리는 섬뜩하고 기괴한 흐느낌 때문에 멈추어졌다.

케인은 아무 대꾸도 하지 않았다. 유럽의 악명 높은 감옥들에서 공포를 감당 못하고 머리가 돌아버린 사람은 케인에게 처음은 아니었다.

"하지만 난 탈옥했다!" 그는 의기양양하게 악을 썼다. "그리고 여기서 모든 인간을 상대로 전쟁을 벌이고 있지…… 저건 뭐지?"

케인은 그 섬뜩한 눈동자에 공포가 스치는 것을 본 것도 같았다.

"내 마법사가 자기 뼈를 달그락거리고 있네 그려!" 여인숙주인이 그렇게 속삭이더니 미친 듯이 웃어댔다. "그 자가 죽어가면서 자기 뼈를 흔들어 나를 잡아 죽이는 그물로 삼겠다고 이를 갈더군. 놈의 시체를 바닥에 족쇄를 채워놓았는데 이 야심한 밤에 도망치겠다고 해골이 달가닥대다니 이거야 말로 웃기는 노릇이지! 하! 하! 저승사자처럼 벌떡 일어서서 어두운 복도를 따라 성큼성큼 걸어와 잠든 나를 죽이겠다고 저 난리로군!"

갑자기 여인숙주인의 미친 눈동자가 소름끼치게 빛났다. "이 송장과 네가 저 방에 들어갔다 왔군! 해골이 네놈에게 말을 걸던가?"

케인은 자기도 모르게 몸서리를 쳤다. 마치 해골이 살며시 움직이는 것처럼 희미하게 달그락거리는 소리, 그것이 과연 진짜인가 아니면 착각인가? 케인은 어깨를 으쓱했다. 쥐떼가 그 지저분한 해골을 잡아 뜯고 있을 터였다.

여인숙주인이 다시 웃음을 터뜨렸다. 그는 총으로 케인을 겨눈 채 옆걸음질 쳐서 비밀의 문을 열었다. 방안이 너무 캄캄해서 케인은 바닥에 있는 해골의 반들거림마저 볼 수 없었다.

"사람들은 전부 내 적이다!" 주인이 미친 사람처럼 두서없이 지껄였다. "누구는 죽이고 누구는 살려두고 그럴 필요가 있나? 내가 누명을 쓰고 지긋지긋한 카를스루에(독일 남부의 도시—옮긴이)의 지하 감옥에 갇혀 있을 때 누가 날 도와주었지? 거기서 내 머리가 이상해진 거야. 난 늑대처럼 변했어. 내가 탈출해서 도착한 이 검은 숲과 형제가 된 거지.

숲의 형제들은 이 여인숙에서 죽인 자들을 아주 맛있게 먹어치우지. 지금 뼈를 달그락거리는 이놈만 빼고 말이야. 이놈은 러시아에서 온 마법사였지. 밤에 빠져나와 자기를 죽였다고 나를 해칠까봐 시체에 족쇄를 채워 바닥에 고정시켜놨어. 내게서 도망칠 만큼 놈의 마법이 대단하진 않았지. 하지만 마법사는 살아있을 때보다 죽었을 때가 더 무섭다는 걸 모르는 사람은 없어. 영국인, 움직이지 마! 네 놈의 뼈도 이 해골 옆에다 나란히—"

그 미치광이는 비밀의 방 문간에 서서 여전히 총으로 케인을 겨누고 있었다. 그런데 갑자기 그가 뒤로 휙 쓰러지는 것 같더니 어둠속으로 사라졌다. 그와 동시에 바깥 복도에서 돌풍이 불어와 비밀의 문을 쾅 닫아버렸다. 벽감에 있던 촛불이 깜박이다가 꺼져버렸다. 케인은 바닥을 더듬어 권총을 찾아냈다. 그러고는 미치광이가 사라진 문 쪽을 향해 똑바로 일어섰다. 칠흑 같은 어둠 속에서 있자니 피가 얼어붙는 기분이 들었다. 그때 비밀의 방에서 억눌린 오싹한 비명과 해골의 음산한 달그락거림이 뒤섞여 들려왔다. 곧 침묵이 흘렀다.

케인은 부싯돌을 찾아 촛불을 켰다. 그리고 한손에는 촛불, 다른 손에는 권총을 들고 비밀의 방문을 열었다.

"오, 신이시여!" 그렇게 중얼거리는데 온몸에 식은땀이 흘렀다. "도저히 납득할 수 없는 일이건만 이렇게 두 눈으로 똑똑히 보고 있구나! 여기 두 가지 맹세가 남았다. 죽어서라도 복수를 하겠다던 백정 개스턴. 그런 그자가 저 살 없는 괴물을 묶어놓은 장본인이었구나. 그리고 또―"

클레프트 스컬 여인숙의 주인이 비밀의 방에 죽어서 쓰러져 있었다. 그의 흉악한 얼굴에 섬뜩한 공포가 자리 잡고 있었다. 완전히 부러진 목은 마법사 해골의 뼈다귀 손가락에 잡혀 있었다.

해골의 달

제 1 장 한 남자가 찾으러 오다

거대한 검은 그림자가 붉게 물든 저녁놀을 가르며 대지를 덮었다. 정글의 숲길을 힘겹게 걸어온 남자에게 그것은 죽음과 공포의 상징이었고, 촛불 비춘 벽면으로 뛰어드는 암살자처럼 은밀한 위협이었다.

그러나 그것은 앞에 버티고 있는 커다란 험산의 그림자에 불과했다. 그리고 그 산은 그의 목적지인 스산한 산기슭의 첫 번째 관문이기도 했다. 그는 잠시 산자락에 멈춰 서서 지는 해를 배경으로 시커멓게 솟구친 산을 올려다보았다. 손으로 눈가리개를 하고 바라보니 산꼭대기에서 뭔가 움직임이 스쳤지만, 햇빛에 눈이 부셔 장담하기는 어려웠다. 저리 뛰고 있는 게 사람이 아닌가? 사람 아니면 혹시?

그는 어깨를 으쓱하고는 산마루까지 올라가는 험한 길을 찬찬히 살펴보았다. 처음에는 산양만 오르는 길처럼 보였지만, 자세히 보면 단단한 암석에 손잡이 구멍이 무수히 뚫려 있었다. 있는 힘까지 다 쏟아부어야할 일이었지만 지금이라도 마음만 먹으면 돌아갈 수 있었다.

그는 어깨에 메고 있던 큼지막한 행낭과 투박한 구식 소총을 내려놓았다. 등에 끈으로 묶어놓은 레이피어와 단도 그리고 권총 한 자루만 몸에 지닌 채 어두워지는 숲길 한번 뒤돌아보지 않고 긴 등반을 시작했다.

그는 큰 키에다가 팔이 길고 강철처럼 다부진 체격이었음에도 깎아 지르는 절벽에 매달린 개미처럼 짬짬이 쉬기 위해서 번번이 멈춰서야 했다. 어둠이 빠르게 내려앉았고, 험준한 산은 검은 얼룩처럼 버티고 섰다. 바위에 난 손가락 구멍은 못미더운 사다리 같아서 그것을 더듬는 그의 손길도 대중없이 다급해졌다.

발아래, 밤을 맞은 열대 정글의 소음이 시끄러워졌다. 그러나 그에게는 어둠에 묻힌 거산이 정글의 생명들에게 침묵과 공포의 마법을 걸어놓은 듯 밤의 소음마저도 숨죽이고 있는 것 같았다.

애를 쓰는데도 길은 더욱 험해져서 절벽이 거의 정상까지 불룩 튀어나와 있었다. 신경과 근육에 가해진 팽팽한 긴장감이 급기야 고통으로 변했다. 간발의 차로 추락을 면한 것이 한두 번이 아니었다. 그러나 마르고 단단한 그의 육체는 완벽한 조화 속에서 움직였고, 손가락은 강철 발톱처럼 또는 바이스처럼 강한 악력을 발휘했다. 그의 움직임은 점점 더디어갔지만 마침내 가파른 산마루가 보이는 지점까지 도달했다. 산마루는 6미터 남짓한 거리에서 별무리를 가르고 있었다.

그가 올려다보고 있는 동안, 불쑥 시야에 들어온 불분명한 물체가 산마루 가장자리에서 비틀거리더니 거센 바람을 일으키며 그가 있는 아래쪽으로 떨어졌다. 그는 절벽에 납작 몸을 붙였지만 어깨에 육중한 일격이 느껴졌다. 스치는 충격이었음에도 하마터면 손을 놓칠 뻔 했다. 그가 균형을 잡기 위해 사력을 다하고 있을 때, 까마득히 아래에서 뭔가 바위에 부딪치는 소리가 들려왔다. 이마에 구슬땀이 흘렀다. 다시 위를 올려다보았다. 대체 누가 혹은 무엇이 그런 돌을 절벽 아래로 밀쳤을까? 무수한 싸움터에서 입증되었듯이 그는 용맹한 사내였지만 지금은 양처럼 무기력하게 죽어가면서 아무런 저항도 할 수 없다는 생각에 그만 피가 얼어붙었다.

이내 분노의 물결이 두려움을 밀어내자, 그는 다시 힘을 모아 빠르게 절벽을 오르기 시작했다. 혹시나 했던 두 번째 돌은 나타나지 않았다. 드디어 절벽 꼭대기에 올라 칼집의 칼을 번뜩이며 우뚝 서기까지 생물이라고는 그림자 하나 눈에 띄지 않았다.

절벽의 정상은 고원처럼 생겨서 서쪽으로 1킬로미터쯤 가다가 산간벽지의 시골로 이어졌다. 그가 방금 올라온 험산은 다른 산봉 우리에서 음침한 돌기처럼 튀어나와, 저 아래 지금은 열대의 어둠에 묻혀 검고 묘연해진 수풀의 바다를 굽어보고 있었다.

숨 막히는 침묵이 그 철저한 단절의 공간을 지배하고 있었다. 바람 한 점 없었고, 고원을 뒤덮은 왜소한 덤불 사이에서 발소리 하나 스치지 않았다. 그러나 그를 죽일 수도 있었던 돌이 저절로 떨어진 것은 아니었다. 이 고즈넉한 산간을 오가는 존재들은 과연 정체가 무엇일까? 누런 별빛들이 사악하게 반짝이는 가운데 열대의 어둠은 철의 장막처럼 외로운 방랑자를 휘감았다. 썩어가는 정글 식물의 냄새가 두터운 안개처럼 또렷하게 그의 코끝을 찔렀다. 그는 인상을 찌푸린 채 절벽 쪽에서 거침없이 고원을 가로지르기 시작했다. 한손에는 검, 다른 손에는 권총을 쥐고서.

묵직한 공기 속에서 감시를 당하는 것처럼 불편한 기분이 들었다. 고원의 수풀을 누비는 이방인의 민첩한 발소리 외에 침묵은 여전했지만, 그는 자신의 전후좌우에서 살아있는 뭔가가 미끄러지듯 움직이고 있음을 알아챘다. 그를 따라붙는 존재가 사람인지 짐승인지는 알 수 없었고, 개의치도 않았다. 사람이든 악마든 길을 막아서는 상대가 무엇이든 맞서 싸울 생각이었기 때문이다. 그는 간간이 멈춰 서서 주변을 노려보았지만, 검은 유령처럼 웅크리고 있는 키 작은 관목 외에는 눈에 띄는 것이 없었다. 별들은 빛을 던지려고 안간힘을 쓰는 것 같았고, 후텁지근한 어둠 속으로 이어진 길은 구불구불하고 불분명했다.

마침내 그는 고원이 끝나고 더 높은 비탈로 바뀌는 지점까지 다다랐다. 그리고 조금은 옅어진 어둠 속에서 한 무리의 나무가 길을 막아서듯 버티고 있었다. 그는 주위에 시야를 적응시키면서 조심스레 접근하다가 나무의 일부가 아닌 모호한 형체 하나를 발견했다. 그는 멈칫했다. 그것은 움직이지 않고 가만히 있었다. 정체불명의 소리 없는 위협처럼 그것은 마치 숨어서 기다리는 것 같았다. 고요한 나무 사이에 공포가 도사리고 있었다.

이방인은 검을 빼들고 조심스럽게 나아갔다. 점점 더 가까이. 혹시 이상한 낌새라도 있을까봐 그의 눈은 잔뜩 긴장해 있었다. 사람이라는 생각이 들면서도 움직임이 없는 것이 이상했다. 그 이유를 곧 알 수 있었다. 그것은 나뭇가지에 창으로 찔러 세워놓은 한 흑인의 시체였다. 커다란 가지를 따라 손목에 단도가 박힌 팔 하나가 앞으로 쭉 뻗어 있었다. 시체는 그 뻣뻣하게 굳은 집게손가락으로 이방인이 걸어온 길을 거슬러 가리키고 있는 것 같았다. 그 의미는 분명했다. 그 음산한 침묵의 이정표가 가리키는 것은 딱 한 가지, 그 너머에 죽음이 있다는 것이었다. 섬뜩한 경고를 올려다보던 케인이 그답지 않게 웃음을 터뜨렸다. 그런 비웃음이 그에겐 사치일망정 당장은 그러고 싶었다. 바다와 육지를 건너온 ―배를 타고 정글을 헤쳐 온―길이 수만리, 그런 그에게 돌아가라고 이따위 무언극을 꾸미고 있는 자들은 대체 누구인가? 그는 시체에 인사라도 건네고픈 충동이 일었지만 망자에 대한 결례라고 생각하고 꾹 참았다. 그러고는 앞뒤에서 매복해 있다가 불시에 공격해올 경우를 대비하면서 시체를 지나갔다. 그러나 아무 일도 벌어지지 않았고, 시체가 박혀있던 나무를 지나자 울퉁불퉁한 비탈길이 시작되었다. 그는 어둠 속에서 흔들림 없이 비탈을 올랐다. 자신의 무모한 행동이 분별력 있는 사람들에게 어떻게 보일지 그런 건 안중에도 없었다. 보통 사람이라면 절벽을 오르기 전에 산자락에서 야영을 하고 아침까지 기다렸을 것이다. 그러나 그는 보통 사람이 아니었다. 일단 목표물이 눈에 띄면 장애물은 아랑곳없이 밤낮을 가리지 않고 곧장 그것을 향해 갔다. 계획한 일은 반드시 하고야 마는 성품이었다. 불경한 공포의 왕국이 시작되는 들목에 도착한 것이 해질녘, 그리고 어둠 속에서도 당연한 일처럼 왕국의 가장 깊숙한 심장부로 들어선 그였다.

표석이 많은 비탈을 오르는 동안, 달빛이 환영처럼 비추었다. 앞쪽의 황량한 산들은 달빛 속에서 마법사가 사는 성채의 검은 첨탑처럼 어른거렸다. 그는 어둑한 길에서 눈을 떼지 않았다. 또 언제 표석이 비탈을 굴러 떨어질지 모르는 일이었다. 그는 어떤 식의 공격에도 맞설 수 있게 대비를 했지만, 그래도 막상 공격을 받고 보면 당황하는 게 사람이다.

커다란 바위 뒤에서 불쑥 사람이 일어섰다. 창백한 달빛 아래서 흑단처럼 새카만 거인이 은빛으로 빛나는 기다란 창을 들고 서 있었다. 머리 위에는 타조 깃털로 장식한 투구가 흰 구름처럼 떠 있었다. 그가 예를 갖추듯 창을 들어 올리고 강가 부족의 언어로 말했다. "여기는 백인의 땅이 아니다. 자기의 부락이 따로 있음에도 여기 해골의 땅으로 들어온 그대 백인 형제는 누구인가?"

"내 이름은 솔로몬 케인." 백인이 역시 같은 언어로 대답했다. "니게리의 뱀파이어 여왕을 찾으러 왔다."

"찾아오는 사람은 적다. 실제로 찾아낸 사람은 더 적다. 그리고 돌아간 사람은 없다." 상대방이 우회적으로 말했다.

"나를 여왕에게 데려다 줄 수 있는가?"

"당신은 오른 손에 긴 칼을 들고 있다. 여기엔 사자가 없다."

"뱀 한 마리가 표석을 굴려 떨어뜨렸다. 숲속에 뱀이 있는 줄 알았다."

거인은 그들의 묘한 대화를 굳은 미소로 받아넘기고 잠시 말없이 서 있었다.

"당신의 목숨은 내 손에 달렸다." 이윽고 흑인이 말했다.

케인은 씩 웃고 말했다. "많은 전사들이 내 손에 죽었다."

흑인이 미심쩍은 눈빛으로 영국인의 반짝이는 레이피어를 위아래로 훑어보았다. 그러고는 억센 어깨를 으쓱하더니 창끝을 땅으로 내렸다.

"그런데 당신은 빈손으로 왔군." 그가 말했다. "하지만 나를 따라오라. 운명의 여신이고 '폭압자'이며, 니게리 땅을 지배하는 붉은 여인 '나카리' 앞에 데려다주겠다."

그가 한발 비켜서서 케인에게 앞장서라는 시늉을 했다. 그러나 영국인은 뒤에서 창에 찔릴 것을 염려해 고개를 저었다.

"내가 형제보다 앞서서 걸을 순 없다. 우리 둘 다 거물이니 나란히 걷자." 케인은 속으로 야만족의 전사에게 그런 고약한 수작이나 걸고 있는 자신이 한심했지만 겉으로 내색은 하지 않았다. 거인은 야만스러우면서도 당당하게 인사를 건넸고, 두 사람은 말없이 산길을 올랐다.

남자들이 매복지에서 빠져나와 그들의 뒤를 따랐다. 케인이 미심쩍은 마음에 어깨너머를 흘깃해보니, 스무 명이 넘는 전사들이 브이(V)자 모양으로 그들의 뒤를 따르고 있었다. 매끄러운 육체와 흔들리는 투구 그리고 길고 섬뜩한 창날 위로 달빛이 반짝였다.

"저 형제들이 표범을 닮았소." 케인이 정중하게 말했다. "저들이 낮은 수풀 속에 있는데도 눈에 띄지 않았소. 긴 수풀을 미끄러지듯 누벼도 스치는 소리 하나 나지 않소."

흑인 추장은 사자 같은 머리를 끄덕이며 케인의 찬사를 정중하게 받아들였다. 추장의 머리에서 깃털 장식이 부스스 흔들렸다.

"보시오, 표범은 우리의 형제다. 우리의 두 발은 연기처럼 움직이고 두 팔은 강철처럼 강하다. 우리 전사들이 나서면 사람들은 붉은 피를 흘리며 죽어간다."

케인은 흑인의 목소리에서 은근한 위협을 느꼈다. 그의 의심을 입증할만한 실제적인 위협은 없었지만 불길한 분위기가 전해졌다. 케인은 한동안 말을 아꼈고, 그 기묘한 무리는 유령의 행렬처럼 달빛 속에서 소리 없이 산을 올랐다.

점점 더 가파르고 험해지는 길은 바위산과 거대한 표석 사이를 구불구불 지나갔다. 갑자기 그들 앞에 커다란 틈이 나타났고, 멈춰 선 흑인 추장의 발치에서 천연의 바위 다리가 펼쳐져 있었다.

케인은 호기심을 느끼고 심연의 틈을 쳐다보았다. 폭이 12미터가량 되는 협곡, 그 아래 수천 길의 칠흑 같은 어둠이 펼쳐져 있었다. 협곡의 맞은편에는 접근을 불허하는 험산들이 시커멓게 솟아 있었다.

"여기가 나카리의 왕국으로 들어가는 진짜 경계선이다." 흑인 추장이 말했다.

전사들이 아무렇지 않게 케인 곁으로 몰려들었다. 그는 본능적으로 레이피어의 칼집을 꽉 움켜잡았다. 갑자기 공기 중에 팽팽한 긴장감이 흘렀다.

"여기는 또 빈손으로 나카리에 온 자들이 죽는 곳이지!"

추장이 갑자기 미치광이로 변한 것처럼 마지막 말이 날카로운 외침으로 울렸다. 그러고는 커다란 팔을 뒤로 향했다가 억센 근육에 물결을 일으키며 앞으로 뻗었다. 기다란 창이 순식간에 케인의 가슴으로 날아들었다.

천부적인 전사만이 그런 공격을 피할 수 있다. 케인은 동물적인 움직임으로 죽음을 면했다. 몸을 피해 커다란 창날이 그의 옆구리를 스치는 순간, 그는 전광석화처럼 주먹을 날렸다. 하필이면 그때 그와 흑인 추장 사이로 뛰어들던 전사 한 명이 그의 주먹을 맞고 즉사했다.

창날이 한꺼번에 달빛 아래 번뜩였고, 케인은 밀려드는 창날을 받아치며 다리 위로 뛰어 올랐다. 한명 이상은 올라설 수 없을 정도로 다리는 비좁았다.

전사들 중에서 먼저 나서는 자가 없었다. 그들은 다리 앞에서 창을 뻗었고, 케인이 뒤로 물러서면 우르르 몰려들다가 공격 자세를 취하면 창을 마구 휘둘러댔다. 그들의 창이 케인의 레이피어보다 길었지만 그는 출중한 기술과 냉정하고 맹렬한 공격으로 불리한 상황을 충분히 상쇄했다.

전진과 후퇴를 반복하는 흑인 무리 중에서 갑자기 거인이 뛰어나오더니 난폭한 들소처럼 다리로 올라섰다. 그는 창을 낮게 잡고서 눈빛은 광기로 번뜩이고 있었다. 그의 창을 피해 케인은 점점 뒤로 물러서면서 허점을 노리려고 안간힘을 썼다. 갑자기 케인이 다리의 가장자리로 뛰었고, 그 아래 벌어진 어둠의 심연 앞에서 그만 현기증을 느꼈다. 그가 휘청거리며 균형을 잡으려고 애쓰는 동안, 전사들이 시끄럽게 고함을 질러댔다. 마침내 다리에 있던 거인이 포효하면서 흔들리는 적을 향해 돌진했다.

케인은 균형을 잡지 못한 상황에서도 보기 드문 검술로 온힘을 다해 거인의 공격을 받아넘겼다. 무서운 창날이 그의 뺨을 스쳤고 금방이라도 어둠의 심연 속으로 추락할 것 같았다. 필사적으로 창의 자루를 붙잡고 자세를 잡은 뒤, 거인을 향해 레이피어를 깊숙이 찔러 넣었다. 거인은 붉은 동굴처럼 벌어진 커다란 입으로 피를 쏟았고, 죽어가면서도 미친 듯이 케인에게 덤벼들었다. 다리의 가장자리에 발꿈치까지 밀린 상황, 케인은 거인을 피하지 못한 채 서로 뒤엉켜 협곡으로 떨어지고 말았다.

순식간에 벌어진 일이라 전사들은 모두 멍하니 서 있었다. 두 사람이 어둠 속으로 떨어지기 전까지 거인의 입에서 승리의 함성이 그치지 않았다. 전사들은 다리 위로 올라서서 밑을 내려다보았지만 텅 빈 어둠 속에서 아무 소리도 들려오지 않았다.

제 2 장 서서히 죽어가는 사람들

추락하는 동안, 케인은 본능적으로 허공에서 몸을 틀었다. 그래서 높이를 가늠할 수 없는 추락의 끝에서 밑바닥에 부딪치는 순간, 그는 거인의 몸 위로 떨어졌다.

케인이 생각하기에도 너무 갑작스러운 결말이었다. 반쯤 정신을 잃고 누워 있다가 눈을 떠보니, 저 위로 좁은 다리가 희미하게 하늘을 가로지르고 있었다. 그리고 달빛 아래 모여든 전사들이 기이할 정도로 작아진 모습으로 다리 아래를 기웃거렸다. 그는 어두운 밑바닥까지 달빛이 닿지 않아서 들킬 염려가 없다는 것을 알고 가만히 누워 있었다. 그리고 전사들이 시야에서 사라지자, 자신이 처한 상황을 살피기 시작했다. 거인은 죽었고, 그 시체가 완충 역할을 하지 않았더라면 추락한 높이가 상당했기에 케인도 역시 목숨을 부지하기 어려웠을 터이다. 사실, 케인은 온몸이 뻐근하고 타박상 정도만 입은 상태였다.

그는 흑인의 시체에서 칼을 뽑았고, 다행히 칼은 부러지지 않고 멀쩡했다. 어둠 속을 더듬어 가는데 절벽 가장자리 같은 것이 손에 닿았다. 그곳이 협곡의 바닥이고 생각보다 그리 깊지 않다는 생각을 하고 있었는데 사실은 그게 아니었다. 지금 보니 그가 떨어진 곳은 협곡의 중간에 있는 레지(선반처럼 튀어나온 암벽의 일부—옮긴이)였다. 작은 돌 하나를 밑으로 떨어뜨리자 밑에서 부딪치는 소리가 들리기까지 한참이 걸렸다.

어찌해야할지 고민스러운 상황이라 우선은 허리띠에서 부시와 부싯돌을 꺼내 손으로 가리고 조심스럽게 불을 켰다. 희미한 불빛에 암벽에서 튀어나온 큼지막한 레지가 모습을 드러냈는데, 그가 있는 위치는 맞은편 산과 가까운 쪽이었다. 그런 지형을 모르고 산 쪽으로 건너려고 했다가는 자칫 레지 가장자리에서 떨어졌을 것이다.

웅크린 채 시야가 짙은 어둠에 익숙해질 때까지 기다리고 있자니 암벽의 그림자 속에서 아주 시커먼 뭔가가 어른거렸다. 가까이 가보니 똑바로 서서 들어갈 수 있을 정도로 커다란 입구가 나타났다. 어두워서 잘 보이지 않는데다가 선뜻 접근하기 어려웠지만 동굴이라는 생각이 들었다. 마침 부싯깃의 불이 꺼졌고, 그는 더듬더듬 안으로 들어갔다.

동굴이 어디로 나 있는지는 짐작조차 할 수 없었지만, 가만히 앉아서 독수리의 밥이 될 때까지 기다리는 것보다는 뭐든 시도를 해보는 편이 나았다. 동굴 바닥은 위로 경사진 상태로 한참을 이어졌고, 발아래 단단한 바위가 밟혔다. 약간 가파른 곳을 올라갈 때는 수월치가 않아서 여러 번 미끄러지고 넘어졌다. 천장이 닿지 않았고, 양팔을 벌린 것보다 폭도 넓은 것으로 봐서 꽤 커다란 동굴이었다.

이윽고 바닥이 평평해지자 케인은 동굴이 훨씬 더 넓어진 것을 깨달았다. 한치 앞도 볼 수 없을 만큼 어둠이 여전히 짙었지만 공기는 한결 좋아졌다. 그가 갑자기 얼어붙듯 멈춰 섰다. 앞쪽 어딘가에서 딱히 설명하기 어려울 정도로 묘한 바삭거림이 들려왔기 때문이다. 난데없이 뭔가가 그의 얼굴을 때리는가 싶더니 정신없이 퍼덕거리는 소리가 들려왔다. 사방에서 작은 날개들이 무수히 파닥거렸고, 케인은 갑자기 빙충맞은 미소를 짓고 말았다. 우습기도 하고 마음이 놓이면서도 한편으로는 아쉬웠다. 물론, 그것은 박쥐 떼였다. 동굴 안에 박쥐들이 득시글거렸다. 유쾌한 일은 아니었다. 그가 계속 나아가는 동안에도 박쥐들의 재잘거림이 커다란 동굴을 가득 채웠고 그럴수록 케인은 자꾸 이상한 생각이 들었다. 그가 이상한 힘에 이끌려 그 지옥의 동굴 속으로 들어온 것이라면 끝없는 어둠속에서 날갯짓하는 이 박쥐들은 혹시 지옥에 떨어진 영혼들이 아닐까? 그렇다면 곧 사탄과 대면하게 될 것이라고 솔로몬 케인은 생각했다. 그런 생각을 하는데 구역질나는 악취가 풍겨왔다. 악취가 점점 더 심해지자 경건한 케인의 입에서도 가벼운 욕설이 튀어나왔다. 케인은 악취에서 은밀한 위협의 징후를 감지했다. 보이지 않는 비인간적이고 치명적인 악의, 그로인해 그의 심란한 마음은 미신적인 결론까지 떠올렸다. 그러나 견고한 신념과 정당한 대의명분으로 무장한 그였기에 악마든 어떤 상대든 싸워 이길 자신이 있었다. 곧이어 갑자기 일이 벌어졌다. 그가 길을 더듬어 가고 있는 동안, 두 개의 가느다란 눈동자가 어둠 속에서 튀어 올랐다. 싸늘하고 무표정한 그 눈은 인간의 것이라고 하기에는 간격이 너무 좁았고, 네발달린 짐승의 것이라고 하기에는 너무 높이 있었다. 케인 앞에서 저절로 솟구친 그 공포의 정체는 무엇인가?

위쪽에서 두 눈동자가 흔들리자, 케인은 그것을 사탄이라고 생각했다. 케인은 곧장 어둠을 상대로 목숨을 건 혈투를 벌이기 시작했다. 마치 살아 움직이는 듯한 어둠이 케인의 주변에서 획 움직이면서 끈적끈적하게 똬리를 튼 커다란 사지를 쭉 뻗는 것 같았다. 꿈틀거리는 똬리가 그의 칼 든 손을 휘감아 꼼짝 못하게 만들었다. 그는 다른 손으로 단도나 권총을 붙잡으려고 하다가 미끄러운 비늘에서 손가락이 미끄러지는 것을 느끼고 소름이 돋았다. 괴물이 쉭 쉭 내지르는 소리가 공포의 찬가처럼 동굴 안에 울려 퍼졌다.

어둠 속에 박쥐의 날갯짓까지 뒤섞이는 상황, 케인은 뱀에게 붙잡힌 쥐처럼 싸우고 있었다. 그의 왼손이 결사적으로 단도의 칼집에 닿는 순간, 갈비뼈가 옥죄어 오면서 숨이 멈추는 느낌이 들었다.

그때 케인은 강철 같은 근육질의 몸을 거세게 비틀어 왼손에 든 날카로운 단도로 꿈틀거리는 괴물을 사정없이 찔러댔다. 마침내 그를 휘감고 있던 똬리가 느슨해졌다. 곧 그의 팔다리에서 미끄러져 내려간 그것은 거대한 전선줄처럼 발치에 떨어졌다.

거대한 뱀이 죽음을 앞두고 마구 버둥거렸다. 뼈를 박살낼 듯한 뱀의 몸부림을 피해 케인은 어둠 속으로 물러나 가쁜 숨을 몰아쉬었다. 그것이 사탄이 아니라면, 지상에서 사탄과 가장 가까운 종자일 거라고 케인은 생각했다. 그리고 어둠 속에서 또 다시 그런 싸움이 없기를 간절히 바랐다.

마냥 걸어도 끝이 날 것 같지 않는 어둠, 빛이 들어오는 동굴의 끝이 있기나 한 것인지 의심이 일기 시작했다. 입구가 아주 멀리에 있을 거라 생각하고 속도를 높였지만 놀랍게도 몇 발짝 못 가서 벽에 가로막히고 말았다.

그때 벽에 난 실틈 사이로 빛이 보였다. 벽을 만져본 결과, 벽의 성분이 동굴의 그것과는 달랐고 회반죽 같은 것을 섞어 일정하게 만든 석조물 즉 사람이 만든 것임에 틀림없었다. 회반죽이 떨어져나간 돌 벽 사이에서 빛이 새어들었다. 벽면을 더듬어보는 케인의 표정은 절박함을 넘어서 호기심에 차 있었다! 석조물은 아주 오래된 것이었고, 미개한 야만족이 만들었다고 하기에는 솜씨가 대단히 뛰어났다. 케인은 탐험가와 발견가의 짜릿한 전율을 맛보았다. 설령 이곳에 와본 백인이 있다손 쳐도 살아남아서 그 얘기를 한 이는 분명히 없었다. 습한 웨스트 코스트 연안에 도착해 이곳에 들어오려고 준비를 하던 몇 달 전까지만 해도 이런 지역이 있다는 얘기조차 들어본 적이 없기 때문이다. 그와 얘기를 나눠본 백인 중에서 아프리카에 대해 조금이라도 아는 사람은 드물었다. 더구나 "해골의 땅 혹은 여자 악마가 지배하는 땅."이라는 소리는 아예 듣지를 못했다.

케인은 벽의 틈새를 파기 시작했다. 오랜 세월의 풍파에 약해진 벽의 구조물을 힘껏 파들어 가자 쉽게 허물어졌다. 그 다음에 체중을 실어 있는 힘껏 벽을 밀었다. 벽 한쪽 면이 전부 굉음을 내며 무너지는 바람에 케인은 돌과 먼지와 회반죽 더미 속에서 희미하게 밝혀진 복도로 휩쓸려 들어갔다.

시끄러운 소리 때문에 난폭한 창병들이 달려올까 봐 케인은 벌떡 일어나 주위를 살폈다. 쥐죽은 듯 고요했다. 그가 서 있는 복도는 사람이 만들었다는 것을 제외하면 길고 비좁은 동굴과 퍽 흡사했다. 오랜 세월 동안 그곳을 지나간 사람이 없었는지, 먼지가 발목 깊이까지 쌓여 있었다. 그리고 출입문이나 창문 따위가 눈에 띄지 않는 것으로 봐서 희미한 빛은 지붕 혹은 천장을 통해 스며드는 것 같았다. 결국 그는 빛의 근원이 독특한 인광 빛을 띠고 있는 천장이라고 판단했다.

그는 꺼림칙한 기분으로 복도를 걷기 시작했다. 잿빛 유령처럼 죽음과 부패의 어둑한 회랑을 걷는 기분이었다. 곳곳에서 태고의 흔적들이 그를 짓눌렀고, 인간이라는 존재가 얼마나 덧없고 무상한가를 떠올리게 만들었다. 빛 같은 것이 비추고 있으니 지금 밟고 서 있는 곳이 땅이라고 생각할 뿐이지 어디인지는 짐작조차 할 수 없었다. 그곳은 정글과 강가의 원주민들이 말하는 마법의 땅, 공포와 섬뜩한 미스터리의 땅이었다. 그가 노예 해안(Slave Coast, 아프리카 서부 기니 만의 연안으로 옛 노예 매매의 중심지였다-옮긴이)으로 돌아와 그 너머의 오지로 홀로 모험에 나섰을 때 그 지역에 관한 공포의 속삭임을 들은 적이 있었다. 가끔씩 통로의 벽 어딘가에서 새어나온 듯 어렴풋한 웅얼거림을 듣고 있자니, 지금 성이나 어느 저택에 있는 비밀 통로를 비틀거리며 걷고 있다는 생각이 들었다. 그에게 니게리에 관해 어렵사리 말해 준 원주민들에 따르면, 쥬쥬라는 석조 도시가 물신을 숭배하는 음산한 험산 한복판에 높이 자리 잡고 있다했다.

그렇다면 지금 내가 원했던 목적지에, 공포의 도시 한복판에 들어와 있는 셈이군. 케인은 그렇게 생각했다. 그는 멈춰 서서 아무데나 골라 단도로 회반죽을 벗겨보았다. 이번에도 낮은 웅얼거림이 들려왔는데, 벽을 파들어 갈수록 그 소리가 점점 커졌다. 이윽고 구멍이 뚫렸고, 그것을 통해 들여다 본 광경은 실로 기상천외한 것이었다.

그가 들여다본 그 커다란 방은 벽과 바닥이 돌로 만들어져 있었고, 으리으리한 천장은 기묘하게 조각한 대형 기둥들로 떠받쳐져 있었다. 깃털 장식을 한 흑인 전사들이 벽을 따라 줄지어 있었고, 특히 코끼리보다 큰 두 개의 석조 용 사이에 마련된 왕좌 앞에는 이열종대로 조각상처럼 포진해 있었다. 전사들의 태도와 전체적인 외양을 봤을 때 케인이 협곡에서 싸웠던 전사들과 같은 부족인 것 같았다. 그러나 그의 시선을 사로잡은 것은 기괴한 장식의 거대한 왕좌였다. 주변의 어마어마한 규모에 비해 상대적으로 작아 보이는 여자 한 명이 왕좌에 누워 있었다. 그 젊은 여자는 황갈색의 피부와 호랑이처럼 잔인한 미모의 소유자였다. 깃털 달린 투구, 팔찌와 발찌, 화려한 타조 깃털로 만든 허리띠를 제외하고 벌거숭이나 다름없고, 팔다리를 도발적으로 아무렇게나 흐트러뜨린 채 비단 쿠션에 누워 있었다. 거리가 꽤 멀었음에도 케인은 여자의 용모에서 위엄은 있되 야만적이고 오만방자하며 육감적이되 극도의 잔혹성이 두툼하고 붉은 입술에 드리워져 있는 것을 알아챘다. 그는 흥분을 느꼈다. 그 여자가 바로 신화적인 온갖 범죄를 일삼는 니게리의 나카리, 소름끼치는 피에 욕망으로 대륙의 반을 공포에 몰아넣는 악마 도시의 마왕이었다. 그녀는 적어도 사람처럼 보였다. 겁에 질린 강가 부족의 이야기대로라면 그녀는 초자연적인 존재였다. 그래서 케인도 오래 전 악마의 시대에서 튀어나온 흉측한 반인괴수를 만나게 되리라 예상하고 있었다.

영국인은 혐오스러우면서도 넋을 잃고 쳐다보았다. 유럽의 어느 궁전에서도 그 정도로 장엄한 광경은 볼 수 없었다. 공간뿐 아니라 거기에 딸린 모든 부속물 요컨대 기둥들의 대좌를 휘감은 뱀의 조각상에서 어둠침침한 천장에서 희미하게 보이는 용에 이르기까지 그 규모가 실로 어마어마했다. 외경심마저 불러일으키는 초인적인 규모 때문에 그 앞에서 크기를 가늠해보려는 사람들은 그저 멍해질 지경이었다. 케인이 보기에는 인간이 아니라 신의 작품이었다. 그 방 한 개만으로도 규모 면에서 유럽의 내로라하는 성채 대부분을 압도하고도 남을 것이기 때문이었다.

그 거대한 방에 모여 있는 전사들은 어딘지 괴상할 정도로 어울리지 않아 보였다. 말하자면 그들은 그 고대 공간의 건축물이 아니었다. 케인이 그런 생각을 하자 나카리 여왕의 불길한 존재감도 작아졌다. 다른 시대의 섬뜩한 영광 한복판에서 당당한 왕좌에 누워 있는 여왕은 짐짓 위엄을 꾸미고는 있지만, 자신의 조상들이 버린 장난감으로 가면극 놀이에 빠져든 버릇없고 오만한 아이처럼 보였다. 그 조상들은 대체 누구일까, 이런 생각까지 케인의 뇌리를 스쳤다. 그러나 그 아이가 자신의 놀이에 얼마나 심취해 있는 가를 영국인은 곧 알게 되었다. 왕좌 앞에 대열을 갖춘 흑인들 사이로 키가 크고 건장한 전사 한 명이 앞으로 나와 네 번 절을 하고 무릎을 꿇었다. 말을 해도 좋은지 허락을 기다리는 것이 분명했다. 여왕이 나른하고 무심한 태도를 바꾸자, 전사는 유연하고 민첩한 동작으로 상체를 세웠다. 전사의 모습을 본 케인은 표범이 벌떡 일어서는 광경을 떠올렸다. 여왕이 뭐라고 말하는 동안, 전사는 잔뜩 긴장한 태도로 귀를 기울였다. 여왕은 강가 부족과 아주 흡사한 언어로 말을 하고 있었다.

"말하라!"

"위대하고 경외로운 여왕님께 아룁니다." 무릎을 꿇은 전사가 말했다. 그 순간 케인은 그 전사가 고원에서 처음 만났던, 협곡 수비대의 대장임을 깨달았다. "여왕님의 분노를 노예에게 낭비하지 마소서." 젊은 여자의 눈매가 악의에 차서 가늘어졌다.

"독수리의 아들아, 내가 왜 너를 불렀는지 아느냐?"

"미의 광휘시여, 그 케인이라는 이방인은 선물을 가져오지 않았습니다."

"선물이 없다?" 그녀가 거침없이 말을 뱉었다. "그깟 선물이 뭐 그리 대수냐?" 수비대장은 멈칫했다. 그 이방인이 중요한 인물임을 그제야 깨달은 것이다.

"니게리의 가젤[영양]이시여, 그 자는 사람의 팔 길이만한 칼을 갖고 암살자처럼 한밤에 험준한 산을 올라왔습니다. 소인들이 그 자를 겨냥해 굴러 떨어뜨린 표석이 빗나간 뒤에 고원에서 만나 '하늘을 가로지르는 다리'까지 그자를 데려왔습니다. 그자를 죽여야 한다고 생각했습니다. 여왕님이 찾아오는 자들로 인해 피곤하다고 말씀하셨기 때문이지요."

"멍청한 놈." 그녀가 호통을 쳤다. "멍청한 놈!"

"미의 여왕이시여, 노예인 소인들이 제대로 알지 못했나이다. 그 이방인은 표범처럼 싸웠습니다. 전사 둘을 죽였고, 마지막 세 번째 전사와 함께 협곡 아래로 떨어져 죽었나이다. 니게리의 별이시여."

"흥." 여왕의 목소리에 독기마저 어렸다. "지금까지 니게리를 찾아온 사람 중에서 가장 위대한 남자이거늘! 멍청한 놈, 일어서라."

전사가 일어섰다.

"위대한 암사자시여, 부디 이번 일로 인해―"

그 말은 채 끝나지 못했다. 수비대장에게 큰 잘못이 없었음에도 나카리는 재빨리 손짓을 해보였다. 침묵의 대오 속에서 두 명의 전사가 튀어나와 수비대장의 몸에 두 개의 창을 꽂았다. 그가 미처 돌아서기도 전이었다. 그는 그르렁거리는 신음을 토했고, 공기 중으로 피가 솟구쳤다. 시체는 곧 거대한 왕좌의 발치에 고꾸라져버렸다.

전사들의 대오는 조금도 흔들리지 않았다. 그러나 케인은 기이하게 번뜩이는 붉은 눈동자와 군침이 고이는 두툼한 입술을 보았다. 창날이 허공을 가르는 순간 반쯤 몸을 일으켰던 나카리가 왕좌에 다시 등을 기대었다. 아름다운 얼굴엔 잔인한 만족감이 드러났고, 이글거리는 눈동자엔 야릇하고 음흉한 빛이 스쳤다.

그녀가 무심히 손을 한번 흔들자, 전사들이 시체를 질질 끌고

갔다. 축 늘어진 시체의 팔을 따라 넓은 핏자국이 이어졌다. 케인은 돌바닥을 가로지르는 다른 핏자국을 볼 수 있었다. 어떤 것은 거의 지워져 있었고, 어떤 것은 아직 희미한 흔적으로 남아 있었다. 용의 석상들이 조각된 눈으로 지켜보는 동안, 왕좌 앞에서 피와 잔인한 광기로 얼룩진 야만의 장면들이 얼마나 무수히 연출되었을까?

케인은 이제 강가 부족에게서 들은 이야기를 믿어 의심치 않았다. 니게리의 전사들은 약탈과 공포로 살아왔다. 용맹함 때문에 머리는 무용지물이 되었다. 그들은 맹수처럼 오로지 파괴를 목적으로 살았다. 그들의 눈동자 너머에서 간간이 지옥의 불꽃과 그림자를 떠오르게 만드는 묘한 광채가 번뜩였다. 이들에게 무수한 세월동안 유린당해온 강가의 부족들이 무슨 말인들 못했으랴?

"저들은 죽음의 추종자들이야. 죽음은 저들 사이에 퍼져 있는, 숭배의 대상이고." 케인은 벽의 구멍을 들여다보면서 생각했다. 그런데 누가 이런 공간을 만들었고, 저 사람들은 왜 포로처럼 사로잡혀 있는 것일까? 여기 전사 부족들이 조각상들로 입증되는 지금의 문화 수준에 도달했다고 볼 수는 없었다. 그러나 강가의 부족들은 지금 케인의 눈앞에 있는 전사들 외에 다른 부족을 언급하지 않았다. 영국인은 그 황홀한 야만의 장면에서 벗어나려고 애썼다. 꾸물거릴 시간이 없었다. 그가 저들에게 죽은 것으로 알려져 있는 동안에는 감시망을 피해 목표물을 찾아내기가 한결 수월했다. 그는 돌아서서 지저분하고 어두운 통로를 따라 걷기 시작했다. 특별히 생각해 둔 계획은 없었고, 더 나은 방법이랄 것도 없었다. 통로는 직선이 아니라 꺾이고 구불구불했다. 벽면을 따라 걷던 케인은 유난히 고요한 분위기에 이상한 생각이 들기 시작했다. 어느 순간에 수비병이나 노예가 나타날지 모른다고 만반의 준비를 하고 있었지만 텅 빈 통로가 계속되는데다 지저분한 바닥에는 발자국 하나 없었다. 그래서 이런 통로가 있다는 것을 니게리 사람들도 모르고 있거나 아니면 어떤 이유에서 사용을 하지 않는 것이라고 생각했다.

그는 비밀 문이 있는지 자세히 살피면서 걸었다. 마침내 벽에 홈을 파서 만든 문 하나를 발견했는데, 녹슨 자물쇠로 채워져 있었다. 조심스럽게 자물쇠를 따기 시작했지만 문이 안쪽으로 획 열리는 순간, 숨 막히는 정적을 깨며 아주 요란한 소리가 나고 말았다. 그는 주위를 살펴서 아무도 없는 것을 확인한 뒤, 안으로 들어가 문을 닫았다. 알고 보니 문은 벽에 그려놓은 환상적인 그림의 일부처럼 위장해 놓은 것이었다. 나중에 다시 그 문을 사용해야할지도 모르기에 문이 열리는 부분이라고 생각되는 지점에 칼로 표시를 해두었다.

그가 들어선 곳은 커다란 홀이었다. 왕좌가 있던 방처럼 거대한 기둥들이 이어져 있었다. 거대한 숲에 홀로 남겨진 아이가 된 기분이 들었지만 한편으로는 정글을 누비는 유령처럼 기둥 사이를 조용히 지나가노라면 유능한 전사들까지 피해갈 수 있으니 조금은 안전하다는 생각도 들었다.

그는 임의로 방향을 정하고 신중하게 움직이기 시작했다. 얼마 가지 않아서 소곤거리는 목소리가 들려오자, 그는 잽싸게 기둥의 대좌 쪽으로 뛰어 올라 거기에 몸을 밀착시켰다. 곧 그의 발밑으로 여자 두 명이 지나갔다. 그러나 그들 말고 눈에 띄는 사람은 없었다. 인간의 흔적이라곤 없는 듯한 거대한 홀을 지나는 동안 으스스한 기분이 들면서도 기둥에 가려진 어딘가에 사람들이 몰려 있을 거라는 예감도 들었다.

영원히 끝나지 않을 것 같은 기괴한 미로를 헤맨 끝에 이윽고 커다란 벽이 나타났다. 홀의 한쪽 벽면이거나 공간을 구획하는 칸 막이 같았다. 그 벽면을 따라가니 출입구 하나가 보였고 그 앞에 창을 든 두 명의 전사가 검은 조각상처럼 서 있었다.

케인이 기둥의 대좌 한쪽 구석에서 엿본 결과, 출입문 양쪽으로 벽면의 높은 곳에 창문이 하나씩 나 있었고 벽면을 뒤덮은 장식 조각들이 눈에 띄었다. 그는 목숨을 건 모험에 나서기로 결심했다.

출입문 안에 무엇이 있는지 반드시 확인해 보고 싶다는 충동이 일었다. 위병이 서 있는 것으로 봐서 출입문 너머는 보물 창고이거나 지하 감옥이었다. 케인은 그 마지막 목적지가 지하 감옥이 분명하다고 자신했다.

케인은 위병의 시야가 미치지 않는 곳으로 물러난 뒤, 깊숙이 새겨진 조각물을 손잡이와 받침대로 이용해 벽을 오르기 시작했다. 예상보다도 수월하게 창문이 있는 높이까지 올라간 뒤, 벽에 붙은 개미처럼 수평으로 창문을 향해 기어갔다. 한참 아래에 있는 위병들은 위쪽을 쳐다보는 일이 없었다. 마침내 가까운 쪽의 창문에 무사히 도착하여 창틀 위로 올라섰다. 생명의 기운이라고는 없는 커다란 방, 그런데 장식들에서 감각적이면서도 야만적인 취향이 묻어났다. 비단 침상과 벨벳 쿠션들이 호화롭게 곳곳에 놓여 있었고, 타일을 붙인 벽면마다 금제 장식물과 육중한 태피스트리가 걸려 있었다. 천장도 역시 금으로 치장해 놓았다.

상아와 단단한 목재 물건들은 이상하리만큼 조악하고 부자연스러워서 방안의 분위기를 어수선하게 만들었는데 한눈에 봐도 미개한 솜씨가 확연했다. 이질적이고 수준 높은 문화와 야만성이 혼합된 이 기묘한 왕국의 특징이 분명하게 드러나는 분위기였다. 출입문은 잠겨 있었고 맞은 편 벽에 있는 또 다른 문도 마찬가지였다.

케인은 밧줄을 타고 돛에서 미끄러지는 선원처럼 태피스트리의 가장자리를 붙잡고 창문에서 내려와 방을 가로질러갔다. 바닥을 뒤덮은 푹신한 융단 덕분에 발소리가 나지 않았지만, 융단도 다른 물건들처럼 너무 오래되어 금방이라도 삭아 없어질 것 같았다.

맞은 편 문 앞에서 그는 주춤했다. 옆방으로 들어가는 건 위험 천만한 일이 될지도 몰랐다. 전사들이 득시글거리고 있을지도 모르는데, 그렇다면 출입문은 이미 위병들이 지키고 있어서 탈출의 가능성도 막혀 있었다. 그러나 지금까지 온갖 위험을 극복해온 그였다. 검을 뽑아들고 혹시 문 너머에 적이 있다면 정신을 쏙 빼놓을 심산으로 갑자기 문을 휙 열어젖혔다. 케인은 무엇이든 베어 버릴 태세로 재빨리 한발 들어섰다. 그런데 딱 멈춰 서고는 잠시 동안 아무 말도 못한 채 그 자리에서 못 박히듯 서 있었다. 그가 천리만리를 달려 찾아온 대상, 그것이 바로 그의 눈앞에 놓여 있었다.

제 3 장 릴리스

방 한가운데 침상, 그 비단 시트 위에 여자가 누워 있었다. 살

갖이 희고 불그스름한 금발을 맨살이 드러난 어깨까지 늘어뜨린 여자. 그녀가 벌떡 몸을 일으켰는데, 아름다운 잿빛 눈동자는 겁에 질렸고 벌어진 입에서는 비명이 터져 나오려다가 갑자기 멈추었다.

"당신!" 그녀가 소리쳤다. "당신이 어떻게―"

문을 닫은 솔로몬 케인이 가무잡잡한 얼굴에 그답지 않은 미소를 머금고 여자에게 다가갔다.

"나를 기억하는군, 마릴린, 그렇지?"

여자의 눈에서 공포가 사라진 대신에 믿기지 않는다는 놀람과 당혹감이 자리 잡았다.

"케인 대령님! 믿을 수가 없군요. 이곳엔 아무도 들어올 수 없을 거라고 생각했는데―"

여자는 조그마한 손을 힘겹게 이마에 가져가다가 갑자기 온몸을 떨기 시작했다.

케인은 아직은 앳된 소녀를 안아서 천천히 침상에 눕혔다. 그러고는 소녀의 손을 부드럽게 쓰다듬으며 저음의 단조로운 말투로 빠르게 이야기를 하기 시작했다. 그래도 문에서 시선을 떼지 않았는데, 그것은 방에 있는 유일한 출입문 같았다. 벽장식과 비치된 물건들로 봐서는 다른 방과 거의 흡사했다.

"다른 문제를 말하기 전에 우선은 감시가 심한지 그것부터 말해다오."

"아주 심해요. 대령님." 소녀가 절망적으로 중얼거렸다. "어떻게 여기까지 들어오셨는지는 모르겠지만 탈출할 수는 없을 거예요."

"여기까지 어떻게 왔는지 간단하게 말하마. 내가 이미 난관을 뚫고 들어왔다는 말을 들으면 너도 힘이 날거야. 자, 가만히 누워 있어. 마릴린. 내가 니게리라는 악마 도시에 갇힌 영국인 상속녀를 어떻게 찾아왔는지 말해주마.

내가 결투를 해서 존 태퍼릴 경을 죽였다. 그 이유는 중요한 게 아니지만, 어쨌거나 중상과 비방 때문이었다. 존 경이 죽어가면서 고백하기를 자기가 몇 년 전에 추악한 범죄를 저질렀다고 하더구나. 너도 물론 기억하겠지? 존 경의 삼촌이자 너의 사촌인 힐드레드 태퍼릴 경이 너를 얼마나 애지중지하셨는지 말이다. 존 경은 연로한 힐드레드 경이 유서 없이 막대한 태퍼릴 가의 재산을 너한테 물려줄까봐 두려워했다.

몇 년 전에 네가 실종됐고, 존 경은 네가 익사했다는 소문을 퍼뜨렸단다. 그러나 내 칼에 찔려 죽어가는 순간에 자기가 너를 납치하여 북아프리카의 해적에게 팔아넘겼다고 실토했다. 그 해적은 영국 해안에서는 활동을 하지 않지만 아주 잔인한 자라고 했다. 그래서 내가 너를 찾아 나섰단다. 몇 년에 걸쳐 천릿길을 달려온 길고도 험난한 길이었지.

제일 먼저 존 경이 일러준 대로 북아프리카의 해적인 엘가를 찾기 위해 바다로 나섰다. 치열한 해전의 한복판에서 그자를 찾아냈다. 그자가 숨을 거두기 전, 너를 스탐불^(터키에서 가장 큰 도시인 이스탄불의 옛 이름. 이스탄불은 스탐불 외에도 비잔티움, 콘스탄티노플로 불렸다—옮긴이)의 상인에게 팔아넘겨졌다는 소리를 들었다. 그래서 곧장 레반트^(그리스와 이집트 사이에 있는 동지중해 연안을 총칭하는 말—옮긴이)로 갔다가 그곳에서 그리스 선원 하나를 우연히 만났다. 그때 그리스 선원은 무어 인들의 손에 잡혀 해적의 의식에 따라 해안에서 제물이 될 뻔 했지. 나는 그 선원을 구해주고 지금까지 만난 사람들에게 했던 것과 똑같은 질문을 했다. 혹시 금발의 곱슬머리를 한 영국인 소녀가 잡혀있는 걸 보지 않았느냐고 말이다. 알고 보니 그 선원은 터키의 상선을 탔는데, 스탐불로 향하던 배가 포르투갈 노예 무역선의 습격을 받고 침몰했다고 했다. 이슬람교로 개종한 그 그리스 선원과 영국인 소녀를 포함해 몇 사람만 바다에 휩쓸리지 않고 간신히 노예 무역선에 올랐다고 하더구나.

아프리카의 노예를 찾아 남쪽으로 항해 중이던 노예 무역선은 아프리카의 웨스트 코스트에 있는 작은 만에서 잠복을 계속했고, 그리스 선원은 너에 대해서는 더 이상 알지 못한다고 했다. 자기는 작은 배를 타고 탈출했다가 제노바 해적선에 붙잡혔다고 하더라.

그래서 네가 살아있을 거라는 실낱같은 희망을 품고 웨스트 코스트로 향했다. 그곳의 원주민들한테서 몇 년전 선원이 모두 살해된 어느 배에서 소녀 하나가 끌려나와 강 상류의 족장들에게 공물로 받쳐졌다는 소문을 들었다.

그때부터 추적의 단서마저 다 사라져 버렸지. 몇 달 동안 너의 행방을 찾아 무작정 돌아다녔지만 네가 살아있는지조차 확인할 길이 없었다. 그러다가 우연히 강가 부족들로부터 니게리라는 악마 도시와 그곳에서 외국 여자를 노예로 부린다는 사악한 여왕에 관한 이야기를 들었다. 그래서 여기로 왔다."

케인의 무미건조한 억양과 밋밋한 화법은 이야기의 의미를 오롯이 전해주지는 못했다. 그 담담하고 신중한 말 이면에는 해상과 육상에서의 숱한 전투를 비롯해 험난하고 처절했던 수년간의 노력, 끝없는 위험, 적의로 가득한 미지의 땅을 헤쳐 나가야 했던 가없는 방랑의 여정, 무지하고 부루퉁한 미개인들을 상대로 정보를 얻기 위해 노심초사했던 지루하고 절망적인 시간들이 있었다.

"내가 왔다." 케인의 그 간단한 말은 얼마나 큰 용기와 노력을 함축하는가! 죽어가는 사람의 입술에서 떨어지는 핏방울처럼 머뭇거리는 말로는 표현할 수 없는—번뜩이는 칼과 격전의 뿌연 연기에 가려진—길고 붉은 핏자국 그리고 악마의 춤을 추는 검은 그림자와 심홍색 그림자들.

솔로몬 케인은 분명 드라마틱한 남자는 아니었다. 그의 말투는 험난한 장애를 극복할 때와 똑같이 냉정하고 간단명료했으며 과장됨이 없었다.

"이제 알겠지, 마릴린." 그가 부드럽게 말했다. "내가 고작 포기하고 실패하려고 그 많은 일을 겪으면서 여기까지 왔겠니? 얘야, 용기를 내렴. 이 무서운 곳에서 빠져나갈 방법이 있을 거야."

"존 경이 저를 안장의 앞 테에 태웠어요." 소녀가 멍한 기색으로 말했다. 오래 전 밤에 영국에서 있었던 일을 얘기하는 동안, 몇 년 만에 쓰는 모국어가 낯선 모양이었다. "어느 해안에 도착해보니 갤리선 한 척이 기다리고 있었어요. 배에는 피부가 검고 콧수염을 기른 험상궂은 남자들이 가득했는데, 모두 언월도를 차고 손가락에는 커다란 반지를 끼고 있었죠. 선장이라는 사람은 얼굴이 매처럼 생긴 이슬람교도였어요. 그 사람이 무서워서 우는 저를 자기 배에 태웠어요. 그래도 저한테는 친절하게 대해주더군요. 갓난아기만도 못한 신세로 있다가 결국에는 터키 상인에게 팔렸어요. 갤리선을 타고 바다로 나간 지 한참이 지났을 때, 프랑스의 남부 해안에서 그 터키 상인을 만난 거죠.

터키 상인이 저를 함부로 대하진 않았지만 피도 눈물도 없게 생긴 사람이라 무척 무서웠어요. 게다가 무어의 흑인 군주에게 저를 팔아넘길 거라고 말해주었거든요. 헤라클레스의 기둥(지브롤터 해협의 동쪽 끝에 관문처럼 솟아 있는 두 개의 바위—옮긴이)을 벗어나기 전, 포르투갈의 노예 무역선의 공격을 받았고, 그 다음은 대령님이 말한 대로예요.

노예 무역선의 선장은 내가 영국 부잣집의 자식이라 믿고 몸값을 받아낼 작정이었어요. 하지만 아프리카 해안의 으스스한 만에서 선장과 선원들 모두 죽고 말았어요. 대령님이 말한 그리스 선원만 빼고요. 나는 야만스러운 추장에게 붙잡혔고요.

추장이 나를 죽일까봐 너무 무서웠어요. 하지만 그는 아무런 해코지도 하지 않았고, 노예 무역선에서 약탈한 물건들과 함께 경호원을 붙여서 저를 내륙으로 보냈어요. 대령님도 아시겠지만, 원래 저는 약탈품과 함께 강가 부족을 지배하는 왕에게 보내질 예정이었어요. 하지만 니게리의 전사들이 해변에 나타나서 모두 죽이는 바람에 일이 틀어진 거죠. 그렇게 해서 저는 이 도시까지 잡혀왔고, 그 후로 나카리 여왕의 노예로 있었어요.

전쟁과 잔인하고 끔찍한 살인이 벌어지는 과정에서 지금까지 어떻게 버티고 살아남았는지 저 자신도 모를 정도예요."

"얘야, 하늘이 너를 지켜주신 거란다." 케인이 말했다. "힘없는 여자와 아이들을 돌봐주는 신께서 온갖 어려움에도 불구하고 나를 너한테 인도한 거야. 신은 또한 우리가 여기서 빠져나갈 수 있게 도와줄 게다."

"우리 가족!" 소녀가 갑자기 꿈에서 깨어난 사람처럼 소리쳤다.
"모두 무사한가요?"

"오랫동안 너 때문에 슬픔을 견뎌오고 있지만 그것 말고는 모
두 건강하게 잘 지내고 있다. 아니지, 밀드레드 경은 통풍을 앓고
있는데 병세가 심각해서 걱정이 되는 구나. 하지만 마릴린 너를
보면 그분도 쾌차하실 게다."

"그런데요, 케인 대령님." 소녀가 말했다. "여기까지 혼자 오신
이유를 모르겠어요."

"얘야, 실은 네 오빠들이 나와 함께 오려고 했었다. 하지만 네
가 살아있는지조차 알 수 없는데다 나는 영국 땅 밖에서 또 다시
태퍼럴 가의 희생자가 나오는 걸 원치 않았다. 태퍼럴 가에서 악
인 한 명을 내 손으로 없앴으니 그 자리를 훌륭한 사람으로 메우
는 것도 내가 할 일이었지. 네가 살아만 있다면 나 혼자 해야 할
일이었다."

케인은 자신이 한 말을 의심해 본 적이 없었다. 자신이 어떤
동기로 행동하는지 분석해보려고 한 적도 없을 뿐 더러 한번 마
음을 먹은 후에는 흔들린 적도 없었다. 언제나 충동적으로 행동해
왔음에도 자신의 행동은 모두 냉정하고 논리적인 명분에 따라 행
해지는 것이라고 확고히 믿어왔다. 그는 시대와 어울리지 않는 사
람이었다. 청교도와 기사도가 묘하게 뒤섞이고 고대 철학자의 분
위기까지 풍기는 남자. 게다가 이교도의 기질이 더 강했는데, 아
마도 이 말을 듣게 되면 그 자신은 소스라치게 놀랄 것이다. 맹목
적인 기사도의 시대로부터 잠재된 유전을 물려받은 남자이며, 열

광자의 어두운 운명을 타고난 협객이었다. 영혼의 굶주림은 그를 행동하게 만드는 동인이자, 모든 잘못을 바로잡고 모든 약자를 보호하며 선과 정의에 반하는 모든 범죄를 응징하는 추진력이었다. 한 곳에 머물지 않고 바람처럼 떠돌면서도 선과 정의라는 이상에 스스로 어긋남이 없다는 한 가지 점에서는 늘 일관적이었다. 솔로몬 케인은 그런 사람이었다.

"마릴린." 그가 굳은살이 벤 손가락으로 소녀의 작은 손을 잡고서 살갑게 말했다. "네가 몇 년 동안 많이 변했다는 생각이 드는구나. 영국에서 너를 내 무릎에 올려놓곤 하던 때만해도 볼이 발그레하고 토실토실한 꼬맹이였는데 말이다. 지금은 이교도의 책에 나오는 요정처럼 예쁘기는 하다만, 안색이 창백하고 피곤해 보이는구나. 유령에라도 쫓기는 것 같은 눈빛도 그렇고, 혹시 놈들이 널 괴롭히니?"

소녀는 힘없이 뒤로 기댄 상태였고, 이미 핼쑥해진 얼굴에서 그마나 남은 핏기마저 서서히 사라져 나중에는 새하얗게 질려버렸다. 케인은 몸을 숙여 소녀를 보다가 깜짝 놀랐다. 소녀의 목소리가 속삭임처럼 작아졌다.

"묻지 마세요. 밤과 망각의 어둠 속에 그냥 묻어두는 편이 좋은 것들도 있으니까요. 눈을 멀게 하고 머릿속에 영원히 화상을 남겨놓을 정도로 충격적인 일들이 있어요. 이 고대 도시에서는 무서운 사람들뿐 아니라 입에 담을 수조차 없는 일들이 벌어지고 있어요."

소녀의 눈이 힘없이 감겼다. 케인의 음울하고 당혹스러운 눈빛은 소녀의 병적인 흰 피부에서 유난히 또렷하게 드러난 가늘고 파란 핏줄을 쫓았다.

"이거 몹쓸 짓을 했군." 그가 중얼거렸다. "미스터리야—"

"그래요." 소녀가 속삭였다. "이집트는 상대도 안 되는 미스터리! 바빌론보다 더 오래된 미지의 악. 세상이 막 열리고 아직은 낯설었을 때 검은 도시에서 잉태한 악 말이죠."

케인은 당혹스러워 인상을 찌푸렸다. 소녀의 이상한 말을 듣고 있자니 모골이 송연했다. 마치 희미하고 돌연한 기억이 깊디깊은 심연 속에서 꿈틀거리며 어지럽고 무시무시한 혼돈의 영상들을 그려내는 것 같았다.

갑자기 마릴린이 겁에 질려 휘둥그레진 눈으로 벌떡 일어나 앉았다. 케인은 어딘가에서 문이 열리는 소리를 들었다.

"나카리!" 소녀가 다급하게 속삭였다. "피해요! 들키면 큰일 나요! 어서 숨어요! 그리고 무슨 일이 벌어져도 조용히 있어야 해요!"

소녀는 다시 침상에 등을 기대어 자는 척 했다. 그동안 방을 가로지른 케인은 벽에서 늘어진 태피스트리 뒤에 몸을 숨겼는데, 한때 조각상 따위를 넣어두었던 벽감이 태피스트리에 의해 가려진 공간이었다.

그가 막 몸을 숨겼을 때 하나뿐인 출입문이 열리더니 야릇하고 야만적인 자태가 문간에 나타났다. 니게리의 여왕, 나카리가 자신의 노예를 찾아온 것이다.

나카리는 다른 방에서 왕좌에 있을 때와 같은 차림이었고, 화려한 팔찌와 발찌를 달그락거리며 안으로 들어섰다. 암컷 표범처럼 유연한 몸놀림, 그 모습을 지켜보던 케인은 자기도 모르게 나카리의 나긋나긋한 아름다움에 감탄했다. 그러나 그와 동시에 혐오감이 그를 휘감았는데, 그녀의 눈에서 강렬하면서도 최면적이고 태초를 거슬러 올라가는 오랜 사악함이 번뜩였기 때문이다.

'릴리스!' 케인은 생각했다. '아름다우면서도 연옥처럼 무시무시한 여자. 고대의 전설에 나오는 추악하고 매력적인 릴리스. 저 여자가 바로 릴리스로군.'

침상 가까이서 멈춘 나카리가 잠시 소녀를 내려다보다가 뜻 모를 미소를 짓고는 소녀를 흔들었다. 눈을 뜬 마릴린이 곧 침상을 미끄러져 내려와 난폭한 여왕 앞에 무릎을 꿇었다. 그 광경을 지켜보던 케인은 치미는 분노에 이를 악물었다. 여왕은 웃으면서 침상에 앉았다. 그러고는 소녀에게 일어나라 손짓한 뒤에 소녀의 허리를 잡고 자신의 무릎에 앉혔다. 케인이 어리둥절해져서 쳐다보는 동안, 나카리는 나른하고 유쾌한 손놀림으로 소녀를 어루만졌다. 애무를 하는 것 같았으나 케인이 보기에는 기분이 좋아진 표범이 먹잇감을 희롱하는 광경에 더 가까웠다. 여왕의 태도에서 조롱과 의도적인 잔혹성이 드러나고 있었다.

"마라, 너는 참 보드랍고 예쁘구나." 나카리가 나른하게 중얼거렸다. "시녀 중에서 가장 예뻐. 얘야, 네 결혼식이 가까워 오는구나. 지금까지 검은 계단을 오른 신부 중에서 너처럼 예쁜 아이는 없었어."

마릴린이 온몸을 떨기 시작했다. 케인은 저러다가 기절하겠다고 생각했다. 나카라의 눈이 기다란 속눈썹 아래서 기이하게 빛났고, 두툼한 붉은 입술은 보일 듯 말 듯 감칠나는 미소를 머금고 있었다. 그녀의 몸짓 하나하나에 불길한 의미가 가득했다. 케인은 식은땀을 흘리기 시작했다.

"마라." 여왕이 말했다. "너는 어느 여자보다도 큰 영광을 누리고 있는데도 만족하지 않는구나. 마라, 사제들이 결혼 축가를 부르고 해골의 달이 죽음의 탑 꼭대기를 굽어볼 때, 니게리의 모든 여자들이 너를 부러워할 게야. 마스터의 어린 신부, 생각해 봐라. 얼마나 많은 여자들이 마스터의 신부가 되기 위해 생을 바쳤더냐!"

나카리는 독특한 농담조로 한층 가증스럽고 리드미컬하게 웃음을 터뜨렸다. 그런 그녀가 갑자기 웃음을 그쳤다. 방안을 휘둘러보는 그녀의 눈매가 날카로워졌고 온몸이 팽팽하게 긴장했다. 그녀의 손이 허리띠로 향하는가 싶더니 이내 가늘고 긴 칼을 뽑아 들었다. 케인은 권총을 겨냥하고 방아쇠에 손가락을 가져갔다. 그가 나카리의 잔인한 심장을 향해 쉬이 방아쇠를 당기지 못하는 이유는 목표물이 여자라는 망설임 때문이었다. 여왕이 소녀를 죽일 거라는 생각엔 변함이 없었다.

이윽고 여왕이 고양이처럼 날렵하게 무릎에서 소녀를 밀쳐내고는 문가로 움직였다. 방을 가로질러 가는 동안 내내 케인이 숨어 있는 태피스트리를 이글거리는 눈빛으로 노려보았다. 그 예리한 눈빛이 케인을 발견한 것일까? 곧 그 해답을 알 수 있었다.

"거기 누구냐?" 그녀가 날이 선 목소리로 소리쳤다.

"거기 벽걸이 천 뒤에 숨어있는 자가 누구냐? 모습도 없고 소리도 없다만 내가 거기에 누군가 있다는 걸 안다." 케인은 숨을 죽였다. 나카리의 야수적인 본능이 결국 그를 찾아냈고, 이제 무슨 일이 벌어질지는 예상 밖이었다. 그것은 순전히 여왕에게 달려 있었다.

"마라!" 나카라의 목소리가 채찍처럼 허공을 갈랐다. "저기 숨어 있는 자가 누구냐? 대답해! 또 한 번 채찍 맛을 봐야겠느냐?"

소녀는 입이 얼어붙은 것 같았다. 여왕에게 떠밀려 쓰러진 곳에서 몸을 옹송그린 채 아름다운 눈은 공포로 가득해 있었다. 나카리는 조금도 흔들림 없는 눈빛으로 태피스트리의 한쪽 줄을 움켜잡고서 힘껏 잡아당겼다. 케인의 양쪽으로 태피스트리가 획 젖혀지는가 싶더니 서 있는 모습이 그대로 드러나고 말았다. 한순간 기이한 장면이 연출되었다. 핏자국이 묻은 너덜거리는 옷차림으로 오른손에는 기다란 권총을 움켜쥐고 있는 깡마른 모험가, 그 앞에 노기등등한 모습으로 한손에는 태피스트리의 줄을 잡고 다른 손에는 단도를 쥐고 마주선 야만의 여왕 그리고 바닥에 몸을 옹송그리고 있는 소녀 포로. 이윽고 케인이 말했다. "나라키, 조용히 하지 않으면 죽는다!"

케인의 갑작스러운 출현에 여왕은 멍하니 할 말을 잃은 모양이었다. 케인이 천천히 여왕을 향해 다가갔다.

"너!" 여왕이 간신히 입을 열었다. "병사들이 말한 바로 그 놈이렷다! 니게리에 다른 백인은 없으니까! 그런데 네 놈은 죽었다고 했거늘! 어떻게—"

"닥쳐라!" 케인의 호통이 놀라서 중얼거리는 여왕의 말꼬리를 잘랐다. 여왕이 권총이 무슨 물건인지 모를 수는 있어도 그의 왼손에 쥐어진 장검의 의미는 알 것이었다.

"마릴린." 케인은 자기도 모르게 강가 부족의 언어로 말하고 있었다. "태피스트리의 줄을 가져가다가 이 여자를 묶어—"

그는 방 한복판까지 와 있었다. 나카리의 표정에서 당황했던 기색은 많이 걷혀 있었고, 이글거리는 눈빛에서 교활함이 스쳤다. 그녀가 항복의 표시로 천천히 단도를 떨어뜨리더니 갑자기 머리 위로 손을 치켜들어 또 다른 두꺼운 줄 하나를 움켜잡았다. 그 순간 케인은 마릴린의 비명 소리를 들었다. 그리고 그가 서 있던 바닥이 무너지고 그 아래 어둠 속으로 떨어지기 직전에 방아쇠를 당길 수 있었다. 그리 깊은 곳은 아니라 두 발로 착지할 수 있었다. 그러나 무릎에 충격이 전해지면서 쓰러졌는데, 그 와중에서도 어둠 속 가까이에 뭔가 있다는 느낌이 들었다. 뭔가 그의 머리에 부딪쳤고 그는 정신을 잃고 더 어두운 심연의 나락으로 떨어지고 말았다.

제 4 장 제국의 꿈

보이지 않는 공격자가 몽둥이를 휘두르는 동안, 케인은 몽롱한 의식에서 서서히 깨어나고 있었다. 몸을 움직일 수 없었고, 손을 들어 올리려고 할 때마다 금속성의 물체가 머리를 아프게 압박했다. 칠흑 같은 어둠, 그러나 그곳에 빛이 없는 것인지 아니면 무차별한 몽둥이질에 시야가 흐릿해진 것인지조차 분간이 가지 않았다. 안간힘을 써서 정신을 차려보니 축축한 돌바닥에 누워 있었다. 손목과 발목에 묵직한 쇠사슬이 채워져 있었고, 살에 닿은 쇠의 느낌이 거칠고 녹이 슬어 있었다.

얼마나 오랫동안 그렇게 누워 있었는지 알 길이 없었다. 침묵을 깨는 것은 그의 머릿속에서 욱신거리는 맥동과 찍찍거리는 쥐

떼의 부산한 움직임뿐이었다. 그런데 어둠속에서 붉은 빛줄기가 솟구치더니 그의 눈앞에서 점점 커지는 것이었다. 그리고 그 음산한 불빛은 불길하고 조소어린 나카리의 얼굴 모습을 띠기 시작했다. 케인은 환영을 쫓아버리려고 머리를 흔들었다. 그러나 빛이 더 밝아지고 시야가 익숙해지자, 여왕이 손에 횃불을 들고 있는 모습이 보였다.

빛에 드러나는 벽과 천장과 바닥 모두가 돌로 만들어진 축축한 감옥, 케인은 자신이 어디에 누워 있는지 깨달았다. 그를 옭아맨 묵직한 쇠사슬은 벽면 깊숙이 박혀있는 쇠고리에 연결되어 있었다. 출입문은 하나, 언뜻 보기에 청동으로 만들어진 것이었다.

나카리가 문에서 가까운 벽감에 횃불을 놔두고 앞으로 다가왔다. 그리고 조롱보다는 어딘지 사색적인 눈빛으로 자신의 포로를 내려다보았다.

"협곡에서 병사들과 싸운 놈이 바로 너란 말이지." 그 말은 질문이라기보다는 확인에 가까웠다. "협곡으로 떨어졌다고 했는데, 병사들이 거짓말을 했다는 건가? 네가 병사들을 매수해 거짓말을 시켰나? 그게 아니라면 그곳에서 어떻게 빠져나온 거지? 협곡 바닥으로 떨어졌다가 다시 내 궁전으로 날아오다니, 네 놈이 그러면 마술사인가? 말해!"

케인은 침묵했다. 나카리의 목소리가 날카로워졌다.

"말하지 않으면 네 눈을 도려낼 것이야! 손가락을 자르고 다리를 태울 것이야!" 그녀가 모질게 케인을 후려 찼다. 그러나 케인은 말없이 엄한 눈으로 그녀의 얼굴을 뚫어질 듯 올려다보았다. 여왕의 눈에서 잔혹함이 사라지고 관심와 호기심이 자리 잡기 시작했다.

그녀는 돌 의자에 앉더니 무릎에 팔을 올리고 손으로 턱을 받쳤다.

"지금까지 백인 남자를 본 적이 없는데." 그녀가 말했다. "백인들은 다 너와 같은가? 흥! 어림없는 소리! 흑인이건 백인이건 남자는 다 멍청하니까. 강가 부족은 백인들이 무슨 신이나 되는 양 말하지만 어림없는 소리지. 백인도 사람일뿐이야. 고대의 비밀을 전부 아는 내가 말하건대, 백인들은 그저 사람일뿐이야.

하지만 백인들에겐 묘한 비밀이 있긴 해. 강가 부족도 그렇고 마라까지도 그런 말을 하더군. 백인들은 천둥소리를 내면서 멀리 있는 상대를 죽이는 전쟁 몽둥이를 가지고 있다고 하던데, 네가 오른 손에 쥐고 있던 것도 그런 몽둥이의 하나인가?"

케인이 씁쓸하게 미소를 지었다.

"나카리, 모든 비밀을 다 알고 있는 당신에게 내가 감히 알려 줄 게 뭐가 있을까?"

"네 놈은 참으로 깊고 차갑고 이상한 눈을 가지고 있구나!" 여왕이 케인의 말을 무시하고 말했다.

"생김새도 정말 이상해. 왕처럼 생겼어! 나를 두려워 말라. 모든 남자들은 나를 두려워하거나 사랑하지. 너는 나를 두려워하는 대신에 사랑하는 방법을 배울 것이다. 용자여, 나를 보라. 내가 아름답지 않은가?"

"아름답다." 케인이 답했다.

나카리가 미소를 머금더니 인상을 찌푸렸다. "그런데 말투가 칭찬이 아니구나. 나를 싫어하는가, 그건 아니지?"

"인간이기에 뱀을 싫어한다." 케인이 무뚝뚝하게 말했다.

나카리의 눈빛이 광기에 가까운 분노로 타올랐다. 그녀는 기다란 손톱이 손바닥을 파고들 정도로 주먹을 꽉 움켜쥐었다. 그러나 분노는 그녀를 휘감았을 때처럼 빠르게 사라졌다.

"당신은 왕다운 기개를 가졌군." 그녀가 담담하게 말했다. "하지만 나를 두려워하게 될 거야. 당신은 당신 나라에서 왕이었나?"

"난 그저 집 없는 떠돌이다."

"여기서는 왕이 될 수도 있어." 나카리가 천천히 말했다.

케인이 무섭게 웃어댔다. "나를 살려주겠다는 건가?"

"그 이상을 주겠다!"

여왕이 흥분을 억누르며 몸을 내밀자, 케인은 눈살을 찌푸렸다.

"케인, 이 세상에서 또 뭘 바라지?"

"당신이 마라라고 부르는 백인 소녀를 데리고 여기서 나가는 것이다."

나카리가 발끈하면서 뒤로 물러섰다.

"그 아이는 안 돼. 마스터의 신부가 될 거니까. 나조차 설령 그러고 싶어도 그 아일 구하지 못해. 그 아이는 잊어. 당신이 그 아일 잊게 도와주지. 내 말을 들어라. 니게리의 여왕인 이 나카리의 말을! 당신은 집 없는 떠돌이라고 했다. 내가 당신을 왕으로 만들어주마! 이 세상 전부를 노리개로 주마! 아니, 내 말이 끝날 때까지 잠자코 들어." 애가 타는지 그녀의 목소리라 떨리고 다급해졌다. 눈이 이글거렸고 온몸이 열에 들떠서 부들거렸다. "나는 여행자와 포로와 노예 등등 먼 나라에서 온 사람들과 얘기해봤다. 이곳의 산과 강과 정글이 세상의 전부가 아니라는 것도 안다. 머나면 곳에 여러 나라와 도시들이 있고, 짓밟히고 왕위를 찬탈당하는 왕과 여왕들이 있다.

니게리는 지금 몰락 중이고 그 힘이 쇠하고 있다. 하지만 여왕 곁에 강한 남자가 있다면 니게리를 재건하고 사라진 영광을 오롯이 되살릴 수 있다. 들어라, 케인! 니게리의 왕좌에, 내 옆에 앉아라! 당신의 나라에 사람을 보내어 천둥 몽둥이를 가져와 내 전사들을 무장시켜라! 내 나라는 여전히 아프리카의 맹주다. 우리 함께 부족들을 정복하고 옛 니게리가 온 바다를 호령했던 날들을 재현해내자꾸나! 강과 평원과 해안의 모든 부족들을 휘하에 두고 그들을 죽이는 대신에 하나의 강한 군대를 만들자! 그리고 아프리카 전체를 발밑에 둔 다음에 굶주린 사자처럼 전 세계를 찢어발기고 파괴하자!"

솔로몬은 머릿속이 어지러웠다. 여자의 강렬한 흡인력과 열띤 말에 스며든 역동적인 힘 때문인지는 모르나, 그 순간만큼은 여자의 황당한 포부가 전혀 황당하거나 불가능해 보이지 않았다. 청교도의 머릿속에서 혼란하고 소름끼치는 환영들이 타올랐다. 유럽은 내전과 종교 갈등으로 찢기고 통치자에게 배반당한 채 자멸하고 있었다. 그랬다. 지금 절체절명의 위기에 놓여 있는 유럽은 강하고 야만적인 정복자들에겐 손쉬운 먹잇감이었다. 마음 깊숙이 권력과 정복욕이 없다고 말할 수 있는 남자가 과연 있을까?

잠시 동안 솔로몬 케인은 악마의 지독한 유혹에 휩싸였다. 그러나 그의 심안이 욕망을 향해 열리기 직전, 마릴린 태퍼럴의 슬픈 얼굴이 나타나자 케인은 분연해졌다.

"꺼져라, 이 사탄의 딸아! 꺼져! 내가 너의 미개한 족속들을 이

끌고 내 민족을 해할 짐승으로 보이나? 천만에, 그런 짓을 하는 짐승은 세상에 없다. 썩 꺼져라! 내게 호의를 바란다면, 나를 풀어주고 저 소녀와 함께 떠나게 해줘."

나카리가 살쾡이처럼 몸을 세웠다. 눈에서는 불똥이 튀었다. 손에 든 단도가 번뜩이는가 싶더니, 그녀는 증오에 찬 야수처럼 울부짖으며 케인의 가슴 위로 단도를 높이 치켜들었다. 일순간 그녀가 죽음의 그림자처럼 케인의 위에서 멈추고는 이내 팔을 내리고 웃었다.

"풀어 달라? 해골의 달이 검은 제단을 힐끔거릴 때, 네가 말한 계집은 자유를 얻을 게다. 그리고 너, 너는 이 지하 감옥에서 썩어문드러질 게다. 멍청한 놈. 아프리카의 가장 위대한 여왕이 사랑을 주고 세상까지 주겠다는데 거절을 하다니! 혹시 저 노예 계집을 사랑하느냐? 해골의 달이 뜨기까지 계집은 내 것이다. 그러니 이러면 어떨까? 내가 전처럼 그 계집을 벌주고 싶은데 말이다. 손목을 묶고 발가벗겨 매달아 기절할 때까지 채찍질을 해야겠어!"

케인이 거칠게 쇠사슬을 흔들어대는 동안, 나카리는 웃음을 터뜨렸다. 그녀는 출입문을 열고 잠시 멈칫하더니 다시 돌아섰다.

"용자여, 여기는 아주 더러운 곳이지. 이곳에서 쇠사슬에 묶여있는 시간이 길어질수록 나를 더욱 증오하겠구나. 하지만 이 나카리의 멋진 알현실에서 부와 호사를 누리다 보면 내게 호감이 생길 게야. 곧 사람을 보내겠다만 우선은 여기서 잠시 생각할 시간을 주겠다. 명심해라. 나카리를 사랑하면 세계 왕국은 너의 것이다. 나카리를 증오하면 이 지하 감옥이 너의 왕국이다."

황동 문이 음산하게 덜커덕거렸지만, 갇혀있는 영국인에게 더욱 증오스러운 것은 나카리의 간악하고 낭랑한 웃음소리였다.

어둠 속에서 시간은 더디게 흘렀다. 꽤 오랜 시간이 흘렀다는 생각이 들 무렵, 감옥 문이 다시 열리고 이번에는 거구의 전사 한 명이 음식과 묽은 포도주 같은 것을 들고 왔다. 케인은 게걸스럽게 먹고 마신 뒤에 곧 잠이 들었다. 지난 며칠간의 긴장감 때문에 심신이 몹시 피로했지만 잠에서 깨었을 때는 한결 상쾌하고 가뿐했다.

또 다시 문이 열리고 덩치 큰 두 명의 야만족 전사들이 들어왔다. 그들이 가져온 횃불 속에서 로인클로스와 타조 깃갈의 투구를 착용한 우람한 체구 그리고 그들의 손에 들린 기다란 창이 보였다.

"백인, 여왕께서 널 데려오라신다." 그 말만 내뱉고 그들은 케인의 족쇄를 풀었다. 그 작은 자유에도 케인은 한결 기분이 좋아졌고 명석한 두뇌는 이미 탈출의 묘수를 찾기 시작했다.

두 명의 전사가 그에게 상당한 존경심을 보이는 것으로 봐서 그의 용맹함에 대해 널리 소문이 퍼진 모양이었다. 그들은 케인에게 앞서 걸으라 말하고 뒤에서 창을 겨눈 채 조심스럽게 따라왔다. 이대일이고 케인이 무장하지 않은 상황임에도 그들은 경계심을 풀지 않았다. 케인에게 향해진 그들의 시선은 외경심과 의심으로 차 있었다.

이어지는 길고 어두운 복도. 전사들은 케인에게 창끝을 슬쩍 갖다 댄 상태로 비좁고 구불구불한 계단을 올랐다가 또 다른 복도로 내려갔다. 그리고 다시 계단을 오른데 이어 이번에는 대형 기둥이 늘어선 미로로 접어들었는데, 케인이 처음에 지나온 곳이었다. 그 거대한 홀을 따라 걸음을 뗄 무렵, 케인의 눈에 갑자기 기묘하고도 환상적인 벽화 하나가 들어왔다. 벽화를 알아보는 순간, 가슴이 뛰었다. 그는 약간 앞쪽에 있는 벽화를 향해 전사들의 눈에 띄지 않게 조금씩 다가갔다. 벽화와 나란히 서는 위치에 오자, 그가 단도로 새겨놓은 표시까지 눈에 들어왔다.

뒤를 따르던 전사들은 케인이 갑자기 창에 찔린 사람처럼 숨을 헐떡이자 깜짝 놀랐다. 케인은 휘청거리다가 지탱할 것을 잡듯이 허공으로 손을 뻗기 시작했다.

전사들은 미심쩍은 눈짓을 주고받고 케인의 뒤를 따랐다. 그런데 케인이 죽어가는 사람처럼 비명을 지르더니 천천히 바닥으로 쓰러졌다. 그는 몸 밑쪽으로 한쪽 발을 구부려 넣고 한쪽팔로 몸을 지탱하는, 퍽 이상하고 부자연스러운 자세를 취하고 있었다.

전사들은 겁에 질려서 케인을 쳐다보았다. 겉모습은 영락없이 죽어가는 사람이었지만, 다친 곳은 전혀 없었다. 그들은 창으로 위협을 해 보았지만 케인은 아랑곳 하지 않았다. 그래서 내키지 않은 듯 창을 내려놓았고, 그중에서 한명이 케인을 향해 몸을 숙였다.

전사 한명이 앞으로 몸을 숙이는 찰나였다. 케인이 용수철처럼 튀어 올랐다. 그와 동시에 그의 엉덩이춤에서 오른손 주먹이 반원을 그리며 전사의 턱으로 날아들었다. 튼튼한 두 발로 벌떡 일어서는 반동에다 팔과 어깨의 온힘이 실린 주먹은 투석기 같은 파괴력을 뿜어냈다. 나가떨어진 전사는 바닥에 널브러지기도 전에 이미 정신을 잃은 상태였다.

다른 전사가 고함을 지르며 달려들었지만, 이미 재빨리 방향을 튼 케인은 벽화 속에 숨겨진 비밀의 문고리를 찾아 눌렀다.

모든 일이 눈 깜짝할 사이에 벌어졌다. 전사는 빨랐지만 케인은 굶주린 늑대처럼 더 빨랐다. 처음에 의식을 잃고 쓰러진 전사가 장애물처럼 두 번째 전사의 공격을 방해했고, 그 순간 케인은 비밀의 문이 열리는 것을 느꼈다. 그의 심장을 향해 뻗치는 창살의 기다란 섬광이 눈가를 흘깃 스쳤다. 케인은 몸을 틀어 문으로 뛰어들었고, 허공을 가른 창살은 간발의 차로 그의 어깨를 살짝 찢어놓고 지나갔다.

어리둥절해진 전사가 다시 공격의 태세를 갖추고 창을 들어 올렸지만, 포로는 이미 단단한 벽을 뚫고 홀연히 사라지고 만 것 같았다. 그의 눈앞을 가로막은 환상적인 벽화는 아무리 기를 써 봐도 꿈쩍도 하지 않았다.

제 5 장 천년을 위하여

케인은 비밀의 문을 닫고 문고리를 세게 놓은 뒤에 문짝에 등을 기대어 막았다. 전사 무리가 한꺼번에 문을 열기라도 할까봐 온몸에 잔뜩 힘이 들어갔다. 그러나 실제로 문을 여는 움직임은 없었다. 전사가 반대편에서 한동안 벽을 더듬거리는 기척만 들려오다가 그마저 이내 그쳤다. 저들이 이 궁전에서 비밀의 문과 통로가 있다는 사실조차 모른 채 여태 살아왔다는 것이 이해가 되지 않으면서도 그것이 가장 그럴 듯한 결론처럼 여겨졌다. 마침내 당분간은 안전하다는 판단이 섰기에 오랜 세월의 먼지가 쌓이고 어스레한 잿빛으로 물든 길고 비좁은 복도를 따라 걷기 시작했다.

나카리의 족쇄에서 벗어났음에도 답답하고 화가 치밀었다. 궁전에 얼마나 오랫동안 갇혀 있었는지 알 길이 없었다. 무수한 세월이 흐른 것 같았다. 반대편 홀에 있을 때 빛이 있었고, 지하 감옥에서 나온 이후부터 횃불이 없었던 것으로 봐서 지금은 한낮임이 틀림없었다. 나카리가 혹시 서슬 퍼런 협박에 그치지 않고 실제로 그 가여운 소녀에게 보복을 하지는 않았을까 걱정스러웠다. 한동안은 자유의 몸이겠지만, 무기 하나 없이 이 지옥의 궁전에서 쥐처럼 쫓겨 다닐 신세였다. 마릴린은 고사하고 자기몸 하나 지켜낼 수 있을까? 그러나 자신감만은 추호도 흔들리지 않았다. 그는 옳은 일을 하고 있었기에 길은 저절로 열릴 터였다. 갑자기 복도를 벗어나 비좁은 계단이 이어졌고, 그는 그 위로 올라갔다. 빛이 점점 더 강해지더니 아프리카의 환한 햇빛이 쏟아졌다. 계단이 끝난 지점은 작은 층계참 같은 곳인데 그 정면에 꽉 막힌 작은 창 하나가 나 있었다. 창문을 통해서 이글거리는 황금빛 태양으로 수놓아진 파란 하늘이 보였다. 그것은 그에게 포도주와도 같은 풍광이었다. 그는 지금까지 지나온 먼지와 썩은 위풍의 잔흔을 폐에서 없애버리듯 상쾌하고 깨끗한 공기를 폐부 깊숙이 들이마셨다.

　기묘하고도 별난 풍광이 저 너머에 펼쳐져 있었다. 시야가 닿는 왼쪽과 오른쪽 끝자락에 크고 검은 험산들이 솟아 있었고 그 아래 묘한 형태로 만들어진 성채와 돌탑들이 세워져 있었다. 마치 다른 행성에서 온 거인들이 광란의 창의력을 발휘하여 세워놓은 건축물 같았다. 건축물들의 뒤로 절벽들이 견고하게 버티고 있는데, 나카리의 궁전도 역시 험산의 절벽을 파내어 지었을 것이었다. 케인은 지금 그 궁전의 앞쪽 요컨대 외벽에 세운 첨탑 같은 곳에 서 있는 느낌이 들었다. 그러나 창문은 한 개 뿐이어서 시야가 넓지 않았다.

아득히 아래, 그 이상한 도시의 구불구불하고 비좁은 거리에 사람들이 이리저리 움직이고 있는데, 위에서 내려다보는 사람의 눈에는 검은 개미떼 같았다. 남북과 동쪽에서 절벽들이 천연의 방벽을 형성하는 덕분에 성벽을 쌓은 곳은 서쪽 밖에 없었다.

해가 서녘으로 지고 있었다. 케인은 막힌 창 앞에서 내키지 않는 발걸음을 돌려 다시 계단을 내려갔다. 그리고 목적도 계획도 없이 언제 끝날지 모르는 통로를 또 걸었다. 아래쪽으로 켜켜이 이어지는 통로, 그는 점점 더 밑으로 내려가고 있었다. 더욱 어두워졌고 통로의 벽면에 축축한 점액질이 스몄다. 갑자기 벽 너머에서 들려오는 희미한 소리가 그의 발길을 잡아 세웠다. 무슨 소리지? 희미하게 들려오는 달그락거림, 쇠사슬 소리.

케인은 벽에 바짝 다가섰고, 거의 한밤이나 다름없는 어둠 속을 더듬거리던 손끝에 우연히 녹슨 스프링이 닿았다. 그것을 조심스럽게 매만지는데 이내 안쪽으로 회전하는 비밀 문이 있음을 알아챘다. 그는 슬며시 안쪽을 엿보았다.

그가 갇혀 있었던 지하 감옥과 비슷한 내부가 보였다. 벽감에서 횃불 하나가 그을음과 함께 타오르고 있었다. 바닥에 누군가가 얼마 전의 케인과 비슷하게 발목과 손목을 쇠사슬에 묶인 채 누워 있었다.

남자였다. 처음에는 원주민이라고 생각했지만 다시 보니 판단이 서지 않았다. 피부는 검되 이목구비가 또렷했고 반듯한 이마에서 기품이 묻어났으며 눈매는 강렬하고 까만 머리칼은 곧았다.

남자가 생경한 방언으로 뭐라고 말을 하는데, 케인이 아는 원주민의 그르렁거리는 방언과는 대조적으로 아주 청아하고 또렷했다. 케인은 먼저 영어로 말을 걸어본 후 강가 부족의 언어를 사용했다.

"그 낡은 문가에 있는 사람, 누구요?" 상대방이 강가 부족의 언어로 말했다. "야만족은 아닌 듯 한데. 처음엔 고대 종족의 한 사람인줄 알았지만, 지금 보니 그들과도 다르군요. 어디서 온 사람이요?"

"나는 솔로몬 케인이오." 청교도가 말했다. "이 악마 도시에 포로로 잡혀왔소. 난 저 멀리 바다 너머에서 왔소."

남자가 그 말을 듣고 눈을 반짝였다.

"저 오래고 영원한 바다! 난 바다를 본 적이 한 번도 없지만 거기 내 선조의 영광이 깃들어 있소! 이방인, 말해보시오. 당신도 내 선조처럼 배를 타고 저 거대하고 파란 괴물을 건너왔소? 당신도 아틀란티스의 황금 첨탑과 뮤의 진홍색 성벽을 보았소?"

"그렇긴 합니다만." 솔로몬 케인이 자신 없이 말했다. "바다를 건너 힌두스탄과 중국까지 갔지만 댁이 말하는 나라들은 금시초문입니다."

"아뿔싸." 상대방이 한숨을 쉬었다. "꿈을 꾼 게요. 꿈. 이미 내 머릿속은 거대한 밤의 그림자로 뒤덮였고, 말에는 조리가 없어졌소. 이방인, 이 차가운 벽과 바닥이 파도치는 푸른 심연으로 녹아드는 착각에 빠질 때가 한두 번이 아니오. 그때마다 내 영혼은 끝없는 바다의 물결로 가득해지지요. 바다를 본 적도 없는 내가 말이오!"

케인은 자기도 모르게 전율했다. 그 남자는 미치광이임이 틀림없었다. 갑자기 상대방이 쇠사슬의 불편함에도 불구하고 주름지고 갈퀴 같은 손을 내뻗더니 케인의 손을 붙잡았다.

"당신의 살갗은 이상할 정도로 희군요. 혹시 나카리를 봤소? 망해가는 이 도시를 지배하는 악녀 말이오."

"봤습니다." 케인이 침통하게 말했다. "지금 그녀의 전사들한테 쥐처럼 쫓기고 있습니다."

"그 여자를 증오하는군!" 상대방이 소리쳤다. "하, 옳거니! 당신도 나카리의 노예로 있는 그 백인 소녀를 봤군요?"

"네."

"내 말 새겨들으시오." 쇠사슬에 묶인 남자가 이상할 정도로 근엄하게 말했다. "나는 죽어가고 있소. 나카리의 고문대가 제 몫을 하는구려. 내가 죽으면 나와 더불어 내 나라의 영광도 사라질 것이오. 나는 내 종족의 마지막 후손이니까. 세상 어디에도 나와 같은 사람은 없소. 잘 들으시오. 이 땅에서 사라지는 종족의 목소리를."

그렇게 케인은 지하 감옥의 희미한 횃불 아래서 몸을 빼 밀고 귀를 기울였고, 망상가의 입을 통해 아련한 태초의 안개를 뚫고 전대미문의 더없이 기이한 이야기가 흘러나왔다. 죽어가는 남자로부터 명징하고 분명한 말을 듣는 동안 케인은 눈앞에 솟구치는 듯한 시공간의 거대한 풍광에 따라 온몸이 뜨거워졌다가 얼어붙고는 했다.

"아주 아주 먼 옛날, 내 종족은 바다 너머 찬란한 제국을 세웠소. 너무도 오래 전이라 그 시절을 알만한 조상마저 우리의 기억에서 사라졌지만 말이오. 우리의 도시들은 서쪽으로 거대한 땅에 세워졌소. 우리의 황금 첨탑은 별들을 갈랐고, 자줏빛 뱃머리의 갤리선들은 온 세상의 파도를 헤치며 해질녘에는 세상의 금은보화를 빼앗고 새벽에는 그 행복을 가져왔지.

우리 군대는 동서남북을 휩쓸었고 그 누구도 우리를 대적할 수 없었소. 우리의 도시는 온 세상으로 뻗어갔소. 우리는 세계 곳곳에 식민지를 건설하여 모든 야만인과 인종을 제압하고 노예로 삼았소. 노예들은 우리를 위해 광산에서 일했고 갤리선의 노를 저었소. 아틀란티스 사람들이 전 세계를 통치한 것이오. 우리는 모두 바다의 민족이었고 대양 구석구석의 심해까지 탐험했소. 세상의 비밀을 터득했고, 육지와 바다와 하늘에 숨겨진 물건들까지 손에 넣었소. 점성술을 알았고 지혜로웠소. 우리가 누구보다 찬양했던 분이 바로 바다의 후손이오.

우리는 발카와 호타, 호넨과 골고르를 숭배했소. 수많은 처녀와 건강한 청년들이 그들의 제단에서 죽었고, 제단소에서 뿜어지는 연기가 태양을 가렸소. 그때 바다가 저절로 떨쳐 일어섰소. 바다 속 심연에서 천둥소리가 들려왔고 세상의 모든 왕좌가 그 앞에 떨어졌소! 심연에서 새로운 땅이 솟아올랐고 아틀란티스와 뮤는 그 파고에 묻혀버렸소. 초록의 물결이 우리의 신전과 성을 휩쓸었고 해초들이 황금빛 첨탑과 황옥탑을 뒤덮었소. 아틀란티스 제국은 사라져 잊힌 채 시간과 망각의 영원한 심연을 떠돌게 되었소. 야만의 땅에 세워졌던 우리의 식민 도시들도 본국의 운명을 따라 몰락의 길을 걸었소. 난폭한 야만인들이 들고 일어나 이 세상의 모든 식민 도시들을 불태우고 파괴했소. 단 하나의 식민 도시, 즉 니게리만이 잃어버린 제국의 상징으로서 유일하게 남게 되었소.

유일하게 남은 니게리에서 우리 조상들이 왕으로 통치했고, 저 암코양이 나카리의 조상들은 노예에 불과했소. 세월이 흘러 수 세기가 지났소. 니게리 왕국은 국력을 많이 잃었소. 부족들이 잇따라 반란을 일으켰고, 바다의 후손들을 압박했지요. 결국은 아틀란티스의 후손들이 모든 걸 포기하고 종족의 마지막 성채인 니게리 깊숙이 은둔했소. 난폭한 부족들에 둘러싸인 니게리에는 더 이상 정복자가 없었지만, 그런 상태로 도시는 천년을 더 버티었소. 니게리는 외부세력이 절대로 정복할 수 없는 도시였소. 철옹성의 위용은 여전했지만 내부에서 사악한 세력들이 고개를 들기 시작했소. 아틀란티스의 후손들은 도시에 은둔할 때 노예들을 데려갔소. 통치 계급은 전사, 학자, 사제, 기술공이었소. 이들은 비천한 일을 하지 않았소. 그런 일은 노예들이 맡아서 했으니까. 주인보다는 노예들의 수가 더 많았소. 아틀란티스의 후손들이 점점 수적으로 적어지는 동안 노예들은 늘어났소.

노예들이 점점 더 다른 종족과 혈연을 맺는 가운데 퇴화를 거듭하다가 결국에는 사제들만 유일하게 야만인의 피가 섞이지 않는 사태까지 몰렸소. 아틀란티스의 피가 거의 섞이지 않은 자들이 니게리의 왕좌에 올랐고, 이로 인해 점점 더 많은 야만족들이 하인과 용병 그리고 친구를 가장해 이 도시로 들어올 수 있었소.

그러다가 그 흉악한 노예들이 반란을 일으켜 사제와 그 가족만 제외하고 아틀란티스인의 씨를 말살하고 말았소. 놈들은 사제와 그 가족들을 '광신자'라며 감금하였소. 그 후로 천년 동안 야만인들이 니게리를 통치했고, 죄수이자 여전히 왕의 교사였던 사제들이 왕을 보필했소."

케인은 전율 속에서 귀를 기울였다. 상상력이 풍부한 그의 마음에서 그 이야기는 우주의 시공간에서 나온 기이한 불꽃과 함께 생생하게 타올랐다.

"사제를 제외한 아틀란티스의 후손들이 전부 죽고, 대왕 하나가 나타나 고대 니게리의 왕위를 더럽히게 되었소. 그는 호랑이였고 그의 전사들은 표범과도 같았지요. 그들은 스스로를 니게리라 칭하더니 선왕들의 이름마저 능멸했지만 그 누구도 그들을 막을 수 없었소. 그들은 바다에서 바다에 이르는 모든 대지를 유린해갔고, 파괴의 연기가 별빛을 가리었소. 큰 강은 핏빛으로 물들었고 니게리의 새로운 지배자들은 적의 시체를 밟고 활보했지요. 그리고 그 대왕이 죽자 제국은 니게리의 아틀란티스 왕국이 그랬던 것처럼 붕괴되었소.

그들은 전쟁에 뛰어났소. 지금은 사라진 아틀란티스의 후손들과 선왕들이 그들을 뛰어난 전사로 양성했기에 어떠한 부족과 맞서도 천하무적이었소. 그러나 그들이 배운 것은 전쟁의 기술뿐, 제국은 내전으로 신음해야 했지요. 왕궁에서 거리에 이르기까지 살인과 권모술수가 난무했고, 제국의 국경선은 점점 더 줄어들었소. 그 동안에도 피에 굶주리고 광기에 찬 야만인들이 왕좌를 물려받았고, 보이지는 않지만 아직은 건재했던 아틀란티스의 사제들이 커튼 뒤에서 국사를 이끌며 완전한 파괴만큼은 막아내고 있었소.

우리는 이 도시에 갇힌 죄수들이었소. 달리 갈 수 있는 곳이 없었으니까. 우리는 벽에 난 비밀 통로와 지하 통로를 따라 유령처럼 움직이면서 음모를 밝혀내고 비밀의 마법을 썼소. 우리는 왕족의 명분 그러니까 오래 전 호랑이를 닮았던 왕의 후손들을 지지하고 교활한 족장들을 견제했는데, 그 처절한 일들은 이 침묵의 벽들만이 말해 줄 수 있을 것이오.

이들 야만인은 이 지역의 다른 원주민들과는 달랐소. 그 야만인들은 누구를 막론하고 머릿속에 광기를 숨기고 있었지요. 그들은 인간 표범처럼 살육과 승리의 맛을 오래토록 깊이 음미해왔고, 늘 피에 굶주려 있었소. 무수한 노예들을 상대로 온갖 육욕과 욕구를 채우던 그들은 결국에는 끝없이 새로운 흥분을 찾고 피의 갈증을 풀어야하는 추악하고 끔찍한 짐승으로 변해 버렸소.

그들은 이 험산에 숨어있는 사자처럼 천년 동안 정글과 강가 부족을 유린하면서 노예화와 파괴를 일삼았소. 그들의 통치력은 도시의 성벽 안으로 국한되었고 선대의 위대한 정복과 전투 또한 노예를 위한 습격 수준으로 약화되었으나 지금도 무소불위의 세력을 유지하고 있소.

그러나 그들이 쇠퇴하면서 동시에 그들의 비밀 교사 즉 아틀란티스의 사제들 또한 몰락의 길을 걸었소. 사제들이 하나둘 세상을 떠났고, 결국에는 나만 남게 되었소. 사제들 또한 지난 세기 동안에 군주에서 노예에 이르기까지 마구 피를 섞었으니, 아, 그런 수치를 어찌할꼬! 나만이 아틀란티스의 마지막 후손으로서 순수한 혈통을 간직할 수 있었소. 마법을 사용하고 폭군들을 이끌었던 사제들이 모두 죽고, 니게리의 마지막 사제로서 나만 살아남았소. 그리고 그 악마, 나카리가 이 도시를 장악했소."

케인은 더욱 흥미를 느끼고 앞으로 다가갔다. 바야흐로 현 시점으로 접어든 이야기에 새로운 활력이 넘쳤다.

"나카리!" 그 이름은 뱀이 내뱉는 쉿 소리처럼 튀어나왔다. "노예의 딸! 그러나 왕족이 모두 죽고 기회가 왔을 때 그 여자가 세력을 얻었소.

그리고 나, 아틀란티스의 마지막 후손인 나는 그 여자에 의해 감금되어 쇠사슬에 묶였소. 애초에 나카리는 말없는 아틀란티스의 사제들을 무서워하지 않았소. 아틀란티스인보다 비천한 하급사제 다시 말해서 원주민 사제의 딸이었으니까. 하급사제들은 아틀란티스 사제의 일 중에서 중요하지 않은 희생 의식이나 들새와 뱀 사냥을 위한 점치기 그리고 성화를 꺼뜨리지 않는 등의 소소한 일들을 맡아서 했소. 우리와 우리의 방식을 잘 알고 있던 나카리는 남몰래 사악한 야심을 품고 있었지요.

어렸을 때 나카리는 초승달 행진에서 춤을 추었고, 소녀였을 때는 스타메이든^(별처녀)의 하나가 되었소. 그리 중요하지 않은 비전^(祕傳)들을 많이 익혔고, 우리 사제들이 지구 태초에 이미 성행하던 비밀제식을 관장할 때마다 몰래 염탐하고는 했지요.

아틀란티스의 후손들은 비밀리에 발카와 호타, 호넨과 골고르를 숭배하는 오랜 제식을 유지하고 있었지요. 그것은 오래 전에 잊혔을 뿐 아니라 제물이 되어 제단에서 울부짖으며 죽어간 조상들의 후예였던 야만족들의 입장에서는 조금도 이해할 수 없는 관습이었소. 니계리의 야만족 중에서 나카리만이 유일하게 우리를 두려워하지 않았소. 그 여자는 왕위를 찬탈하고 스스로 왕이 되었을 뿐 아니라 원주민 사제는 물론 몇 명 남아있던 아틀란티스의 사제들까지 위압했소. 그 여자의 무사에게 당하거나 아니면 고문대에서 나를 제외한 나머지 사제들이 모두 죽었소. 이 도시에서 살다가 죽어간 무수한 야만족 중에서 그녀만이 오랜 세월 동안 사람들의 질시로부터 우리 사제들을 보호해주었던 비밀 통로와 지하 복도에 대해 짐작하고 있소.

하! 하! 물불 안 가리는 야만족의 멍청한 계집! 이 도시에서 영원히 산다고 해도 그 비밀만은 결코 알지 못할 터! 원숭이 같은 멍청한 계집! 하급 사제들도 인광 빛 천장으로 밝혀진 잿빛의 기다란 복도를 알지 못하며, 그 복도를 따라 오랜 세월동안 기이한 형체들이 조용히 움직이고 있다는 걸 모르오. 우리 선조들이 니게리를 세울 때 아틀란티스처럼 방대한 규모와 비밀의 기술을 동원했기 때문이지요. 인간의 힘만으로는 세울 수 없고, 우리 사이를 움직이는 보이지 않는 신의 도움이 있어야 가능한 일이오. 이 고대의 벽에 숨겨진 심오한 비밀이여!

그 어떤 고문으로도 우리의 입에서 그 비밀을 쥐어짜지는 못했지만, 나카리의 지하 감옥에 갇힌 후로 우리는 그 비밀 통로를 다시는 걸을 수 없었소. 인간의 발길이 닿지 않은 그 길에 먼지만 쌓이는 동안, 우리 중에 나 홀로 이 더러운 감옥에 남게 되었소. 나카리의 세력을 업은 하급사제들이 신전과 어둡고 신비한 성소에서 한때 우리의 몫이었던 영광을 행하고 있지요. 지금 살아있는 아틀란티스의 고위 사제는 나 하나뿐이니까.

저들의 운명은 이미 정해져 있소. 피로 망할 것이오. 발카와 골고르를 비롯해 우리와 함께 잊혀진 신들이 저들의 성벽을 부수고 저들을 한줌 먼지로 멸할 것이오! 저들의 마구잡이 이교 신들을 기리는 제단들을 다 부수고—"

케인은 상대방의 의식이 꺼져가고 있음을 깨달았다. 명민했던 지력도 결국은 꺾이고 있었다.

"말해주십시오." 케인이 말했다. "백인 소녀에 대해 언급했는데, 마라 말입니다. 그 소녀를 어떻게 알고 있습니까?"

"수 년 전에 약탈자들이 그 소녀를 니게리로 잡아왔소." 상대방이 대답했다. "그리고 이, 삼년이 지났을 때 미개한 나카리가 여왕에 올랐고, 소녀를 노예로 삼았소. 소녀가 여기 오고 난 뒤에 잠깐 보았기에 잘은 모르오. 나카리는 곧 나를 적으로 몰았고, 나는 지금까지 고문과 고뇌 속에서 몸부림치며 암울한 시간을 보내왔소. 쇠사슬에서 벗어나 당신이 들어선 저 문으로 도망치려고 안간힘을 쓰면서 말이오. 나카리가 고문대에서 내 사지를 찢은 뒤에 서서히 불에 태우리라는 걸 알고 있으니까."

케인은 몸서리를 쳤다. "혹시 저들이 그 백인 소녀를 괴롭히고 있지는 않은지 알고 있습니까? 쫓기는 눈빛을 하고 있더군요. 게다가 건강이 좋지 않았습니다."

"그 소녀는 나카리의 명령에 따라 스타메이든과 춤을 추었고, 검은 신전에서 행해지는 처참한 제식들을 보아왔소. 피를 물보다 더 하찮게 여기고 살육과 비열한 고문에서 즐거움을 찾는 인간들 속에서 몇 년을 살아온 셈이오. 소녀가 목격한 광경들은 아무리 강한 남자라도 눈을 멀게 하고 살을 시들게 할 만한 것들이지요. 나쿠라의 제물들이 끔찍한 고문 속에서 죽는 광경도 보았을 터, 그런 모습은 보는 이의 머릿속에 화상처럼 영원히 남을 거요. 저 미개한 족속들이 저들의 조악한 신을 섬기고자 아틀란티스의 제식을 흉내 내기는 하나, 그 본질은 이미 오래 전에 퇴색했소. 그럼에도 나카리의 앞잡이들이 그 제식을 행하는 지금, 아무리 강심장을 지닌 남자라도 담담하게 보고 넘길 수는 없겠지요.”

케인은 생각에 골몰해 있었다. ‘아틀란티스가 침몰한 날은 인류에겐 축복이야. 필시 그 도시로 인해 정체를 알 수 없는 기묘한 악이 잉태된 것이니까.’ 그가 큰소리로 말했다. “나카리가 말하는 마스터의 정체가 무엇이고, 마라가 그자의 신부라는 말은 또 무슨 의미입니까?”

“나쿠라. 나쿠라. 악의 해골, 저들이 숭배하는 죽음의 상징. 저 미개한 놈들이 바다로 둘러싸인 아틀란티스의 신들을 어찌 알겠소? 우리 사제들이 장엄하고 신비한 제식으로 숭배했던 경외심의 대상이자 눈에 보이지 않는 신들에 대해 저들이 어찌 알겠소? 저들은 보이지 않는 본질 요컨대 공기와 자연력을 지배하는 비밀의 신들을 이해하지 못하오. 그저 인간의 형태처럼 실체를 지닌 대상을 숭배할 수밖에 없지. 나쿠라는 아틀란티스 치하의 니게리에서 마지막 위대한 마법사였소. 그는 자신의 종족을 배반하고 미개인의 반란을 도운 반역자였소. 생전에는 저들의 추앙을 받다가 죽어서는 신격화된 인물이지요. 죽음의 탑 높이 그자의 해골을 안치해 두었고, 니게리의 모든 사람들이 그 해골에 조종을 받고 있소.

우리 아틀란티스 종족들도 죽음을 숭배했으나 그와 똑같이 생명을 숭배했소. 하지만 저들은 죽음만을 숭배하며 스스로 죽음의 자손이라고 부르지요. 그리고 나쿠라의 해골은 오랜 세월 동안 저들에게 권력의 상징이자 위대함의 증거였소.”

“그렇다면 말입니다.” 케인이 산만해지는 이야기에 더 참지 못하고 말했다. “저들이 자기들의 신을 위해 그 소녀를 제물로 삼는

다는 겁니까?"

"해골의 달이 뜨면 소녀는 검은 제단에서 죽을 것이오."

"대체 해골의 달이란 게 뭡니까?" 케인이 조급하게 소리쳤다.

"보름달. 여기서는 달이 꽉 찰 때를 가리켜 해골의 달이라고 부르지요. 달이 뜨면 죽음의 탑 앞에 있는 검은 제단에서 처녀가 죽는 거요. 수백 년 전에는 그곳에서 처녀들이 아틀란티스의 신인 골고르에게 바치는 제물이 되었소. 한때 골고르의 신전이 있었던 탑 앞에서 지금은 변절한 마법사의 해골이 곁눈질을 하고 있지요. 사람들은 지금도 그의 머리가 살아서 도시의 별을 안내한다고 믿소. 보름달이 탑 가장자리를 비추면 사제들의 영창 소리가 잦아들고, 나쿠라의 해골에서 위대한 목소리가 고대 아틀란티스의 영창으로 들려오면 사람들은 그 앞에 얼굴을 숙이지요. 이방인, 당신도 보게 될 거요.

하지만 잘 들으시오. 거기 비밀이 있소. 해골 뒤쪽의 숨겨진 벽감으로 이어지는 계단이 있는데, 거기에 사제가 숨어 영창을 하는 것이오. 아틀란티스의 후손들이 그 역할을 하던 때는 지나갔지만, 인간과 신에게 주어진 모든 권리에 따라 지금 그 역할은 나의 것이야 하오. 우리 아틀란티스의 후손들은 남몰래 우리의 고대 신들을 숭배했지만, 이 야만족들에게는 그런 신조차 없으니까 말이오. 사제로서의 지위를 유지하고자 우리는 저들의 더러운 신을 섬겼고 저주스러운 나쿠라를 위해 영창하고 기도했소.

하지만 나카리는 예전까지 아틀란티스의 사제들에게만 전해지던 그 비밀을 알아내고 말았소. 그리고 지금은 자신의 종사제 하나를 비밀 계단에 배치하고 그들에게는 의미 없는 헛소리에 불과

한 기이하고 섬뜩한 영창을 읊조리게 하지요. 영창의 무서운 의미를 알고 있는 사람은 오직 나뿐이니까."

케인의 머릿속은 계획을 세우느라 부산하게 돌아갔다. 무엇보다 소녀를 찾기까지 속수무책이었다. 그 궁전은 방향을 가늠할 수 없는 미로였다. 통로들은 계획 없이 아무렇게나 이어져 있는 듯했다. 무수한 내실 혹은 감옥 어딘가에 갇혀 있을 마릴린을 대체무슨 수로 찾아낸단 말인가? 혹시 소녀는 이미 생사의 갈림길을 지났거나 아니면 나카리의 잔인한 고문에 쓰러진 것은 아닐까?

케인의 귓가에는 죽어가는 남자의 장광설과 중얼거림이 거의 들리지 않았다.

"이방인, 당신은 진정 살아있는 사람이오, 아니면 이 감옥의 어둠 속에서 줄곧 나를 괴롭히던 유령이오? 아니지, 당신은 인간이야. 하지만 당신은 나카리의 부족과 다를 바 없는 야만인이오. 오래 전, 당신의 조상들이 호랑이와 매머드를 막기 위해 고작 투박한 창을 들고 동굴에 숨어 지낼 때 우리가 세운 황금 첨탑들은 하늘의 별을 가렸소. 그들은 죽어 잊혀졌고, 세상은 야만인들의 폐허가 되었소. 세월의 안개 속에서 잊혀지는 꿈처럼 나도 사라지게 해주시오." 케인이 일어서서 감옥 안을 왔다 갔다 했다. 그는 지금은 빼앗기고 없는 칼을 움켜쥐듯 강철 발톱처럼 손을 틀어쥐었고, 걷잡을 수 없는 분노의 물결이 머릿속을 휘돌았다. 아! 칼 한 자루 없이 맨몸으로 적을 상대해야 하고, 그것도 혼자서 도시 전체를 상대해야 하다니.

케인이 두 손으로 관자놀이를 지그시 눌렀다.

"내가 마지막 봤을 때 달은 이미 만월에 가까워 있었습니다.

하지만 그 후로 시간이 얼마나 지났는지 모르겠습니다. 이 저주스러운 궁전에서 얼마나 오랫동안 있었는지, 아니 저 나카리의 지하 감옥에서 얼마나 오랫동안 갇혀 있었는지 알 길이 없습니다. 만월이 이미 지나갔다면, 아 신이시여 제발!, 마릴린은 이미 죽었을지도 모릅니다."

"오늘밤이오. 해골의 달이 뜨는 건." 상대방이 중얼거렸다. "간수들이 말하는 소리를 들었소."

케인은 죽어가는 남자의 어깨를 자기도 모르게 꽉 움켜잡았다.

"사제께서 나카리를 증오하고 아니 인류를 사랑한다면, 부디 그 소녀를 어떻게 구해야할지 알려주십시오."

"인류를 사랑한다?" 사제는 미친 듯이 웃어댔다. "아틀란티스의 후손이자 잊혀진 골고르의 사제에게 무슨 사랑이 남아있겠소? 인간이란 존재는 신의 제물에 불과하지 않소? 마라보다 더 여린 소녀들이 내 손 아래서 울부짖으며 죽어갔지만 내 싸늘한 심장은 조금의 연민도 느끼지 않았소. 하지만 증오하오." 사제의 이상한 눈빛이 무섭게 번뜩였다. "나카리를 증오하기에 당신이 원하는 것을 알려주겠소. 달이 떠오를 때 죽음의 탑으로 가시오. 나쿠라의 해골 뒤에 숨어있는 사이비 사제를 죽이시오. 그리고 숭배자들의 영창이 멈추고 검은 제단 옆에서 가면을 쓴 집행자가 칼을 들어올릴 때, 사람들이 잘 들을 수 있게 큰 소리로 말하시오. 저 제물을 풀어주고 그 대신에 니게리의 여왕 나카리를 제물로 바치라고! 나머지는 당신의 지략과 용기에 달렸소."

케인이 사제를 흔들었다.

"어서! 그 탑에 어떻게 가는지 알려주시오!"

"당신이 들어온 저 문으로 다시 나가시오." 사제의 숨소리가 빨라지더니 목소리가 속삭임처럼 작아졌다. "왼쪽으로 돌아서 백 발짝을 가시오. 그러면 계단이 나올 테니 그것을 올라 가장 높은 곳까지 가시오. 계단이 끝나고 다른 복도가 나오면 다시 백 발짝을 쭉 간 다음, 빈 벽면처럼 보이는 곳에서 손을 더듬어 튀어나온 문고리를 찾으시오. 그것을 눌러 문안으로 들어가시오. 그러면 드디어 이 궁전을 나간 셈이고, 궁전을 만들 때 파 들어간 절벽에 들어서는 거요. 그곳은 니게리의 사람들에게만 알려져 있는 비밀 통로 중에 하나요. 거기서 오른쪽으로 돌아서 곧장 통로를 따라 오백 발짝을 가시오. 계단이 나오는데, 해골 뒤의 벽감까지 이어져 있소. 죽음의 탑은 그 절벽 속에 세워져 있고, 꼭대기에서 튀어나와 있소. 거기 두 개의 계단이 있는데—"

갑자기 목소리가 멈추었다. 케인이 몸을 숙이고 남자를 흔들었다. 사제가 마지막 힘을 다해 벌떡 몸을 일으켰다. 그러고는 기괴한 눈빛을 번뜩이면서 족쇄가 채워진 두 팔을 쫙 펼쳤다.

"바다!" 그가 소리쳤다. "아틀란티스의 황금 첨탑, 새파란 바다를 비추는 태양! 드디어 내가 왔네!"

케인이 다시 사제를 눕히려는데, 사제는 힘없이 쓰러져 죽고 말았다.

제 6 장 해골의 파편

케인은 창백한 이마에서 식은땀을 훔치며 어두운 통로를 급히 걸어갔다. 그 끔찍한 궁전의 바깥은 틀림없이 밤이 되어 있을 터였다. 어쩌면 이미 보름달—음산한 해골의 달—이 지평선 위로 떠오르고 있을지도 몰랐다. 사제의 말대로 백 발짝을 가자 계단이 나타났다. 계단을 올라 다른 통로가 나오자 또 백 발짝을 걸었을 때 기다렸다는 듯이 출입구 없는 벽면이 나타났다. 튀어나온 쇠붙이를 찾아 더듬는데 그 시간이 영원처럼 길게만 느껴졌다. 녹슨 돌쩌귀가 끼이익 소리를 내면서 숨겨진 문이 열렸고, 케인은 문 너머의 더 어두운 통로를 쳐다보았다.

그는 문을 지나 오른쪽으로 방향을 튼 뒤 조심스럽게 오백 발짝을 걸어갔다. 조금은 밝은 통로가 나타났지만 빛이 어디서 비추는지는 알 길이 없었다. 그때 계단이 눈에 띄었다. 그는 계단을 몇 발짝 올라가다가 낭패감 속에서 멈춰 서고 말았다. 층계참 같은 곳에서 계단이 왼쪽과 오른쪽 두 갈래로 나뉘어졌다. 케인은 욕설을 내뱉었다. 두 갈래의 계단 중에서 선택을 잘못했다가는 되돌릴 시간적인 여유가 없었다. 늦으면 끝장이었다. 그러나 나카리의 사제가 숨어있는 벽감으로 가는 계단이 어떤 것인지 어떻게 안단 말인가?

그 아틀란티스인은 두 갈래 계단에 대해 말하려다가 그만 착란 상태에 빠져 곧 세상을 떠난 것이다. 그가 몇 초만 더 살았더라면…… 케인에게는 통한이었다.

아무튼 꾸물거릴 시간이 없었다. 맞든 틀리든 선택을 해야 했다. 그는 오른쪽 계단을 선택하고 한달음에 올라갔다. 신중할 시간이 아니었다.

제물을 바칠 시간이 임박했다는 직감이 들었다. 또 다른 통로, 석조물에 변화가 생긴 것으로 봐서 또 한 번 절벽 밖으로 나와 다른 건물에 들어선 것 같았다. 어쩌면 죽음의 탑일 것이다. 다른 계단이 어서 나타나기를 바랐는데, 그런 기대는 갑자기 현실이 되었다. 그러나 그 계단은 올라가는 것이 아니라 내려가는 것이었다. 앞쪽 어딘가에서 불분명하고 율동적인 중얼거림이 들려오는 순간, 케인의 심장이 싸늘하게 얼어붙었다. 검은 제단에서 행해진다는 숭배자들의 영창 소리!

그가 정신없이 내달려 통로를 한 바퀴 돌자 갑자기 문 하나가 나타났다. 그는 작은 문틈으로 엿보았다. 가슴이 철렁 내려앉았다. 계단을 잘못 선택하는 바람에 죽음의 탑과 인접한 다른 건물에 들어서고 만 것이었다.

그의 눈앞에는 소름끼치는 장면이 연출되고 있었다. 뒤쪽의 험산 위까지 솟구친 거대한 검은 탑, 그 앞 너른 광장에 야만인 무희들이 두 줄로 늘어서서 춤을 추고 있었다. 그들은 각자의 자리를 지킨 채 낯설고 무의미한 영창을 불렀다.

무희들이 무릎 위부터 상체를 몽환적이고 리드미컬하게 흔드는 동안 그들의 손에 든 횃불들이 붉은 빛을 흩뿌리며 너울거렸다. 그들 뒤로 많은 사람들이 조용히 줄지어 있었다.

너울거리는 횃불에 무수한 군중의 반짝이는 눈과 간절한 얼굴이 드러났고, 무희들 앞에 거인처럼 우뚝 솟구친 죽음의 탑은 불길하고 무서웠다. 탑의 정면에는 출입문이나 창문 하나 없지만 벽면 높이 장식한 틀 같은 곳에서 죽음과 부패의 음산한 상징물이 아래를 곁눈질하고 있었다. 나쿠라의 해골! 케인은 해골 주변을 희미하게 에워싼 기분 나쁜 빛이 탑 내부에서 비추는 것임을 알았지만, 무슨 수로 사제들이 그토록 오랫동안 해골을 썩지 않게 보존할 수 있었는지 궁금했다.

그러나 청교도의 불안한 눈길을 사로잡고 있는 것은 해골도 탑도 아니었다. 소리치고 춤을 추는 숭배자 무리 사이에 거대한 검은 제단이 솟아 있었다. 그리고 그 제단에 가녀린 체구의 백인이 누워 있었다.

"마릴린!" 그것은 케인의 입에서 깊은 탄식처럼 튀어나온 이름이었다.

잠시 동안 그는 그 자리에 얼어붙어서 망연자실했다. 다시 발길을 되돌려 해골 사제가 숨어있는 벽감을 찾아내기에는 시간이 없었다.

하늘을 배경으로 까맣게 소용돌이치는 첨탑 너머에서 이미 희미한 빛이 비추기 시작했다. 달이 뜬 것이다. 무희들의 영창이 광기어린 소리처럼 높아졌고, 그 뒤의 말없는 군중 사이에서 불길하고 낮은 북소리가 들려오기 시작했다. 마음이 어지러워진 케인은 지상의 지옥에서 벌어지는 핏빛 향연을 지켜보는 착각마저 들었다.

오랜 세월동안 자행되어온 이 변태적이고 타락한 의식이 과연 무엇을 상징하는가? 그들이 옛 지배자들의 의식을 자기 멋대로 서툴게 모방하고 있음은 케인도 알고 있었다. 그렇다면 원래의 의식들은 과연 얼마나 끔찍했을까, 케인은 절망 속에서조차 그런 생각을 떠올리다가 몸서리를 쳤다.

그때 소녀가 말없이 누워 있는 제단에서 무시무시한 뭔가가 일어섰다. 키가 큰 그 형체는 얼굴에 칠한 소름끼치는 가면과 깃털이 달린 커다란 머리장식 외에는 완전히 알몸이었다. 일순간 영창

소리가 잦아지는가 싶더니 더 요란하게 다시 높아졌다. 그때 케인의 발밑에서 바닥이 흔들렸던 건 영창의 진동 때문이었을까?

케인은 떨리는 손으로 문의 빗장을 풀기 시작했다. 맨손으로 뛰쳐나가, 그가 구해줄 수 없는 소녀 곁에서 함께 죽는 것 밖에 할 수 있는 일이 없었다. 그때 문가에 기대어 있는 거구의 사내 하나가 케인의 시야를 가렸다. 족장으로 보이는 풍채와 옷차림을 한 사내는 태평하게 벽에 기대어 제식을 지켜보고 있었다. 케인은 속으로 쾌재를 불렀다. 예상치 못한 절호의 기회! 족장의 허리띠에 케인의 권총이 꽂혀 있는 게 아닌가! 케인의 무기를 전사들이 나눠 가졌음이 분명했다. 족장에게는 괴상하게 생긴 권총이 쓸모 없는 물건이었겠지만 야만인답게 시시한 장신구로 지니고 있을 터 였다. 아니면 전투용 곤봉 정도로 사용할 생각이었는지도 모르겠 다.

케인은 소리 없이 문을 안쪽으로 열고 족장의 뒤에 커다란 호 랑이처럼 웅크렸다.

그의 명석한 두뇌에서 곧 계획이 그려졌다. 족장은 허리띠에 권총뿐 아니라 칼도 차고 있었다. 그가 완전히 등을 지고 있는 상 태라 심장이 있는 왼쪽을 공격해야만 소리 없이 제압할 수 있었 다. 웅크리고 있는 동안 케인의 머릿속은 이런 생각으로 분주했 다.

케인이 군살 없는 오른손으로 족장의 입을 막아서 뒤로 획 젖 힐 때까지 족장은 조금도 눈치 채지 못했다. 그와 동시에 청교도 의 왼손이 족장의 허리띠에서 칼을 빼들더니 단번에 심장 깊숙이 찔렀다.

족장은 끽 소리 한번 내지 못했고, 케인은 순식간에 권총을 손에 넣었다. 슬쩍 확인해보니 권총은 아직 장전이 되어 있었고 부싯돌도 제자리에 있었다. 이 민첩한 살인자를 본 사람은 아무도 없었다. 문가에 있던 두세 명의 사람들도 검은 제단에 시선을 빼앗긴 채 그곳에서 벌어지는 한편의 드라마에 정신이 빠져 있었다. 케인이 널브러진 시체를 지나가는 순간, 무희들의 영창 소리가 뚝 그쳤다. 곧 이어진 침묵 속에서 케인은 뛰어오르는 자신의 맥박 소리를 들었다. 그리고 제단 옆에서 가면을 쓰고 있는 섬뜩한 사내, 그가 머리에 쓴 깃털 장식이 바람에 살랑거리는 소리까지 들려왔다. 첨탑 위로 달의 가장자리가 빛나고 있었다. 그때였다. 죽음의 탑 높은 곳에서 웅숭깊은 목소리가 생경한 영창조로 울려나왔다. 해골 뒤에 숨어 있는 사제는 자신도 그것이 무슨 의미인지 모르고 있겠지만, 오래 전에 사라진 아틀란티스 사제들의 억양을 나름대로 흉내 내는 것 같았다. 넓고 흰 해변에 닿는 기다란 물결처럼 사제의 목소리는 깊고도 신비한 울림으로 전해지고 있었다.

제단 옆에서 가면 쓴 사내가 몸을 쭉 펴더니 번쩍이는 장검을 들어올렸다. 그는 총을 겨누고 방아쇠를 당기는 순간에도 그 장검이 자신의 것임을 알아챘다. 그런데 그가 총을 쏜 상대는 가면을 쓴 사제가 아니라 탑 높은 곳에서 빛나고 있던 해골이었다. 죽어가던 아틀란티스 사제의 말이 그의 뇌리를 스쳤던 것이다. "나쿠라의 해골! 그것이 사람들을 조종하고 있소"

총성과 동시에 뭔가 박살나는 소리가 들려왔다. 마른 해골이 산산조각이 나 공기 중에서 사라졌고, 그 뒤에서 들려오던 목소리는 비명으로 끝이 났다. 가면 쓴 사제의 손에서 칼이 떨어졌고 무희 중에서 상당수가 쓰러지는가 하면 나머지는 멍하니 멈춰 섰다. 잠시 쥐 죽은 듯한 침묵이 흐르는 동안, 케인은 제단을 향해 돌진했다. 그리고 곧 생지옥과도 같은 광경이 펼쳐졌다.

광포한 비명 소리가 하늘로 솟구쳤고, 별들마저 몸을 떨었다. 수 세기 동안 죽은 나쿠라에 대한 믿음은 피도 눈물도 없는 니게리의 야만족에게 절대적이었다. 이제 그들의 상징은 산산이 부서져 눈앞에서 사라졌다. 그들에게는 하늘이 갈라지고 달이 떨어지고 세상이 멸망하는 일이나 마찬가지였다. 세뇌당한 그들의 머릿속 깊숙이 숨겨져 있던 핏빛 환영들이 모조리 무시무시한 현실로 살아났고, 그들의 핏속에 대대로 유전되어온 광기가 튀어나왔다. 케인의 눈앞에서 니게리의 주민 전체가 울부짖는 미치광이로 변하고 있었다.

사람들은 비명과 악다구니 속에서 남자 여자 할 것 없이 서로 달려들어 미친 듯이 할퀴고 창과 칼로 찌르며 횃불을 마구 휘둘렀다. 광기에 사로잡힌 인간 짐승들의 울부짖음으로 일대는 아수라장이 되었다.

케인은 권총을 휘두르며 미쳐 날뛰는 인파를 헤치고 제단으로 향했다. 손톱에 할퀴고 칼에 베이고 횃불에 옷이 타들어갔지만 그는 개의치 않았다.

그가 제단에 도착했을 때, 오싹한 몰골의 사람 하나가 뒤엉킨 군중 속에서 그를 향해 뛰쳐나왔다. 니게리의 여왕, 나카리였다. 다른 주민들처럼 미쳐버린 그녀가 휑하고 섬뜩한 눈빛으로 칼을 겨눈 채 영국인에게 달려든 것이었다.

"이번에는 빠져나가지 못해!" 나카리가 소리쳤다. 그러나 그녀가 케인에게 닿기 직전, 눈에 부상을 입어 앞을 못 보는 거구의 전사 하나가 그녀를 향해 비틀거리며 부딪쳤다. 나카리는 상처 입은 고양이처럼 비명을 지르더니 칼로 전사를 찔렀다. 앞 못 보는 전사는 죽기 직전의 마지막 힘을 다해 나카리를 힘껏 집어던졌다. 전쟁터의 소란을 칼날처럼 찢어대는 나카리의 마지막 비명 소리. 그렇게 니게리의 마지막 여왕은 제단의 돌에 부딪쳐 온몸이 부서진 채로 케인의 발치에 나뒹굴었다. 케인은 사제와 희생양들을 어렵게 헤치며 검은 계단을 올랐다. 그가 제단에 올라서자, 그때까지 돌처럼 굳어 서 있던 가면의 사제가 갑자기 정신을 차린 듯 몸을 꿈틀했다. 그는 떨어뜨렸던 칼을 재빨리 집어 들고 무서운 기세로 영국인에게 덤벼들었다. 그러나 솔로몬 케인의 민첩함을 따라올 사람은 세상에 몇 명 없었다. 케인이 날렵하게 겨드랑이 사이로 사제의 칼을 피한 뒤, 묵직한 권총으로 가면 쓴 사제의 머리를 힘껏 내리쳤다. 사제의 머리 장식과 가면과 두개골이 한꺼번에 박살났다. 부서진 권총을 내던지고, 빼앗겼던 칼을 죽은 사제의 손아귀에서 낚아채자, 칼자루의 익숙한 느낌에서 자신감과 짜릿한 전율을 느꼈다. 그리고 그는 제단에 묶여서 정신을 잃고 누워있는 소녀에게 다가갔다. 마릴린은 시체처럼 파리한 얼굴을 달빛을 향해 떨군 채 흰옷 차림으로 가만히 누워 있었다. 그 동안에도 달빛은 아비규환의 현장을 무심히 비추고 있었다. 처음에는 마릴린이 죽은 것으로 보였지만, 케인의 손가락 끝에 희미한 맥박이 전해졌다. 그는 결박을 풀고 조심스럽게 소녀를 들어올렸다. 그러나 피투성이의 미치광이 하나가 뭐라고 소리를 지르며 뛰어드는 바람에 소녀를 다시 내려놓아야 했다. 미치광이는 케인의 칼에 찔려 짐승처럼 상처를 움켜잡고 비틀거리다가 제단 아래의 핏빛 아수라장으로 떨어졌다. 그때 제단이 흔들리기 시작했다. 갑작스러운 진동에 주저앉은 케인이 놀란 눈빛을 들어 올리자, 검은 탑이 이리저리 흔들리고 있었다. 뭔가 무서운 일이 벌어지고 있었다. 그것은 악을 쓰면서 싸우고 있던 미치광이들의 멍한 정신을 깨웠다. 비명의 양상이 달라졌다. 무섭게 흔들리던 죽음의 탑이 험산에서 떨어져 나와 엄청난 굉음과 함께 무너지기 시작했다. 떨어지는 커다란 돌과 석조물의 잔해에 울부짖던 무수한 사람들이 깔려 죽었다. 돌 조각 하나가 제단에 떨어져 산산이 부서지는 바람에 케인은 먼지를 뒤집어썼다.

"지진이다!" 케인이 숨을 몰아쉬었다. 새로운 공포의 충격에 다급해진 그는 기절한 소녀를 끌어안고 흔들거리는 계단을 정신없이 내려갔다. 그때까지도 여기저기서 달려드는 인간 짐승들을 베고 찌르며 길을 열었다. 그 다음부터 벌어진 일은 케인의 혼란한 두뇌에서 세세히 기억하기를 거부하는 핏빛 악몽 그 자체였다. 시끄러운 악마들이 뒤엉켜 싸우고 죽어가는 가운데 비좁고 구불구불한 길을 지나간 시간은 케인에게 붉은 비명이 메아리치는 수백 년의 세월처럼 느껴졌다. 거대한 벽과 검은 기둥들이 하늘을 배경으로 흔들리다가 무너져 내렸고, 비틀거리는 그의 발밑에선 땅이 뒤흔들렸다. 탑이 붕괴되면서 나는 굉음이 천지를 뒤덮었다.

인두겁을 쓴 악마들이 알아들을 수 없는 말을 지껄이며 달려들다가 그의 맹렬한 칼 앞에서 쓰러져 갔다. 끝없는 낙석에 맞아 온몸은 성한 구석이 없었다. 그는 맹목적으로 달려드는 인간과 돌덩이로부터 소녀를 보호하기 위하여 최대한 몸을 웅크렸다.

마침내 더는 버틸 수 없는 한계 상황까지 왔을 때, 케인은 어렴풋이 도시의 검은 외벽을 보았다. 지면부터 흉벽까지 갈라진 성벽은 금방이라도 무너질 듯이 기울어져 있었다. 그는 필사적으로 갈라진 틈을 통과했다. 그가 틈에서 나오자마자 외벽은 거대한 검은 파도처럼 안쪽으로 무너졌다.

그가 비틀거리며 산길을 내려가는 동안, 앞에서는 밤바람이 불어왔고 뒤에서는 최후를 맞은 도시의 비명이 솟구쳤다.

제 7 장 솔로몬의 신념

솔로몬 케인의 이마를 시원하게 어루만지는 하얀 손처럼 새벽이 다가왔다. 발아래 멀리 정글에서 불어오는 아침 바람을 깊숙이 들이마시노라니 간밤의 악몽들도 희미해져갔다. 바람에 썩은 식물의 냄새가 가득했지만 그래도 그에는 생기를 불어넣어주는 숨결과도 같았다. 그것은 적어도 유구한 도시의 성벽 안에 숨은 고대의 부패하고 역겨운 냄새가 아니라 바깥세상의 깨끗하고 자연스러운 분해 과정에서 나는 냄새였기 때문이다.

그는 발치에서 잠들어 있는 소녀를 살펴보았다. 그가 부드러운 나뭇가지를 어렵게 구해서 만든 잠자리에 소녀가 누워 있었다. 이윽고 눈을 뜬 소녀가 황급히 주변을 두리번거리다가 그답지 않게 미소를 머금고 있는 케인의 얼굴을 보고는 안색이 밝아졌다. 소녀는 고맙다고 울먹이면서 케인에게 안겼다.

"어쩜, 케인 대령님! 우리가 정말 그 끔찍한 도시를 빠져나온 건가요? 모든 게 꿈만 같아요. 대령님이 내 방에 있는 비밀 문으

로 들어온 일, 또 나카리가 나중에 대령님이 있는 감옥을 다녀와
서 사악하게 말하던 일 모두 다. 나카리가 대령님을 바보라고 하
더군요. 세상을 다 주겠다는데도 대령님이 자기를 모욕한다고 말
이에요. 그러고는 미친 사람처럼 길길이 날뛰다가 자기 혼자 니게
리를 위대한 제국으로 만들겠다고 이를 갈았어요.

그런데 나카리가 나를 보더니 대령님이 여왕인 자신과 권력보
다도 노예인 나를 더 위한다며 욕설을 퍼부었어요. 그리고 애원을
해봤지만 내가 기절할 때까지 매질을 했지요.

그렇게 정신을 잃다시피 오랫동안 쓰러져 있는데 병사들이 들
어와 나카리에게 대령님이 탈출했다고 말하는 소리가 들려왔어요.
병사들이 말하길, 대령님이 유령처럼 단단한 벽을 뚫고 사라졌으
니 마법사가 틀림없다고 하더군요. 하지만 나카리는 대령님을 데
리러 갔던 병사들을 죽이고 몇 시간 동안 맹수처럼 날뛰었어요.

내가 얼마나 오랫동안 쓰러져 있었는지 모르겠더군요. 저 끔찍
한 공간과 복도에는 영원히 햇빛이 들지 않아서 누구든 시간 감
각을 잃어버리고 말죠. 하지만 대령님이 나카리에게 붙잡혔을 때
부터 내가 제단에 묶일 때까지 최소한 이틀 정도는 지났을 거예
요. 대령님이 탈출했다는 소식을 들은 건 제식이 있기 불과 몇 시
간 전이었거든요.

나카리와 스타메이든들이 내게 와서 제식 준비를 했어요." 소
녀는 그 살풍경한 기억에 훌쩍이면서 손으로 얼굴을 감쌌다. "내
게 약을 먹였던 게 틀림없어요. 제식에 쓰는 흰색 로브를 내게 입
혀서 무서운 조각들로 가득한 크고 검은 방으로 데려간 것 밖에
는 떠오르지 않아요.

내가 황홀경에 취한 사람처럼 그 방에 누워 있는 동안, 여자들은 고약한 종교 의식에 따라 별의별 이상하고 낯 뜨거운 준비를 했어요. 그때 나는 의식을 잃었고, 깨어보니 검은 제단에 묶여 있었어요. 흔들리는 횃불과 영창 소리 그리고 죽음의 탑 너머에서 떠오르기 시작한 달 등등 모든 게 깊은 꿈에서처럼 어렴풋하기만 했어요. 그리고 꿈결처럼 탑 높은 곳에서 번쩍이는 해골을 보았어요. 오싹하게 생긴 사제가 알몸으로 내 가슴 위에 칼을 들고 있었는데…… 그 다음부터는 기억이 나지 않아요. 무슨 일이 벌어진 거죠?"

"그때쯤이었을 거다." 케인이 대답했다. "내가 실수로 잘못 들어선 건물에서 나와 총으로 그 끔찍한 해골을 박살낸 게 말이다. 악마의 저주를 타고 난 저들은 해골이 박살나고부터 갑자기 서로를 죽이기 시작했지. 그 소란 속에서 지진까지 일어나 도시의 성벽들이 무너졌다. 그때 내가 널 데리고 무작정 달리기 시작했다. 그러다가 다행히 외벽이 갈라진 틈을 발견하고 도시에서 빠져나온 거란다. 너는 그때까지도 기절해 있는 것 같았다.

니게리 사람들이 '하늘을 가로지르는 다리'라고 부르는 곳을 건너는 동안, 지진으로 인해 다리가 부서지기 시작했다. 이 절벽까지 왔지만 어둠 속에서 내려갈 엄두가 나지 않더구나. 그 무렵에는 달빛도 어두워지고 있었으니까. 그때 네가 정신을 차리고는 비명을 지르며 내게 매달리더구나. 내가 걱정 말라고 달래자, 얼마 후에 너는 진짜 잠이 들었단다."

"이젠 어쩌죠?" 소녀가 물었다.

"영국으로 가야지!" 케인의 깊은 눈동자가 밝게 빛났다. "영국이 고향인데도 한 달 이상은 있기가 힘들었지. 역마살이 낀 팔자니까 말이야. 하지만 지금은 영국이라는 이름만 들어도 가슴이 벅차구나. 얘야, 너는 어떠니?"

"너무 좋아요!" 소녀가 작은 손을 모아 쥐고 소리쳤다. "영국! 이게 꿈일까봐 무서워요. 케인 대령님, 해변까지 저 넓은 정글을 어떻게 빠져나가죠?"

"마릴린." 케인이 소녀의 곱슬곱슬한 머리를 쓰다듬으면서 부드럽게 말했다. "너는 신도 그렇고 나도 믿지 못하는 모양이구나. 아니, 나 혼자만 놓고 보자면 아무런 힘도 없는 사람이지. 하지만 지금까지 신께서 악한 자를 벌하기 위해 내게 커다란 배와 구원의 칼을 주실 때가 많았단다. 이번에도 그렇게 될 거라고 난 믿는다.

"마릴린, 얘야, 잘 생각해 보거라. 우리가 사악한 종족과 더러운 제국의 멸망을 지켜본 게 불과 몇 시간 전이다. 우리 주변에서 수많은 사람들이 죽었고, 우리 발밑에선 땅이 솟구치면서 하늘에 닿을 듯 높은 탑을 무너뜨렸다. 사방에서 죽음이 핏빛 빗줄기처럼 쏟아지는 가운데서도 우리는 무사히 탈출했다.

그 과정에서 인간이 미치지 못하는 힘이 작용했단다. 아니, 신, 전지전능한 신 말이다! 세상 저편에서 이 악마의 도시까지, 또 네가 있던 방까지 나를 이끌어준 존재가 바로 신이다. 또 다시 탈출을 도와 내게 꼭 필요한 정보를 줄 수 있는 사람에게, 지하 감옥에서 죽어가던 그 고대종족의 사제에게 데려간 이도 신이다. 그리고 신의 도움이 없었더라면 무작정 달리던 내가 외벽을 발견하지 못했을 게다. 벽의 일부분을 이루고 있던 절벽 아래로 갔더라면 우린 분명히 죽었을 테니까. 파멸하는 도시에서 우리가 무사히 빠져나가게 한 뒤, 협곡 아래로 부서져 내리는 다리까지 단단한 땅처럼 무사히 건너게 한 이도 바로 신이다!

나를 이곳까지 인도하고 그런 기적을 행하게 한 신께서 지금 와서 우리를 내치겠니? 아니! 세계 도처 인간의 도시에 지금도 악이 만연하고 사람들을 짓누르고 있단다. 하지만 머잖아 신이 거대한 거인처럼 일어나 정의를 위해 천벌을 내리고 우리에게 믿음을 주실 게다.

내가 장담하마. 우리는 이 절벽을 무사히 내려갈 것이고, 저 축축한 정글도 무사히 빠져나갈 게다. 그리고 지금의 모습 그대로 데번에 도착해 너의 가족들과 감격의 포옹을 나눌 게다." 그 말을 듣고 마릴린은 여느 소녀처럼 금세 기분이 좋아져서 처음으로 웃음을 보였다. 케인은 그제야 안도의 한숨을 쉬었다. 소녀의 불안한 눈동자에서 어느새 유령의 흔적들이 사라져갔다. 케인은 언젠가는 소녀의 끔찍했던 경험도 희미한 꿈처럼 사라질 것이라고 생각했다. 그는 힐끔 뒤돌아보았다. 험준한 산 너머에 전설의 도시 니게리가 산산이 부서져 침묵에 잠겨 있었다. 그토록 오랫동안 도시를 난공불락의 요새로 만들어온 성벽과 절벽들도 결국에는 도시를 배반하고 폐허로 무너져버렸다.

케인은 폐허에 깔려 아직도 몸부림치고 있을 무수한 사람들을 생각하자 마음이 아팠다. 그러나 그들이 저지른 사악한 범죄가 그의 온몸을 휘감았고 그의 눈빛은 냉정해졌다.

"저 도시는 사라져야 한다. 공포의 혼란에서 도망친 자는 지옥에 떨어지고, 지옥의 한복판에서 빠져나온 자는 덫에 걸린다. 하늘이 열리고, 땅이 흔들리기 때문이다.

도시를 높이 세운 자들아, 철옹성의 도시는 무너지고 이방인들의 궁전은 도시가 될 수 없으니. 다시는 그런 도시를 세우지 못하리라. 너희 이방인들은 한줌 먼지가 되고, 가장 잔인한 자들은 한줌 티끌이 되어 홀연히 사라졌다. 그렇다. 한순간에 찾아온 운명일지니.

본분을 지키고 두려워하라. 울고 또 울어라. 저들은 취했으나 술 때문이 아니고, 비틀거리나 취기 때문이 아니다. 이건 다 사실이다. 마릴린." 케인이 한숨지었다. "내 눈으로 이사야의 예언이 실현되는 걸 보았다. 저들은 취했으나 술 때문이 아니지. 아니, 저들의 술은 피였다. 그리고 그 붉은 피 웅덩이에 지금 저렇게 처참하게 잠긴 거란다."

케인은 소녀를 부축하고 절벽 가장자리로 향했다. 그가 한밤에 올랐던 바로 그 지점, 그러나 아득히 먼 옛날 같았다.

케인의 옷은 누더기처럼 너덜거렸다. 여기저기 찢기고 긁히고 멍이 들었다. 그러나 떠오르는 태양 아래서 그의 눈빛은 또렷하고 침착했다. 기쁨과 행복의 약속처럼 황금빛이 절벽과 정글에 퍼져 갔다.

시체들의 언덕

제 1 장 부두

은롱가가 불속으로 던진 나뭇가지가 타다닥 타들어갔다. 솟구친 불길이 두 남자의 얼굴을 비추었다. 노예 해안의 주술사, 은롱가는 나이가 지긋했다. 시들고 야윈 몸은 금방이라도 부서질 듯 구부정했고, 얼굴엔 주름이 가득했다. 그가 목걸이 삼아 매고 있는 인간의 손가락뼈가 붉은 불빛에 반짝였다.

또 다른 한 명은 영국인, 이름은 솔로몬 케인이었다. 키가 크고 어깨가 딱 부러진 체격에 입고 있는 올이 촘촘한 검은 옷은 청교 도의 복장이었다. 깃털이 없고 테가 늘어진 모자를 두툼한 눈썹까 지 깊숙이 눌러 써서 창백한 얼굴에 그늘이 드리워져 있었다. 움 푹 들어간 차가운 눈은 불빛 속에서 생각에 골몰해 있었다.

"다시 찾아왔군, 형제." 주술사가 웨스트 코스트에서 흑인과 백 인 사이에 통용되는 혼합 방언으로 담담히 말했다. "우리가 의형 제를 맺은 후로 달이 무수히 뜨고 졌어. 지는 해를 향해 떠났던 형제가 이렇게 돌아오다니!"

"아무렴요." 케인의 목소리가 유령처럼 낮고 굵었다. "당신의 나라는 험한 곳입니다. 공포의 음산한 어둠과 죽음의 핏빛 그림자 로 가로막힌 붉은 땅이니까요."

은롱가가 모닥불을 휘저을 뿐 묵묵부답이자 케인이 다시 말을 이었다.

"저기 알려지지 않은 광야에." 케인의 긴 손가락이 모닥불 너머 의 어둡고 고요한 정글을 가리켰다. "미스터리와 모험 그리고 정 체모를 공포가 있습니다. 한번 저 정글에 들어갔다가 목숨을 잃을 뻔 했습니다. 딱히 표현하기 어려운 죄악의 속삭임처럼 뭔가가 내 핏속으로 내 머릿속으로 몰래 들어왔습니다. 저 정글! 푸른 바다 건너 아득히 시커멓게 웅크리고 있는 저 정글이 나를 오라했고 동틀 무렵에 나는 그 한복판을 찾아갔습니다. 혹시 신기한 모험을 찾을까, 혹시 나를 기다리는 운명이 있을까 해서 말이지요. 그러 나 끝도 없이 영원한 충동, 지독한 열망으로 내 핏줄을 불태우는 이 불길보다 차라리 죽는 게 더 낫겠습니다."

"정글은 늘 오라고 부르지." 은롱가가 중얼거렸다. "밤마다 내 오두막 주변에 뱀처럼 똬리를 틀고서 이상한 일들에 대해 말해주거든. 아아! 정글이 부르고 있어. 자네와 나, 우리는 피를 나눈 의형제. 은롱가, 나는 비밀의 마법사! 부름을 받은 이들이 전부 그랬듯이 자네도 정글로 가게나. 살아남을 수도 있고, 죽기는 더 쉽지. 자네, 내 마법을 믿나?"

"이해하지는 못합니다." 케인이 심각하게 말했다. "하지만 어르신의 육체에서 영혼을 보내 시체를 살려내는 건 봤습니다."

"그래! 나는 은롱가! 검은 신의 사제! 자 보게나, 마법을 행할 테니."

케인이 지켜보는 동안, 늙은 주술사는 모닥불에 허리를 굽히고 두 손으로 동작을 취하면서 주문을 외웠다. 케인은 점점 졸리는 기분이 들었다. 눈앞에서 안개가 너울거렸고, 어렴풋이 보이는 은롱가의 모습이 불꽃을 배경으로 새긴 검은 그림자 같았다. 곧이어 그 모습이 희미해져갔다.

케인은 퍼뜩 정신을 차리고 허리춤에서 권총을 뽑아들었다. 은롱가는 불길 너머에서 그를 보고 싱긋 웃었고 공기 중에서 이른 새벽의 냄새가 풍겨왔다. 주술사는 진기한 검은색 나무로 만든 긴 지팡이를 손에 쥐고 있었다. 그 생김새가 특이했고, 한쪽 끝이 날카로웠다.

"이건 주술사의 지팡이일세." 은롱가가 지팡이를 영국인에게 건네면서 말했다. "자네의 총과 장검이 소용없을 때, 이게 자네를 지켜줄 걸세. 확인하고 싶다면, 지팡이에 손을 포개고 잠들게. 내가 자네의 꿈속으로 찾아갈 테니까."

케인은 마법에 반신반의하면서 지팡이의 무게를 느껴보았다. 무겁지는 않았으나 쇠처럼 단단했다. 최소한 좋은 무기는 될 거라고 생각했다. 정글과 강에 새벽이 소리 없이 펼쳐지고 있었다.

제 2 장 붉은 눈동자

솔로몬 케인은 어깨에 멘 소총을 들어 개머리판을 땅에 내려놓았다. 주위엔 안개처럼 침묵이 깔려 있었다. 케인의 주름진 얼굴과 너널거리는 옷차림은 기나긴 덤불을 헤치고 왔음을 보여주었다. 그는 주변을 둘러보았다.

뒤쪽 꽤 멀리에 어른거리는 초록빛 무성한 정글의 끝자락에서 키 작은 나무와 성장이 멈춘 나무 그리고 기다란 풀들이 조금 드러나 보였다. 멀리 앞쪽에는 헐벗고 거무스름한 언덕들이 표석으로 뒤덮인 채 폭염 속에서 가물거렸다. 언덕과 정글 사이에 거칠고 울퉁불퉁한 초원이 드넓게 펼쳐져 있는데, 군데군데 가시나무 덤불이 보였다.

일대는 쥐죽은 듯 고요했다. 생명의 유일한 흔적이라고는 둔중하게 날갯짓을 하면서 멀리 언덕을 넘는 독수리 몇 마리뿐이었다. 그가 타고난 용기와 맹목성을 믿고 정글에 뛰어든 것이 몇 주 전, 지금까지 살아있는 것도 가히 기적이었다. 그는 더욱더 거칠고 강인해져갔으며, 어떠한 맹수에도 굴하지 않았다.

앞으로 나아가는 동안, 한 차례 사자의 흔적을 봤을 뿐 초원에 다른 동물은 없는 것 같았다. 아무튼 별다른 흔적은 눈에 띄지 않았다. 채 자라지 못한 나무 사이에 독수들이 웅크린 검은 형상처럼 앉아 있었다. 그런데 멀리 독수리 사이에서 갑작스러운 움직임이 보였다. 음산한 독수리 몇 마리가 길게 자란 덤불 주위를 맴돌며 하강했다가 상승하기를 되풀이했다. 표적이 된 어떤 짐승이 방어를 하고 있는 것이라고 케인은 생각했다. 그런데 대개 그런 장면에서 나오기 마련인 으르렁거림이나 위협적인 울음이 없어서 의아했다. 그는 호기심이 동해서 그쪽으로 발길을 돌렸다.

이윽고 어깨 높이의 수풀을 헤치고 나가자, 흔들리는 칼날이 즐비한 복도를 들여다보듯 섬뜩한 광경이 나타났다. 흑인 남자의 시체가 엎드린 자세로 놓여 있었다. 그때 커다란 검은 뱀 한 마리가 수풀 속으로 미끄러져 사라졌는데, 그 움직임이 너무 빨라서 케인은 어떤 종류의 뱀인지 분간할 수 없었다. 하지만 어딘지 기형적인 인간을 닮은 듯한 느낌이 들었다.

케인은 허리를 굽히고 시체를 살폈다. 팔다리가 부러진 것처럼 뒤틀려 있었고, 사자나 표범에게 살이 찢긴 흔적은 없었다. 그는 주위에 맴도는 독수리들을 올려다보다가 그 중 몇 마리가 지면에 스칠 듯 나는 것을 보고 적잖이 놀랐다. 독수리들이 따라가는 수풀의 모양을 보건대 흑인을 죽인 범인이 달아난 흔적이 있었다. 썩은 고기와 시체만을 먹는 독수리들이 수풀을 따라 쫓고 있는 것이 무엇일까, 케인은 궁금해졌다. 그러나 아프리카는 설명할 수 없는 미스터리로 가득한 곳이다.

케인은 어깨를 으쓱하고 다시 소총을 집어 들었다. 은롱가를 떠나 많은 모험을 했건만, 여전히 모호하면서도 집요한 충동은 그를 인적 없는 길로 점점 더 깊숙이 몰아가고 있었다. 케인은 그런 부름에 대해 원인을 따져볼 수 없었다. 그저 인간을 파멸로 꾀는 사탄의 소행이겠거니 생각하는 정도였다. 그러나 그것은 모험가이자 방랑자의 불안하고 거친 영혼 때문이었다. 집시가 세상을 떠돌고, 바이킹의 갤리선이 미지의 바다로 향하며, 기러기의 비행을 이끄는 것과 똑같은 충동 말이다.

케인은 한숨지었다. 먹을 것도 물도 없을 듯한 이 황량한 땅, 게다가 그는 빽빽한 정글의 습기와 맹독에 지쳐버렸다. 잠시만 쉬어간다면 차라리 헐벗은 언덕이 나을 성 싶었다. 그는 태양 아래 음침하게 누워 있는 언덕들을 바라보다가 다시 그쪽으로 걷기 시작했다.

그는 은롱가의 주술 지팡이를 왼손에 들고 있었다. 너무 사악하게 느껴지는 지팡이를 계속 지니고 다니기가 괴로웠지만 그렇다고 내던져버릴 수도 없었다.

언덕을 향해 가는데, 사람의 키보다 큰 수풀 속에서 갑자기 소동이 일었다. 여리고 날카로운 비명이 들리는가 싶더니 잇따라 땅이 흔들리는 듯한 포효가 들려왔다. 수풀이 갈라지더니 바람에 날리는 갈색 지푸라기처럼 가녀린 형체 하나가 케인을 향해 뛰어왔다. 치마 같은 옷만 달랑 걸치고 있는 갈색 피부의 소녀였다. 소녀의 뒤로 몇 미터 간격을 두고 금방이라도 덮칠 듯한 기세로 커다란 사자 한 마리가 따라붙었다.

케인의 발치에 쓰러진 소녀가 울부짖으며 그의 발목을 움켜잡았다. 영국인은 주술사의 지팡이를 내려놓고 어깨총 자세로 시시각각 다가오는 맹수의 얼굴을 침착하게 겨누었다. 탕! 소녀가 비명을 지르고는 픽 쓰러졌다. 높이 뛰어올랐던 사자가 고꾸라진 뒤 움직이지 않았다.

케인은 발치의 소녀를 힐끔 쳐다보면서 재빨리 총알을 또 장전했다. 소녀는 죽은 사자처럼 가만히 쓰러져 있었는데, 케인이 다시 살펴보니 기절한 것에 지나지 않았다.

그가 수통의 물로 소녀의 얼굴을 적셔 주자 소녀는 곧 눈을 뜨고 일어나 앉았다. 그러고는 잔뜩 겁에 질린 얼굴로 생명의 은인을 쳐다보았다. 소녀가 일어서려고 했다.

케인이 가만있으라고 손을 뻗자, 소녀는 떨면서 웅크렸다. 케인은 백인을 한 번도 본적이 없는 원주민이라면 누구든 요란한 총소리에 겁을 먹는 것도 당연하다고 생각했다.

소녀는 몸매가 날씬하고 균형이 잡혀 있었다. 콧날은 가늘고 오똑했다. 피부가 짙은 갈색인 것으로 봐서 강인한 베르베르족 ^{(북}
_{아프리카의 지중해 연안이나 사하라 사막에 아랍인, 베두인 족과 더불어 살고 있는 함 어계의}
_{종족—옮긴이)}의 혈통인 것 같았다.

케인은 방랑길에서 배운 강가 부족의 단순한 언어로 말을 걸었고, 소녀는 쭈뼛쭈뼛 대답했다. 인근 내륙의 부족에서 강가 부족에게 노예와 상아를 팔고 있어서 소녀는 케인의 말을 알아들었다.

"내가 사는 마을은 저기예요." 소녀가 케인의 질문에 답하면서 가늘고 보드라운 팔로 정글의 남쪽을 가리켰다. "내 이름은 준나. 어머니가 그릇을 깨뜨렸다고 나를 때리는 바람에 화가 나서 도망쳤어요. 무서워요. 어머니에게 돌아가게 해주세요!"

"돌아갈 거다." 케인이 말했다. "하지만 얘야 내가 데려다주마. 다른 사자가 덤빌지도 모르잖니? 그렇게 도망을 치다니 아주 미련하구나."

소녀가 조금 울먹였다. "당신은 신이죠?"

"아니다. 준나. 피부색은 너와 다르지만 나도 사람일뿐이다. 네가 사는 마을로 앞장서거라."

소녀는 마구 헝클어진 머리카락 사이로 걱정스레 케인을 살피다가 마지못해 일어섰다. 케인의 눈에는 소녀가 겁에 질린 어린 짐승처럼 보였다. 소녀가 앞장서고 케인이 뒤따랐다. 소녀의 마을은 남동쪽에 있다고 했기에 그들은 점점 언덕 쪽으로 가까워졌다. 해가 지기 시작했고 사자들의 포효가 초원 너머에서 울려퍼졌다. 케인은 서녘 하늘을 힐끔 쳐다보았다. 탁 트인 평지는 밤에 머물기에 좋은 장소가 아니었다. 그가 언덕을 쳐다보았을 때, 그들은 몇 백 미터 가까이 다가와 있었다. 동굴 같은 것이 눈에 띄었다.

"준나." 그가 마뜩찮게 말했다. "어두워지기 전까지 마을에 도착하기는 어렵겠다. 여기에 있다가는 사자의 공격을 받을 게다. 저기 동굴에서 밤을 보내고―"

소녀가 움츠리고 몸을 떨었다.

"주인님, 저 언덕에서는 안 돼요!" 소녀가 울먹였다. "차라리 사자한테 당하는 게 나아요!"

"말도 안 돼!" 케인이 성마른 말투로 말했다. 원주민의 미신이라면 넌덜머리가 났다. "저기 동굴에서 밤을 보내기로 하자."

소녀가 더는 반박하지 못하고 케인을 뒤따랐다. 작은 비탈을 오르자 동굴의 입구가 나타났다. 그 작은 동굴은 벽이 단단한 바위로 이루어졌고, 바닥엔 모래가 두텁게 깔려 있었다.

"준나, 마른 풀을 좀 가져오너라." 케인이 그렇게 말하고 동굴 입구에 소총을 기대어 놓았다. "하지만 멀리 가진 말고 사자를 조심해라. 여기에 불을 피워 짐승들의 접근을 막을 생각이다. 착한 아이처럼 풀과 나뭇가지를 가져오렴. 그리고 저녁을 먹자꾸나. 내 행낭에 마른 고기와 물이 있단다."

소녀는 이상한 눈빛으로 한참동안 케인을 쳐다보다가 아무 말 없이 돌아섰다. 케인이 가까운 곳에서 풀을 뜯고 보니, 햇빛에 바삭바삭 말라 있었다. 풀을 쌓고 부시와 부싯돌을 부딪쳤다. 불꽃이 일더니 순식간에 풀 더미를 태웠다. 밤새 불을 지피려면 그 많은 풀을 어떻게 구할까 고민하는데, 주위에서 인기척이 들렸다.

케인은 지금까지 기상천외한 광경을 무수히 보아왔지만 그 순간만큼은 소스라치게 놀라 등골이 오싹해졌다. 두 남자가 말없이 앞에 서 있었다. 그들은 키가 크고 마른 체격에 완전히 알몸이었다. 검은 피부에 시체처럼 잿빛이 섞여 있었다. 케인은 그런 얼굴을 난생 처음 보았다. 이마는 높고 좁았으며 커다란 코는 짐승을 닮아 있었다. 눈은 인간의 것이라고 하기에는 너무 크고 붉었다. 그렇게 서 있는 두 사람에게서 느껴지는 생명력이라고는 이글거리는 눈동자뿐이었다.

케인이 말을 걸었지만 그들은 아무 대꾸를 하지 않았다. 그가 음식을 함께 먹자고 손짓을 하자, 그들은 묵묵히 불길에서 최대한 멀리 떨어진 곳에 쪼그리고 앉았다.

케인이 행낭에서 마른 고기를 꺼내기 시작했다. 두 남자를 힐끔 쳐다보았더니 케인이 아니라 타오르는 불을 열심히 쳐다보고 있었다.

해가 막 서쪽 지평선으로 떨어지기 직전이었다. 넘실대는 핏빛 바다에 떠 있는 기름처럼 초원 위로 시뻘건 저녁놀이 드리워졌다. 케인이 행낭을 뒤적이는 동안, 준나가 풀과 마른 나뭇가지를 한 아름 안고 언덕 아래를 돌아오는 게 보였다.

케인이 보고 있는데 소녀의 눈동자가 휘둥그레졌다. 소녀가 나뭇가지를 떨어뜨리는가 싶더니 비명으로 침묵을 찢으며 오싹한 경고를 전하는 것이었다. 케인이 재빨리 돌아앉았다. 커다란 두 명의 그림자가 덮쳐오는 순간, 그는 뛰어오르는 표범처럼 날렵하게 맞섰다. 손에 쥐고 있던 주술사의 지팡이로 가까이 있는 적을 먼저 힘껏 찔렀다. 지팡이의 날카로운 끝부분이 상대의 어깨 사이를 관통했다. 그때 또 다른 남자가 길고 가는 팔로 케인을 움켜잡았고, 두 사람은 뒤엉켜 뒹굴기 시작했다.

이방인은 맹수 같은 손톱으로 케인의 얼굴을 찢었고, 섬뜩한 붉은 눈동자로 노려보았다. 케인은 몸부림을 치면서 한 팔로 적의 날카로운 손톱을 막고 권총을 빼들었다. 그러고는 야만인의 옆구리에 총구를 겨누고 방아쇠를 당겼다. 억눌린 총성과 함께 이방인의 몸이 풀쩍 뛰어올랐지만 두툼한 입술은 소름끼치는 미소처럼 약간 벌어졌을 뿐이었다.

적의 긴 팔 하나가 케인의 어깨 밑에 끼여 있었고, 다른 손은 그의 머리칼을 움켜쥐고 있었다. 케인은 머리가 뒤로 젖혀지는 걸 느꼈다. 그는 두 손으로 적의 허리를 감싸 쥐었지만, 필사적인 손가락 끝에 닿은 상대의 몸은 나무처럼 단단했다. 케인은 어지러웠다. 조금만 더 힘이 가해지면 목이 부러질 것 같았다. 그는 상대의 가공할만한 손아귀에서 벗어나기 위해 죽을힘을 다해 상대를 밀쳐냈다. 그러나 상대는 여전히 그를 짓누르고 맹수와도 같은 손아귀도 변함이 없었다. 권총에 총알이 없음을 깨닫고 기다란 총구로 있는 힘껏 후려치자, 상대의 두개골이 연체동물처럼 움푹 들어가는 느낌이 들었다. 이번에도 상대는 섬뜩한 조롱처럼 일그러진 미소만 지었다.

이쯤 되자 케인은 거의 패닉 상태에 빠져들었다. 총에 맞고 치명적인 타격을 받고도 여전히 맹렬한 손가락으로 그의 생명을 위협하고 있는 남자의 정체가 과연 무엇이란 말인가? 틀림없이 사람이 아니라 사탄의 자식이렷다! 그런 생각이 들자 케인은 미친 듯이 몸을 비틀고 들썩였다. 마침내 찰거머리처럼 달라붙었던 상대방이 땅으로 나뒹굴더니 모닥불 연기 속에서 곧 숨이 끊어질 태세였다. 케인은 모닥불의 열기마저 느끼지 못했지만 이번만큼은 적의 입가가 고통스럽게 벌어져 있었다. 끔찍했던 손아귀의 힘도 풀려서 케인은 자리에서 일어설 수 있었다.

그런데 케인이 툭 치는 순간, 두개골이 깨진 야만인이 한쪽 손과 무릎을 세우고는 상처 입은 들소에게 다시 달려드는 굶주린 늑대처럼 공격 태세를 취하는 것이었다. 상대방은 반동을 이용해 옆으로 구르더니 억센 등을 땅에 착 붙이고 무쇠팔로 케인을 움켜잡았다. 두 사람이 다시 땅바닥에서 뒤엉켰고, 케인은 상대의 목을 부러뜨렸다. 한쪽 어깨 너머로 끔찍하게 죽은 남자의 얼굴이 스쳤다. 남자의 몸에서 아무런 움직임이 없었지만 붉은 눈동자는 여전히 기분 나쁘게 이글거리고 있었기에 케인은 여전히 그가 죽었는지 확신이 서지 않았다.

영국인이 돌아섰을 때 소녀는 동굴 벽에 웅크리고 있었다. 그는 지팡이를 찾아 두리번거렸다. 그것은 흙더미 속에 꽂혀 있었는데, 거기에 썩은 뼈들이 묻혀 있었다. 그는 뼈를 물끄러미 쳐다보다가 현기증을 느꼈다. 한걸음에 주술사의 지팡이를 낚아채고는 쓰러져 있는 남자에게 다가갔다. 심각한 표정으로 들어 올린 지팡이를 야만인의 가슴에 가져갔다. 그의 눈앞에서 거구의 시체가 부서져 먼지가 되었다. 앞서 지팡이로 찌른 첫 번째 남자가 이미 먼지로 화했음에도 그는 또 한 번 전율을 느끼며 그 광경을 지켜보았다.

제 3 장 꿈의 마법

"이럴 수가!" 케인이 나지막이 말했다. "저들은 죽은 자들이잖아! 뱀파이어! 사탄의 소행이 증명된 셈이야."

준나가 기어와 그의 무릎에 매달렸다.

"주인님, 이들은 걸어 다니는 시체예요." 소녀가 훌쩍였다. "주인님한테 미리 알렸어야 했는데."

"놈들이 처음에 내 등 뒤에서 공격하지 않은 이유가 뭐지?" 그가 물었다.

"불을 무서워해요. 깜부기불이 완전히 꺼지기를 기다린 거죠."

"놈들은 어디서 온 거지?"

"이 언덕에서요. 이 언덕의 바위와 동굴에 셀 수도 없을 만큼 많아요. 저들은 산 사람을 먹고 살아요. 사람을 죽이고 그 육신에서 떠나는 영혼을 집어삼켜요. 그래요, 저들은 영혼을 빨아먹는 거머리예요!

주인님, 이 언덕의 넓은 지역에 아주 오래 전 돌로 지은 침묵의 도시가 있어요. 내 조상님 때의 일인데, 저들이 그 도시에 살았답니다. 오랜 세월 동안 이 땅을 지배해온 저들은 사람이긴 하나 우리와는 달랐어요. 내 조상님들이 그들과 전쟁을 벌여 많은 이를 죽였는데, 그들의 마법사들은 죽은 사람들을 지금처럼 만들었답니다. 결국에는 모두 죽었지요.

그때부터 저들은 정글의 부족들을 잡아먹기 위해 해가 지고 한밤이 되면 언덕에서 정글의 길목까지 돌아다니며 살인을 일삼았어요. 사람과 짐승이 다 저들을 피하는데 오로지 불로만 저들을 물리칠 수 있어요." "놈들을 없앨 수 있는 건 바로 이것이다." 케인이 주술사의 지팡이를 치켜들고 힘주어 말했다. "흑마법을 물리칠 수 있는 것 또한 흑마법, 은롱가가 이 지팡이에 어떤 마법을 걸었는지는 모르겠지만—"

"주인님은 신입니다." 준나가 큰 소리로 말했다. "걸어 다니는 시체를 둘씩이나 물리칠 수 있는 사람은 이 세상에 없습니다. 주인님, 우리 부족의 저주를 풀어주시지 않겠어요? 우리에겐 도망칠 곳이 없고, 저 괴물들은 마음대로 우리를 죽이고 마을 밖에서 길손들을 잡아간답니다. 온 마을에 죽음이 퍼져서 우리는 속절없이 죽어가고 있어요!"

케인의 마음 깊숙이에서 십자군의 정신 요컨대 어둠의 무리와 싸워야하는 숙명을 타고난 광신자이자 열광자의 불길이 일었다.

"먼저 요기를 하자꾸나." 그가 말했다. "그리고 동굴 입구에 큰 불을 피우자. 짐승과 악마를 막아줄 테니까."

얼마 후, 케인은 동굴 바로 안쪽에 앉아서 주먹 쥔 손으로 턱을 괴고 모닥불을 물끄러미 바라보고 있었다. 그 뒤 어둠 속에서 준나가 경외의 눈빛으로 그를 지켜보았다.

"만군의 주여." 그가 중얼거렸다. "저를 도와주소서! 이 손으로 암흑의 땅에 깃든 태고의 저주를 걷어내게 하소서. 제가 실상 무기에도 굴하지 않는 저 죽은 악마들과 어떻게 싸워야 하는지요? 불로 저들을 물리치고 목을 부러뜨려 무기력하게 만들며 주술사의 지팡이로 찔러 산산이 부셔버릴 수 있지만, 그렇다고 무슨 소용이 있겠나이까? 인간의 생명을 먹이 삼아 이 언덕에 출몰하는 그 많은 적들을 어떻게 일소할 수 있겠나이까? 준나의 말처럼 전사들마저 저들과 싸우지 말고 그저 사람이 닿을 수 없는 높은 성의 도시 안으로 도망쳐야만 하는 겁니까?"

밤이 깊어졌다. 준나는 보드랍고 풋풋한 자신의 팔을 베고 잠이 들었다. 사자 떼의 포효가 언덕을 뒤흔들었고, 케인은 여전히 모닥불을 골똘히 노려보고 있었다. 동굴 밖의 어둠에 속삭임과 부스럭거림과 은밀한 발소리가 가득했다. 그는 생각에 골몰해 있다가 간간이 고개를 들어 혹시 흔들리는 모닥불 너머에 커다랗고 붉은 눈동자가 번뜩이고 있지는 않은지 살폈다.

케인이 준나를 흔들어 깨웠을 때 희부연 새벽이 슬그머니 초원에 내려앉고 있었다.

"내가 야만족의 마법과 연을 대다니, 부디 신이 내 영혼에 자비를 베풀어주셔야 하는데." 그가 말했다. "하지만 악마성은 악마성으로 물리쳐야 하는 법. 혹시 무슨 일이 벌어질지 모르니 불을 꺼뜨리지 말고 나를 지켜봐다오."

케인은 모래 바닥에 등을 대고 누워 주술사의 지팡이를 가슴에 올려놓고 그 위에 두 손을 포갰다. 그는 곧 잠들었다. 그리고 꿈을 꾸었다. 선잠에 빠진 자신이 두터운 안개 속을 걷다가 은룡가를 만났는데 그것이 꼭 현실에서 벌어지는 일 같았다. 은룡가가 말을 했고, 그 말은 저절로 비몽사몽간을 넘나들며 그의 의식 깊숙이 또렷하고 생생한 울림을 전했다.

"해가 뜨고 사자들이 굴로 돌아간 직후 소녀를 마을로 보내게." 은롱가가 말했다. "그리고 소녀의 연인을 동굴에 있는 자네에게 데려오라고 설득하게. 소녀의 연인이 오면 선잠을 청하듯 주술사의 지팡이를 붙잡고 누우라고 하게."

꿈이 사라지고 케인은 반신반의하며 갑자기 깨어났다. 너무도 기이하고 생생한 모습, 게다가 은롱가가 혼합 방언이 아닌 영어로 말을 하다니 또 얼마나 기이한가! 케인은 어깨를 으쓱했다. 은롱가가 공간을 뛰어넘어 자신의 영혼을 보낼 수 있음은 익히 알고 있으며, 케인이 직접 시체를 살려내는 능력까지 목격한 터였다. 그렇다고 해도—

"준나." 케인이 그 문제를 접어두고 말했다. "나는 정글 끝까지만 함께 가겠다. 너는 마을로 가서 네가 사랑하는 사람을 데리고 이 동굴로 돌아와야 한다."

"크란 말인가요?" 소녀가 천진하게 물었다.

"이름이 뭐든 상관없다. 요기를 하고 떠나자."

또 다시 해가 서쪽으로 기울었다. 케인은 동굴에 앉아서 기다렸다. 정글이 초원으로 바뀌는 지점까지 소녀가 무사히 가는 모습을 지켜보긴 했으나 소녀를 혼자 보낸 데다 동굴로 다시 돌아오라 했으니 혹시 무슨 위험을 당하지는 않을까 걱정이 사라지지 않았다. 그렇게 앉아 있자니, 의형제고 뭐고 그 흑마술사의 엉터리 마법에 끝없이 놀아날 운명에 빠진 건 아닌지 의구심이 들었다.

가벼운 발소리가 들려오자 케인은 소총을 움켜잡았다. 곧이어 준나가 들어서는데, 키가 크고 체구가 위풍당당한 청년과 함께였다. 갈색 피부로 봐서 청년도 소녀와 같은 부족이었다. 공상에 잠긴 듯 온화한 눈동자가 외경심을 띠고 케인을 바라보고 있었다. 소녀가 새로운 신처럼 등장한 케인의 명성을 에누리해 말하지는 않은 모양이었다.

그는 은롱가의 지시대로 청년을 눕히고 주술사의 지팡이를 두 손에 쥐어주었다. 준나는 눈을 동그랗게 치켜뜨고 한쪽에 웅크려 앉았다. 뒤로 물러선 케인은 이 무언극 같은 노릇에 계면쩍어져서 무슨 일이 벌어지는지 지켜보았다. 놀랍게도 청년은 숨을 한번 헐떡이더니 몸이 뻣뻣하게 굳어버리는 게 아닌가!

준나가 비명을 지르면서 펄쩍 일어섰다. "크란을 죽였어요!" 소녀는 할 말을 잃고 서 있는 영국인에게 소리치며 덤벼들었다.

그런데 소녀가 갑자기 멈춰서더니 한손으로 힘없이 이마를 훔쳤다. 그러고는 꼼짝도 하지 않는 연인 위에 스르르 쓰러졌다.

그때 청년의 몸이 움찔했고 팔다리가 마구 움직였다. 곧이어 아직 정신을 차리지 못한 소녀의 팔을 뿌리치고 벌떡 일어서는 것이었다.

크란은 케인을 올려다보면서 음흉한 미소를 지었는데, 어딘지 그가 아닌 다른 사람의 웃음 같았다. 케인은 소스라치게 놀랐다. 청년의 온화했던 눈도 변해서 지금은 냉혹하고 교활한 눈빛을 번뜩이고 있었다. 은롱가의 눈!

"아, 자네." 크란의 입에서 기괴할 정도로 익숙한 목소리가 흘러나왔다. "형제, 이 은롱가가 반갑지 않은 겐가?"

케인은 아무 말이 없었다. 자기도 모르게 소름이 돋았다. 크란이 몸을 펴고 자기 것이 아닌 사지를 놀리듯 어색하게 두 팔을 펼쳤다. 그는 흡족한 듯 자기의 가슴을 툭 쳤다.

"내가 은롱가일세!" 그가 익숙한 허세로 말했다. "위대한 쥬쥬인! 형제여, 나를 모른단 말인가, 응?"

"당신은 사탄이야." 케인이 진심으로 말했다. "당신은 크란인가 아니면 은롱가인가?"

"은롱가." 상대방이 다시 말했다. "내 몸은 여기서 멀리 떨어진 해안, 쥬쥬 족의 오두막에서 잠들어 있지. 잠시 크란의 몸을 빌린 걸세. 내 영혼은 단숨에 열흘이 걸리는 거리를 간 다네. 스무 날이 걸리는 거리도 문제없지. 내 영혼은 내 몸에서 나와 크란의 영혼을 밀어냈네."

"그렇다면 크란은 죽었소?"

"아니, 죽지 않았어. 그의 영혼을 잠시 그림자의 땅에 보내둔 걸세. 저 소녀의 영혼도 보냈으니 연인과 함께 있을 걸세. 때가 되면 돌아올 거야."

"이건 악마나 하는 짓입니다." 케인이 솔직하게 말했다. "하지만 난 당신이 더 불결한 마법을 행하는 것까지 봤으니 그만 둡시다. 은롱가라고 불러드릴까 아니면 크란?"

"크란, 허허! 틀림없이 은롱가라니까. 지금 여기 있는 건 은롱가일세!" 그가 가슴을 툭툭 쳤다. "시간이 지나면 예전의 크란과 은롱가로 돌아갈 걸세. 크란은 지금 여기 없네. 이 몸에는 은롱가가 살고 있네. 형제여, 나는 은롱가일세!"

케인이 고개를 끄덕였다. 공포와 마법의 땅에서 능히 일어날 수 있는 일이었다. 은롱가의 가는 목소리가 크란의 커다란 가슴에서 나오고, 은롱가의 교활한 눈빛이 크란의 풋풋하고 잘생긴 얼굴에서 반짝이는 것까지 무엇이든 가능했다.

"난 이 땅을 오래전부터 알고 있었네." 은롱가가 본론을 말했다. "위대한 쥬쥬, 그리고 이곳의 망자들! 시간을 낭비할 필요는 없지. 내가 자네의 꿈속에서 말하지 않았나. 형제여, 자네는 이곳의 망자들을 죽이고 싶은 거지, 응?"

"자연의 섭리를 거스르는 일이니까요." 케인이 심각하게 말했다. "저들은 우리나라에서 뱀파이어라고 알려져 있지만, 저들만 사는 나라까지 있을 줄은 예상치 못했습니다."

제 4 장 침묵의 도시

"이제는 돌의 도시를 찾아야 해." 은롱가가 말했다.

"뭐라고요? 그런데 왜 당신의 영혼을 보내 이 뱀파이어 무리를 죽이지 않는 겁니까?" 케인이 무심하게 물었다.

"영혼이 힘을 쓰려면 누군가의 육신을 빌려야 하네." 은롱가가 대답했다. "이제 눈을 부치게. 내일부터 떠나세."

해가 졌다. 동굴 입구에서 모닥불이 타올랐다. 케인은 움직임이 없는 소녀의 몸을 힐끔거렸다. 소녀는 쓰러졌던 자리에 그대로 누워 있었고, 케인은 잠을 청하기로 마음먹었다.

"자정에 날 깨우세요." 그가 당부했다. "새벽까지 망을 봐야 하니까."

그러나 은롱가가 그를 깨웠을 때는 이미 여명이 대지를 붉게 물들이는 무렵이었다.

"떠나볼까." 주술사가 말했다.

"그런데 저 소녀, 살아있기는 한 겁니까?"

"살아있네, 형제."

"그렇다면 악령들이 떠도는 이곳에 저 아이를 놔두고 떠날 수는 없어요. 사자 떼도 있고—"

"사자는 여기 들어오지 못해. 이곳엔 아직 뱀파이어와 사람의 냄새가 뒤섞여 있네. 사자는 사람 냄새와는 다른, 걸어 다니는 시체들을 무서워하지. 그러니 짐승은 여기 들오지 못해. 이렇게 해두면—" 그는 주술 지팡이를 들어 동굴 입구에 가로놓았다. "죽은 자들도 들어오지 못해."

케인은 심드렁하게 은롱가를 쳐다보았다.

"저 지팡이로 무슨 수로 저 아이를 지켜준단 말입니까?"

"저건 위대한 쥬쥬일세." 은롱가가 말했다. "뱀파이어가 저 지팡이에 스치기만 해도 잿더미가 되는 건 자네도 봤잖은가! 감히 지팡이를 만지거나 가까이할 뱀파이어는 없네. 내가 지팡이를 자네한테 준 이유는 뱀파이어 언덕 밖의 정글에서도 어두워질 때면 가끔씩 걸어 다니는 시체와 마주칠 때가 있어서야. 걸어 다니는 시체들이 전부 이곳에만 있는 게 아닐세. 놈들은 예외없이 인간에게서 생명을 빨아먹어야 하는데, 그렇지 않으면 죽은 나무처럼 썩어 버리거든."

"그렇다면 저런 지팡이를 많이 만들어 나와 사람들이 힘을 합쳐 놈들을 물리치게 하면 되겠군요."

"그건 안 돼!" 은롱가는 세차게 머리를 흔들었다. "저 쥬쥬 지팡이는 위대한 마법일세! 아주 유서 깊은! 저 쥬쥬 지팡이가 얼마나 오래된 것인지 누구도 알지 못하네. 해안 마을에서 자네와 마음이 통하여 의형제를 맺었을 때 자네를 잠들게 한 뒤 지팡이로 마법을 부려 자네를 지켰네. 오늘은 우리가 수색하고 뛰어다닐 테니, 지팡이는 필요 없어. 지팡이는 여기 놔두어 소녀를 지켜주게 하세."

케인은 어깨를 으쓱하고 주술사를 뒤따라가기 전, 여전히 동굴에 누워 있는 소녀를 흘깃 돌아보았다. 그가 마음속으로 소녀가 죽었다고 생각하지 않았다면 그렇게 방치하고 떠나는 일은 없었을 것이다. 앞서 소녀의 몸을 만졌을 때 싸늘해져 있었다.

그들이 황량한 언덕 사이를 올라가는 동안 해가 떠오르고 있었다. 올라갈수록 길이 점점 가파르게 계곡을 지나고 커다란 표석 사이로 구불구불 이어졌다. 언덕 곳곳에 어둡고 꺼림칙한 동굴들이 있어서 그 앞을 지나갈 때는 신중을 다했다. 동굴 안에 무엇이 있을까 생각하다가 케인은 진저리를 쳤다. 마침 은롱가가 이렇게 말했기 때문이다.

"뱀파이어들은 해질녘까지 대부분의 시간을 저런 동굴에서 잠을 잔다네. 동굴마다 놈들이 득시글대겠지."

가파른 길은 점점 견디기 어려운 땡볕에 달아올랐다. 침묵이 사악한 괴물처럼 주위를 휘감고 있었다. 아무 것도 눈에 띄지 않았지만, 케인은 이따금씩 표석 뒤로 검은 그림자가 스쳐갔다고 장담할 수 있었다.

"뱀파이어들은 낮에는 숨어 지내지." 은롱가가 낮게 웃으면서 말했다. "놈들이 독수리를 무서워하거든! 독수리는 멍청하지 않아!

척 보고 죽음의 냄새를 맡거든! 뱀파이어가 누워있든 걸고 있든 독수리의 눈에 띄었다가는 그 자리에서 갈가리 찢겨 먹힌단 말일세!"

케인은 몸서리를 쳤다.

"맙소사!" 케인이 모자로 넓적다리를 치면서 소리쳤다. "이 끔찍한 땅에서 그놈들을 없애버릴 수 없다는 겁니까? 이 땅은 어둠의 무리에게 철저히 지배를 받고 있군요!"

케인의 눈빛이 험악하게 타올랐다. 지독한 폭염과 쓸쓸함 그리고 사방에 숨어있는 괴물들, 이 때문에 케인의 쇠심줄 같은 신경도 자꾸 곤두서고 있었다.

"형제, 모자를 계속 쓰고 있게." 은롱가가 뭐가 그리 우스운지 킥킥대면서 주의를 주었다. "넋 놓고 있다가는 햇볕에 쪄서 죽일 수도 있어."

케인은 은롱가의 말에 아랑곳하지 않고 소총을 고쳐 맸을 뿐 아무 말도 하지 않았다. 그들은 마침내 정상에 올라 고원처럼 펼쳐진 장소를 내려다보았다. 고원의 한복판에 잿빛으로 허물어져가는 침묵의 석조 도시가 있었다. 케인은 눈앞에 펼쳐져 있는 엄청난 세월의 자취에 얼이 빠졌다. 성벽과 집들은 거대한 석조물로 만들어졌지만 지금은 폐허로 변해가고 있었다. 고원에 무성하게 자란 수풀은 죽은 도시의 거리마다 높이 솟아있었다. 폐허 속에서 아무 움직임도 눈에 띄지 않았다.

"저게 놈들의 도시라면 굳이 동굴에서 잠을 자는 이유가 뭡니까?"

"지붕에서 떨어진 돌에 깔릴까봐 그럴 수도 있지. 돌집이 금방이라도 무너질 것 같잖아. 아니면 같이 있는 게 싫던가. 서로 잡아먹을 수도 있으니까."

"쉿!" 케인이 속삭였다. "그러다가 다 들으면 어쩌려고!"

"뱀파이어들은 말하거나 소리를 치지 않아. 동굴에서 자다가 해질녘과 밤에 돌아다니지. 어쩌다가 산골 부족들이 창을 들고 나타나면 저 돌집으로 유인해 성벽 뒤에서 반격을 하겠지."

케인이 고개를 끄덕였다. 죽은 도시의 무너져가는 성벽들은 여전히 높고 튼튼하여 창병들의 공격쯤은 충분히 방어할만한 했다. 특히 짐승처럼 삐죽한 코를 지닌 악마들이 성벽을 방어한다면 더더욱 그랬다.

"형제." 은룡가가 진지하게 말했다. "나는 신비한 통찰력을 지녔네! 잠시만 조용히 있어 주게."

케인은 표석에 앉아서 헐벗은 바위들과 그 주변을 에워싸고 있는 비탈을 골똘히 쳐다보았다. 남쪽으로 멀리 정글이 초록의 바다를 이루고 있었다. 그렇게 멀리서 바라본 정글은 매혹적인 풍광이었다. 그러나 눈 앞 가까운 쪽으로 스치는 검은 반점들은 동굴의 입구였고 그 안에 섬뜩한 괴물들이 숨어 있었다.

은룡가는 쪼그리고 앉아서 칼끝으로 흙에다 이상한 무늬를 그리고 있었다. 케인은 은룡가를 바라보고 있자니, 동굴에서 악마가 서넛만 튀어나와도 자기들은 속수무책으로 당할 거라고 생각했다. 그때였다. 웅크리고 있는 주술사를 향해 섬뜩한 검은 그림자가 뛰어들었다.

케인은 주저 없이 행동에 나섰다. 총을 뽑아들고는 투석기처럼 튀어나가 개머리판으로 몰래 접근해오는 끔찍한 괴물의 얼굴을 박살냈다. 케인은 인간이 아닌 적을 계속해서 밀어붙였다. 상대가 잠시 멈칫하거나 반격할만한 여유도 주지 않고 미친 호랑이처럼 쉼 없이 개머리판을 휘둘렀다.

낭떠러지 끝에서 뱀파이어가 휘청하더니 이내 30미터 아래 바위로 떨어져 몸부림쳤다. 은롱가가 일어서서 손가락을 치켜들었다. 언덕이 죽은 자들을 내보내고 있었다.

동굴마다 검은 침묵의 그림자들이 몰려나왔다. 비탈을 오르고 표석을 넘어오는 동안, 그들의 붉은 눈동자는 침묵의 도시 위에 서 있는 두 사람에게 못 박히듯 고정되어 있었다. 동굴마다 뱀파이어를 쏟아냈다. 불경한 최후 심판의 날처럼.

은롱가가 꽤 멀리 떨어져 있는 바위 하나를 가리키고는 갑자기 고함을 지르면서 그쪽으로 휘달렸다. 케인이 뒤따랐다. 표석 뒤에서 갈고리 손들이 튀어나와 그들을 움켜잡고는 옷을 찢어버렸다. 그들이 동굴들을 지나 달리는 동안, 그 속에서 나온 바싹 마른 괴물들이 침묵으로 웅얼거리면서 쫓아왔다.

시체들의 손이 등에 닿을 듯 간격이 좁혀질 즈음, 두 사람은 마지막 비탈을 기어올라 바위에서 선반처럼 돌출한 레지 위에 섰다. 은롱가가 가리킨 바위였다. 뱀파이어들은 잠시 머뭇거리다가 바위를 오르기 시작했다. 케인은 소총으로 붉은 눈의 얼굴들을 내리찧고 위로 뻗은 손들을 후려쳤다. 뱀파이어들은 거대한 파도처럼 쇄도해 왔다. 뱀파이어의 침묵에 맞서 케인도 말없는 분노로 소총을 휘둘렀다. 뱀파이어의 행렬이 주춤하면서 뒤로 물러났다. 그리고 파도처럼 다시 밀려왔다.

케인은 뱀파이어들을 죽일 수 없었다. 그가 소총으로 나무 같은 살과 죽은 뼈를 정신없이 박살내는 동안 그들을 죽일 수 없다는 생각이 모루에 부딪치는 쇠망치처럼 그의 뇌리를 쳤다. 때려눕히고 뒤로 밀쳤지만 그들은 일어서서 다시 덤벼들었다. 그런 식으로 버틸 수는 없었다. 그런데 빌어먹을 은롱가는 무엇을 하고 있단 말인가? 케인은 어깨 너머로 힐끔 괴로운 시선을 던졌다. 주술사는 레지에서 가장 높은 곳에 서서 고개를 뒤로 젖힌 채 주문을 걸 듯 두 팔을 치켜들고 있었다.

시뻘겋게 노려보는 눈동자와 끔찍한 얼굴들에 가려 케인의 시야는 흐릿해졌다. 앞쪽에 있는 뱀파이어들은 더욱 끔찍한 몰골이었다. 두개골은 깨지고 얼굴은 움푹 꺼지고 팔다리는 부러져 있었다. 그런데도 그들은 앞 다퉈 손을 내뻗어 자기들과 맞서고 있는 남자를 붙잡으려고 혈안이 되어 있었다.

케인의 온몸은 피로 물들었지만 그것은 오롯이 그 자신의 피였다. 오랜 세월 말라붙은 괴물들의 혈관에서 따뜻한 피 한 방울 떨어지지 않았다. 갑자기 등 뒤에서 길고 날카로운 외침이 들려왔다. 은롱가! 그 외침은 허공을 가리는 소총의 개머리판과 거기에 부딪쳐 뼈가 부러지는 소리보다 더 높고 또렷했다. 그 끔찍한 싸움에서 들려오는 유일한 목소리.

뱀파이어들이 득시글거리며 케인의 발을 잡아끌었다. 날카로운 손톱들이 그의 몸을 찢었고, 흐늘흐늘한 입술이 그의 상처를 빨았다. 피투성이 만신창이가 된 케인은 또 현기증을 느끼면서도 부서진 소총을 휘둘러 뱀파이어들과 약간의 간격을 벌여놓았다. 그들은 또 몰려들었고 케인은 또 끌려 내려갔다.

'이젠 끝장이야!' 케인은 생각했다. 그런데 바로 그 순간 뱀파이어들의 손아귀가 느슨해졌고 별안간 하늘은 거대한 날갯짓 소리로 가득해졌다.

자유로워진 케인은 비틀거리며 정신없이 위로 올라갔다. 한숨을 돌리면서 전의를 가다듬을 생각이었는데, 그만 멍하니 얼어붙고 말았다. 뱀파이어 무리가 비탈을 따라 도망치고 있었다. 거대한 독수리 떼가 그들의 머리와 어깨를 찢고 쪼면서 도망치는 시체들의 살을 파먹었다.

케인이 거의 미친 사람처럼 웃어댔다.

"인간과 신에게 도전한다 해도, 너희가 독수리를 속이진 못하는구나. 이 사탄의 족속들아! 독수리는 산자와 죽은 자를 알아낼 수 있으니까."

은롱가는 레지의 꼭대기에 예언자처럼 서 있었고, 거대한 검은 새들이 그의 주변을 맴돌았다. 그는 여전히 팔을 흔들며 산 너머로 목청껏 소리치고 있었다. 지평선 너머에서 무수한 독수리 떼가 실로 오랜만에 향연을 즐기려는 듯 꼬리를 물고 날아들었다. 하늘을 새카맣게 뒤덮고 태양을 가렸다. 대지는 기이한 어둠에 휘감겼다. 독수리 떼는 기다랗고 뿌연 행렬을 이루어 부리를 앞세우고 동굴 속으로 파고들었다. 동굴에서 도망쳐 나온 괴물들은 독수리의 발톱에 찢겨졌다.

어느 새 뱀파이어는 모두 그들의 도시로 도망치고 있었다. 그것은 오랜 세월 동안 억제되었던 그들에 대한 응징이었다. 마지막 희망은 맹렬한 인간들로부터 그들을 지켜주었던 육중한 성벽이었다. 허물어져가는 지붕 아래서 피난처를 찾을 수 있을지도 몰랐다. 한편, 은롱가는 도시로 쫓겨 가는 뱀파이어 무리를 지켜보면서 험산이 쩌렁쩌렁 울리도록 웃어댔다.

뱀파이어가 전부 성벽 안으로 들어가자, 독수리 떼가 죽음의 도시를 구름처럼 뒤덮었다. 독수리 떼는 성벽을 따라 빽빽이 내려앉아 부리와 발톱을 벽에 대고 날카롭게 갈았다.

은롱가는 한 아름 가져온 마른 잎 더미에 부싯돌로 불을 지폈다. 순식간에 불길이 솟자, 그는 불더미를 멀리 낭떠러지 아래로 집어던졌다. 불더미는 불꽃을 일으키며 유성처럼 고원으로 떨어졌다. 고원의 무성한 수풀에서 금세 불길이 솟았다.

저 아래 침묵의 도시에 흰 안개처럼 공포감이 보이지 않는 물결이 되어 퍼져나갔다. 케인은 험상궂게 미소를 지었다.

"가뭄이라 풀이 바삭바삭하게 메말라있군." 그가 말했다. "여느 해보다 비까지 적게 내렸으니 순식간에 타들어가겠어."

불길은 진홍색 뱀처럼 마른 수풀을 집어삼켰다. 불길이 계속 번져가는 동안, 케인은 멀리 떨어진 거리임에도 석조 도시에서 무수한 붉은 눈동자에 얼마나 큰 공포가 자리 잡고 있는가를 느낄 수 있었다.

핏빛 뱀은 어느 새 도시까지 이르러 똬리를 틀고 비틀 듯 성벽을 뛰어올랐다. 독수리 떼는 묵직하게 날갯짓을 하다가 못내 아쉬운 듯 높이 날아올랐다. 이 방랑자의 무리가 일으킨 바람이 광풍처럼 주위를 휩쓸었고, 그것은 성벽 주위의 길고 시뻘건 불길을 더욱 거세게 부채질했다. 이제 도시는 단단한 방책과도 같은 불길로 포위되고 말았다. 화마의 포효는 높은 산꼭대기에 있는 두 남자에게도 들려왔다.

불똥이 성벽을 넘어 도시의 거리에 자라있던 수풀에 옮겨 붙었다. 불똥 수십 개가 삽시간에 큰 불길로 번졌다. 붉은 장막이 도시의 거리와 건물을 덮었다. 케인과 은룽가는 그 핏빛 안개 속에서 검은 형체들이 무수히 날뛰고 몸부림치다가 화염에 휩싸여 홀연히 사라지는 것을 보았다. 썩은 육신을 태우는, 견딜 수 없는 악취가 진동했다.

케인은 두려운 마음으로 지켜보았다. 생지옥이나 다름없었다. 악몽을 꾸는 것처럼 검은 곤충들이 죽지 않으려고 발버둥치는 시뻘건 가마솥을 들여다보는 느낌이었다. 불길이 30미터 높이까지 치솟았고, 갑자기 우주의 이름 모를 심연에서 나오는 비명처럼 짐승의 비인간적인 울부짖음이 들려왔다. 뱀파이어 하나가 숱한 세월 동안 묶여 있던 침묵의 사슬을 깨고 죽어가면서 비명을 지른 것이었다. 쉬이 잊혀지지 않을 날카로운 비명, 그것은 사라지는 종족의 마지막 통곡이었다.

치솟은 불길이 갑자기 내려앉았다. 큰불은 여느 들불처럼 작고 맹렬해졌다. 고원은 멀리까지 까맣게 변해 있었고, 도시의 허물어져가던 석조물들은 그을리고 연기 나는 검은 덩어리로 남아 있었다. 시체 한 구, 심지어 그을린 뼈 하나 보이지 않았다. 창공 높이서 시커멓게 맴돌던 독수리 떼도 흩어지기 시작했다.

케인은 맑고 푸른 하늘을 간절히 쳐다보았다. 거센 바닷바람이 공포의 안개를 걷어낸 것처럼 시야가 또렷했다. 멀리 어딘가에서 사자 한 마리가 포효하고 있었다. 하늘을 검게 뒤덮은 독수리 떼가 뿔뿔이 시야에서 멀어져갔다.

제 5 장 협상 타결!

준나가 누워있는 동굴, 그 입구에서 케인은 잠자코 주술사의 치료를 받고 있었다.

청교도의 옷은 누더기처럼 너덜너덜했고, 팔다리와 가슴에 깊은 상처와 검은 멍이 들어 있었다. 그러나 절벽에서 사활을 건 혈투를 벌인 것 치고는 치명상은 입지 않았다.

"우리가 얼마나 강인한가 보게!" 은롱가가 썩 흡족하게 말했다. "뱀파이어 도시는 이제 끝이 났어. 완전히 망한 거야! 앞으로 이 산에서 걸어다니는 시체는 없을 걸세."

"납득이 되지 않습니다." 케인이 손에 턱을 괴고 말했다. "은롱가, 어떻게 한 겁니까? 내 꿈에 나타나 이야기를 하고, 크란의 몸에 들어가고, 또 독수리를 부르다니, 대체 어떻게 한 겁니까?"

"형제." 은롱가가 혼합 영어 대신에 케인도 아는 강가 부족의 말로 대답했다. "내가 얼마나 나이를 먹었는지 사실대로 말한다면 자네는 아마 나를 거짓말쟁이라고 할 걸세. 마법을 행하는데 평생을 바쳤지. 맨 처음에 남동쪽의 위대한 쥬쥬 부족을 위해 그랬고, 다음에는 버크러(백인)의 노예가 되어 더 많은 것을 배웠네. 형제, 그 오랜 세월을 한순간으로 줄이고 그동안 무엇을 배웠는지를 한 마디로 말해서 자네를 이해시킬 수는 없잖은가? 저 뱀파이어들이 어떻게 산 사람을 먹이로 썩지 않고 육신을 보존해왔는지, 그것마저 자네를 이해시킬 수 없네.

내 친구들의 잠든 영혼에게 말하기 위해 나는 잠든 뒤 내 영혼을 정글과 강가로 보냈지. 내가 자네한테 준 주술사의 지팡이에 엄청난 마법이 들어있네. 백인들의 자석이 쇠붙이를 잡아끌 듯 내 영혼이 이끌려간 태고의 땅에서 전해진 마법 말이지."

케인은 말없이 귀를 기울였다. 은롱가의 눈에서 흑마법을 행할 때의 탐욕스러운 눈빛보다 더 강렬하고 깊은 뭔가를 발견한 것은 그때가 처음이었다. 케인은 미래를 내다보는 늙은 예언자의 신비한 눈을 들여다보고 있는 느낌이 들었다.

"나는 꿈속에서 자네에게 말했네." 은롱가가 말을 이었다. "그리고 깊은 잠 속에서 크란과 준나의 영혼도 취하여 그들을 먼 땅으로 옮겨놓았지. 그들은 아무 것도 기억하지 못한 채 곧 돌아올 걸세. 이 모든 것이 마법의 힘이야. 형제, 짐승과 새들도 주인의 말을 따르지. 내가 강한 주술을 걸었고 독수리 마법을 행했어. 그리고 날아다니는 조인족들을 불러들였네.

그게 내가 아는 것이고 나 또한 벌어진 일의 일부이지만 어떻게 자네에게 설명할 수 있겠나? 형제, 자네는 위대한 전사일세. 하지만 마법에 관해서는 길 잃은 어린아이나 다름없지. 내가 그 오랜 어둠의 세월 동안 무엇을 터득했는지 밝히지 않는다 해도 자네가 이해해주리라 믿네. 형제, 자네는 악령만을 떠올리겠지만, 내 마법이 늘 사악한 것이었다면 이 늙고 시든 몸을 대신해 이 청년의 몸을 차지해도 그만 아닌가? 하지만 크란은 무사히 자기의 몸으로 돌아올 걸세.

형제, 주술사의 지팡이를 잘 간수하게. 그것의 위대한 마법으로 그 어떤 마법사와 악마와 사악한 무리들도 제압할 수 있네. 이제 내 진짜 육신이 잠들어 있는 해안 마을로 돌아가야겠어. 자네는 어쩔 셈인가?"

케인은 말없이 동쪽을 가리켰다.

"저를 부르는 소리가 여전합니다. 가야지요"

은룡가가 고개를 끄덕이고 손을 내밀었다. 케인은 그 손을 마주잡았다. 주술사의 얼굴에서 신비한 표정이 사라졌고 두 눈은 기분 좋은 파충류처럼 교묘히 빛났다.

"형제, 이제 가야겠네." 주술사는 더없이 뿌듯해하면서, 평소에 애용하는 혼합 방언으로 말했다. "몸조심하게. 정글에는 아직도 자네의 뼈를 뽑아낼만한 위험이 도사리고 있네! 형제, 그 주술사의 지팡이를 명심하게. 아이 야, 수다도 다 떨었으렷다!"

은룡가는 모래 바닥에 등을 대고 누웠다. 케인은 크란의 얼굴에서 은룡가의 교묘한 표정이 서서히 사라지는 것을 지켜보았다. 크란의 몸이 다시 꿈틀했다. 저 멀리 노예 해안의 쥬쥬 오두막에서 늙고 시든 은룡가의 육신이 깊은 잠에서 깨어나듯 들썩이고 있었다. 케인은 몸을 떨었다.

일어나 앉은 크란이 하품을 하고 기지개를 펴더니 미소를 지었다. 곁에 있던 준나도 일어나서 눈을 비볐다.

"주인님." 크란이 미안한 기색으로 말했다. "잠깐 졸았나봅니다."

내부의 발소리

솔로몬 케인은 자신의 발치에 놓여 있는 원주민 여자의 시체를 침울하게 바라보았다. 아무리 봐도 앳된 소녀였건만 늘어진 팔다리와 흡뜬 눈은 죽어 안식을 얻기 전까지 얼마나 큰 고통을 당했는지를 보여주고 있었다. 소녀의 팔다리에 사슬 자국이 나 있었고, 등은 열십자로 깊숙이 그을리고 목에는 옭아맸던 자국이 남아 있었다. 이상할 정도로 더욱 차가워진 케인의 눈빛은 깊은 빙하를 가로지르는 구름처럼 냉기어린 빛을 발산했다.

"놈들이 이런 오지까지 들어오다니." 그가 중얼거렸다. "미처 생각지 못한 일인데--"

그가 고개를 들어 동쪽을 바라보았다. 파란 하늘을 배경으로 검은 점들이 빙빙 휘돌고 있었다.

"저 솔개들이 놈들의 자취를 말해주는군." 키 큰 영국인이 혼잣 말했다. "놈들 앞에서 파괴가 일고 죽음이 뒤따르니까. 죄악의 무 리들아, 곧 너희들에게 신의 천벌이 내릴 것이다. 증오에 찬 사냥 개가 목에 걸린 쇠줄을 끊고, 복수의 활시위는 팽팽히 당겨졌으 니. 너희들이 배짱과 힘을 앞세우고, 사람들이 너희 발밑에서 울 부짖지만 곧 한밤의 어둠과 새벽의 적열 속에서 천벌이 내릴 것 이다." 그는 묵직한 권총이 꽂혀 있는 허리띠를 고쳐 매고 엉덩이 춤의 길고 날카로운 레이피어를 만져보았다. 그러고는 신중하면 서도 날렵하게 동쪽으로 움직이기 시작했다. 그의 움푹 들어간 두 눈은 천길 얼음 밑에서 솟는 파란 화산 불처럼 싸늘한 분노로 타 올랐고, 한 손은 고양이 모양의 지팡이 자루를 움켜쥐고 있었다.

꾸준한 보폭으로 몇 시간을 걸었을까, 정글의 험한 길을 힘겹 게 헤쳐 가는 노예 행렬의 소리가 들려오기 시작했다. 가여운 노 예들의 울부짖음 그리고 기관사들의 고함과 욕설에 이어 채찍 소 리까지 케인의 귓가에 또렷하게 들려왔다. 정글을 관통하는 노예 행렬과 나란히 한 시간을 더 걷는 동안 케인은 그들을 마음 놓고 관찰했다. 케인은 다리엔에서 인디언과 싸운 적이 있었는데, 그때 그 정글에 대해 많은 걸 알아두었다.

젊은 남녀로 구성된 백 명 이상의 원주민들이 철로를 따라 비 틀비틀 움직였다. 모두 실오라기 하나 걸치지 않은 벌거숭이였고 나무 멍에와 같은 잔인한 도구에 의해 한데 단단히 묶여 있었다. 투박하고 무거운 멍에는 그들의 목에 씌워져 두 사람씩 연결되었고, 이런 멍에들이 하나둘 서로를 차꼬처럼 속박하여 하나의 긴 체인 역할을 하고 있었다. 노예 몰이꾼은 열다섯 명의 아랍인과 칠십 여명 가량의 흑인 전사들, 특히 전사들은 무기와 기괴한 몸치장으로 봐서 아랍인들에게 정복당하여 이슬람교로 개정하고 동맹을 맺은 동부의 한 부족으로 보였다.

다섯 명의 아랍인이 삼십 명의 흑인전사들과 함께 행렬의 선두에 섰고, 또 다른 다섯 명의 아랍인이 나머지 흑인 전사들을 이끌고 후방을 감시하며 뒤따랐다. 그리고 나머지 아랍인들은 비틀거리는 노예 곁에서 고함과 욕설을 퍼부으며 무자비하게 채찍을 휘둘렀다. 채찍이 허공을 가를 때마다 피가 튀었다. 노예 무리는 거칠고 우둔해 보였다. 케인은 그들 중에서 절반 이상은 해안까지의 고된 길을 미처 다 가기 전에 죽을 것이라고 생각했다.

케인은 침략자들에 대해 의구심이 들었다. 그들이 보통 다니는 지역에서 남쪽으로 상당히 멀리 떨어진 곳이었기 때문이다. 그러나 탐욕이 인간을 멀리까지 내모는 법이다. 케인은 그런 무리들과 상대해본 경험이 있었다. 그가 지켜보고 있는 동안에도 등에 입은 오래 전의 흉터가 욱신거렸다. 그것은 터키 갤리선에서 무슬림의 채찍을 맞아 생긴 흉터였다.

청교도는 유령처럼 적들을 미행했고, 정글을 은밀히 헤쳐 나가면서 머릿속으로는 부지런히 계획을 궁리했다. 저 많은 적들을 과연 물리칠 수 있을까? 아랍인 전부와 흑인 전사의 상당수가 총—길고 투박한 화승총—으로 무장하고 있었지만 그런 구식 총으로도 그들에게 대항하는 원주민 부족들을 혼비백산하게 만들고도 남았다. 그중에서 몇 명은 넓은 허리띠에 은을 양각한—무어인과 터키인이 만든 좀 더 성능이 좋고 기다란—수발총을 꽂고 있었다.

음울한 유령과도 같은 케인의 미행이 계속되는 동안, 분노와 증오심이 자벌레처럼 그의 영혼을 갉아댔다. 채찍질 소리가 들릴 때마다 그 자신의 어깨에 통증이 느껴졌다. 열대의 폭염이 묘한 술수를 부리고는 한다. 평범한 흥분마저 끔찍한 것으로 변한다. 마음의 동요는 광포한 전사의 분노로 치닫는다. 분노는 돌연한 광기로 화하는데, 사람들은 흥분의 핏빛 안개 속에서 살인을 저지르고 나중에 소스라치게 놀라고 만다. 솔로몬 케인의 분노는 언제 어디서든 한 사람의 근원을 송두리째 뒤흔들어 놓기에 충분했다. 그런 분노가 지금 감당할 수 없을 정도로 부풀어 올라 케인은 오한에 걸린 것처럼 온몸을 떨었다. 쇠 발톱이 그의 머리를 할퀴었고, 노예와 몰이꾼들은 핏빛 안개에 휩싸인 그의 시야를 어른거렸다. 그러나 그가 증오심에서 잉태된 광기를 행동으로 옮기는 경우는 아주 불운한 상황이 아니라면 드물었다.

노예 중에서 가냘픈 소녀 한 명이 갑자기 비틀거리다가 고꾸라지는 바람에 같은 멍에를 메고 있던 다른 소녀까지 함께 쓰러졌다. 매부리코의 키 큰 아랍인이 무섭게 고함을 지르며 채찍을 마구 휘둘렀다. 소녀의 동료는 가까스로 몸을 일으켰지만, 소녀는 채찍질에 납작 엎드려 몸부림을 칠뿐 일어설 기력이 없어 보였다. 소녀의 메마른 입에서 가련한 흐느낌이 흘러나왔고, 다른 몰이꾼들이 다가와 고통에 몸부림치는 소녀에게 무차별적으로 채찍을 휘둘렀다.

삼십분의 휴식과 물 한 모금이면 소녀의 기력이 돌아오련만 아랍인들은 그럴 여유마저 없는 모양이었다. 솔로몬 케인은 평정심을 잃지 않으려고 자기의 팔을 꽉 깨물었다. 채찍질이 멈춰지기를 빌었고, 전광석화처럼 단도를 던져 소녀의 고통을 끝내주고픈 충동을 억눌렀다. 그런데 아랍인들은 재미있는 놀이라도 하는 분위기였다. 소녀를 시장에 팔아봐야 이득이 없을 것이기에 희롱이나 하면서 즐기자는 심보였다. 그런 그들의 익살은 사람의 피를 싸늘하게 얼어붙게 만들고도 남았다.

맨 처음에 채찍질을 했던 아랍인이 뭐라고 소리를 지르자, 나머지가 한데 몰려들더니 자못 궁금한 표정으로 수염이 텁수룩한 얼굴을 히죽이고 있었다. 야만적인 흑인 전사들도 가까이 다가와 눈빛을 반짝였다. 가여운 노예들은 무슨 일이 벌어질지를 짐작하고 처량히 울부짖었다.

혐오감에 불타던 케인도 소녀가 편히 죽지 못할 것임을 깨달았다. 키 큰 아랍인이 짐승의 가죽을 벗길 때 쓰는 날카로운 단도를 들고 소녀에게 다가가자, 케인은 그 무슬림의 의도가 무엇인지 간파했다. 케인은 금방이라도 미쳐버릴 것만 같았다. 그 자신의 목숨 따위는 안중에 없었다. 그 어린 이교도 아니 작은 짐승을 위해서라면 무작정 목숨을 걸 태세였다. 그러면서도 노예 무리를 구하겠다는 앞서의 희망은 버리지 않았다. 그러나 그는 경솔한 행동을 하고 말았다. 케인이 자신의 행동을 미처 깨닫기도 전에 그의 권총이 불을 뿜었고, 키 큰 무슬림 도살자는 머리에서 피를 흘리며 쓰러졌다.

일순 얼어붙은 아랍인들과 마찬가지로 케인 자신도 깜짝 놀랐다. 곧 아랍인의 고함이 터져 나왔다. 몇 명은 투박한 화승총을 치켜들고 나무 사이로 묵직한 탄알을 쏘아댔다. 나머지는 매복에 걸려들었다고 확신하고 정글 속으로 돌진하기 시작했다. 그들의 갑작스러운 움직임 때문에 케인은 큰 위험에 빠지고 말았다. 그들이 조금만 더 멈칫했더라도 케인은 무사히 몸을 피할 수 있었겠지만 현실은 그렇지 않았다. 목숨을 걸고 그들과 정면승부를 해야 하는 선택의 여지가 없는 상황이었다.

함성을 지르며 덤벼드는 적들과 마주하니 정신이 쏙 빠질 지경이었다. 키가 크고 음울하게 생긴 영국인이 나무 뒤에서 나타나자, 그들은 깜짝 놀라서 멈춰 섰다. 그들 중에 한 명이 케인의 총에 맞아 순식간에 쓰러졌다. 곧바로 그들은 혼자뿐인 도전자를 향해 맹렬히 고함을 지르며 덤벼들었다.

솔로몬 케인은 커다란 나무를 등지고 기다란 레이피어를 불의 바퀴처럼 빙빙 돌렸다. 한 명의 아랍인과 세 명의 흑인 전사가 한꺼번에 둔탁한 곡선의 칼을 휘두르며 케인에게 맞섰다. 주위를 에워싼 나머지 적들은 자기편을 피해 칼이나 총을 사용하려고 애쓰며 늑대 떼처럼 으르렁거렸다.

레이피어와 언월도가 서로 불똥을 튀겼고, 아랍인 한 명이 쓰러졌다. 다른 공격자가 칼을 버리고 육박전을 벌이려고 접근하다가 케인의 왼손이 휘두른 단검에 맞았다. 다른 적들은 겁에 질려 뒤로 물러섰다. 묵직한 총알이 케인의 머리를 빗나가 나무에 박혔다. 케인은 적의 한복판에서 장렬히 죽겠노라 결심했다. 그때 추장으로 보이는 사내가 부하들을 향해 긴 채찍을 휘둘렀다. 케인을 산채로 붙잡으라는 추장의 서슬 퍼런 고함 소리가 들려왔다. 케인이 재빨리 단검을 던지는 것으로 그 명령에 화답했다. 단검은 추장의 머리를 아슬아슬하게 스치면서 그의 터번을 자르고는 뒤쪽에 있던 아랍인의 어깨 깊숙이 박혔다.

추장은 은으로 양각한 권총을 빼들더니 적을 생포하지 못하면 모두 죽이겠다고 부하들을 위협했다. 적들이 다시 필사적으로 공격하기 시작했다. 흑인 전사 한 명이 케인의 칼에 정통으로 맞는 순간, 그 뒤에 있던 아랍인이 비열하게도 부상에 신음하는 흑인을 앞으로 떠밀어버렸다. 그 때문에 흑인 전사가 케인의 칼에 깊숙이 찔려서 온몸을 비틀어댔다. 케인이 흑인 전사의 몸에서 칼을 미처 빼기도 전에 적들이 요란한 함성과 함께 우르르 덮치더니 수적인 우세로 케인을 짓눌렀다. 적들의 손에 꼼짝없이 붙잡힌 케인은 조금 전에 던져버린 단검을 떠올렸지만 소용없는 일이었다. 그러나 그를 생포하는 일은 결코 녹록치 않았다.

케인의 강철 같은 주먹에 여기저기서 이가 부러지고 뼈가 박살이 났다. 적들의 피가 튀었고 광대뼈가 내려앉았다. 그러나 케인의 맹렬한 저항은 사타구니에 강한 일격을 받고서 한풀 꺾였다. 그가 주먹과 발을 움직이지 못할 때까지 적들이 그의 몸을 짓누르고 있었다. 그의 길고 가는 손가락은 목 주변에 뒤엉킨 아랍인들의 수염을 움켜쥐고 있었다. 장정 몇 사람이 힘을 합쳐도 벗어나기 힘든 상황이었고, 케인은 파랗게 질린 얼굴로 숨을 헐떡일 수 밖에 없었다.

마침내 케인이 격렬한 저항 끝에 기진맥진하자, 적들은 그의 손발을 묶기 시작했다. 그때 비단 허리띠에 총을 도로 꽂은 추장이 성큼성큼 다가와 포로를 내려다보았다. 케인은 키 크고 호리호리한 추장을 밑에서 노려보았다. 추장은 매를 닮은 얼굴에 검은 수염을 길렀고 갈색 눈은 오만하기 짝이 없었다.

"나는 하심 벤 사이드 추장이다." 아랍인이 말했다. "너는 누구냐?"

"솔로몬 케인이다." 청교도가 추장의 나랏말로 소리쳤다. "나는 영국인이고, 너는 이교도의 앞잡이 놈이다."

아랍인의 눈빛이 호기심으로 빛났다.

"술리만 카하니." 추장이 케인의 이름을 아랍식으로 되뇌었다. "너에 관한 소문을 들었다. 얼마 전에 터키인과 싸웠다고 그리고 바바리의 해적들이 너한테 당한 상처를 핥고 있다더군."

케인은 대꾸하지 않았다. 하심이 어깨를 으쓱했다.

"너는 몸값이 많이 나가겠어." 그가 말했다. "스탐불로 데려가면 좋겠는 걸. 거기에 너처럼 강한 노예를 원하는 샤스가 있거든. 아니면 케말 베이도 괜찮겠지. 거기 선원 중에서 너 때문에 얼굴에 깊은 흉터가 남은 사람이 있는데 네 이름만 나오면 저주를 퍼붓는다지 아마. 그 사람이라면 네 놈을 넘기는 대가로 큰돈을 낼 거야. 잘 들어라, 네게는 특별대우를 해주겠다. 멍에를 씌우지 않고, 손만 빼고는 자유롭게 풀어주마."

케인은 아무 말이 없었다. 추장의 신호에 따라 일으켜 세워진 케인은 등 뒤로 단단히 묶인 두 손을 제외하고 다른 곳의 결박은 느슨해졌다. 목을 옥죄던 튼튼한 밧줄도 헐거워졌고 그 끝은 커다란 언월도를 든 거구의 전사가 붙잡았다.

"자, 내가 베푼 호의를 어떻게 생각하나?" 추장이 물었다.

"생각 중이다." 케인이 굵고 위협적인 목소리로 천천히 말했다.

"영혼을 팔아서라도 맨몸으로 너를 상대하여 이 맨손으로 너의 심장을 파내겠다고."

그 목소리의 굵은 울림에서 극한 증오심이 전해졌고, 서슬 퍼런 눈에서는 억누를 길 없는 깊디깊은 분노가 이글거렸다. 냉혹하고 대담한 추장마저 미친 짐승을 피하듯 자기도 모르게 움찔했다.

곧 냉정을 되찾은 하심이 부하들에게 간단명료한 명령을 내리고 행렬 앞으로 성큼성큼 걸어갔다. 케인은 자신이 생포되는 동안 쓰러진 소녀가 쉬면서 기력을 되찾았으니 그나마 다행이라고 생각했다. 소녀는 가죽 벗기는 칼에 해코지를 당할 위기에서 벗어나서 위태롭게나마 행렬을 쫓아갈 수 있었다. 밤이 멀지 않았다. 머잖아 몰이꾼들이 행렬을 멈추고 야영을 해야할 터였다.

영국인이 하는 수 없이 행렬을 따라가는 내내, 전담 보초는 몇 걸음 뒤에서 여차하면 무지막지한 언월도를 내리칠 태세였다. 보초 뒤로 또 다른 세 명의 전사가 바짝 따라붙어서 만일에 대비해 총과 화승을 겨누고 있는 모습에 케인은 씁쓸하고 공허해졌다. 그들은 이미 케인의 용맹함을 경험했기에 한치의 긴장도 늦추지 않았다. 그의 무기들은 전부 수거되어 고양이 모양의 머리장식이 있는 쥬쥬 족의 지팡이를 제외하고 하심이 전부 가졌다. 그가 코웃음을 치며 내던진 지팡이는 어느 야만인 전사의 손에 들어갔다.

마른 체구에 잿빛 수염을 기른 아랍인 한 명이 케인과 나란히 걷기 시작했다. 그 아랍인은 말을 걸고 싶은 모양인데 이상할 정도로 주저하는 눈치였고, 그 이유가 쥬쥬의 지팡이 때문인 것 같았다. 흑인 전사가 주운 지팡이를 그 아랍인이 가져온 것인데, 지금은 불안하게 양손에 바꿔 쥐고 있었다.

"내 이름은 유세프 하지." 아랍인이 불쑥 말했다. "당신에게 유감은 없소. 난 당신을 공격할 때도 가담하지 않았소. 괜찮다면 당신의 친구가 되고 싶소. 궁금한 게 있는데, 이 지팡이를 어디서 어떻게 구했소?"

케인은 처음에 그를 지옥에 던져버리고 싶은 심정이었지만, 어딘지 노인의 진실한 태도에 마음이 동해서 이렇게 대답했다. "의형제를 맺은 사람에게 받은 겁니다. 은롱가라는, 노예 해안의 마법사한테요."

늙은 아랍인이 고개를 끄덕이더니 뭐라고 중얼거렸다. 그러고는 전사 한명을 시켜 선두에 있는 하심을 불러오게 했다. 키 큰 추장이 곧 느릿느릿 움직이는 행렬을 거슬러 여러 종류의 칼을 쩽그랑거리며 다가왔다. 케인의 단검과 권총도 추장의 넓은 허리띠에 꽂혀 있었다.

"하심, 이걸 보게." 늙은 아랍인이 지팡이를 내밀었다. "아무것도 모르고 이걸 내던졌잖나!"

"그게 대체 뭔데요?" 추장이 심드렁하게 말했다. "아무리 봐도 시시한 지팡이잖소. 끝이 뾰족하고 자루는 고양이 모양으로 만든, 이상한 이교도의 장식이 있는 지팡이."

늙은 아랍인이 정색을 하면서 고개를 저었다. "이 지팡이는 이 세상보다 더 오래된 걸세! 강력한 마법의 지팡이! 쇠테를 두른 고서에서 읽은 적이 있네. 모하메드─신의 평화를!─ 자신이 우의와 비유로써 말씀하셨지. 이 고양이의 머리를 보게. 이건 고대 이집트 여신의 머리일세! 모하메드의 가르침과 예루살렘이 있기 전인 아주 오래 전에 절과 영창을 하는 숭배자들 앞에서 바스트의 사제들이 이 지팡이를 들고 있었네. 무사가 이 지팡이로 파라오 이전에 기적을 행했고, 야후디가 이집트에서 탈출할 때 이 지팡이를 가져갔지. 그 후로 수백 년 동안 이스라엘과 팔레스타인의 왕권을 상징한 것이 이 지팡이였네. 술래이만 벤 다우드는 이 지팡이로 요술쟁이와 마법사들을 내쫓고 이프리트와 사악한 지니를 가두었지. 보게! 우리가 이 술래이만의 손에서 고대의 지팡이를 다시 찾아낸 걸세!"

유세프 노인이 거의 광신자처럼 지팡이를 치켜들었지만, 하심은 어깨를 으쓱할 뿐이었다.

"아무리 그래도 그 지팡이가 유대인을 구할 수 없을뿐더러 이 술래이만을 우리 손에서 풀어주지도 못해요." 그가 말했다. "내가 보기에 그 지팡이는 우리의 가장 뛰어난 전사 세 명을 죽인 저자의 가늘고 긴 이 칼만도 못해요"

유세프가 고개를 저었다. "하심, 그렇게 조롱하다가는 불행한 최후를 맞을지 모르네. 언젠가는 자네의 칼로 자르지 못하고 총으로도 쓰러뜨리지 못하는 강적을 만날 걸세. 내가 지팡이를 보관하겠네. 경고하는데, 저 사람을 함부로 대하지 말게. 술래이만과 무사와 파라오의 성스럽고도 무서운 지팡이를 지녔던 사람일세. 저 사람이 지팡이에서 어떤 마법을 끌어낼지 누가 알겠나? 이 지팡이는 태초 이전부터 존재했던 것이고, 바다 밑 침묵의 도시에서 아담 이전의 기이한 사제들이 만졌던 무시무시한 손길이 담겨 있네. 뿐만 아니라 인류의 상상을 초월하는 태고의 신비와 마법을 간직하고 있네. 태초에 기이한 왕들과 그보다 더 기이한 사제들이 있었고, 사악한 존재도 있었지. 태초의 그들은 이 지팡이로 악의 무리와 싸웠지. 그것이 얼마나 오래 전의 일인지, 인간은 생각만 해도 전율하고 말 걸세."

조급해진 하심이 성큼성큼 걸어가자 유세프 노인이 집요하게 그 뒤를 따르며 나무라듯 말을 이었다. 케인은 억센 어깨를 으쓱했다. 기묘한 지팡이의 기묘한 힘을 알고 있기에 그는 터무니없는 소리로 들리는 노인의 주장을 의심치 않았다.

케인도 많은 것을 알고 있었다. 즉, 그 지팡이는 지구상에 없는 나무로 만들어졌다. 지팡이를 보고 만지는 것만으로도 그 재질이 다른 세계의 것임을 알 수 있었다. 머리 장식을 만든 피라미드 이전의 절묘한 장신의 손길. 로마 초기에 잊혀져 버린 상징과 상형문자. 이것이 스톤헨지의 비석에 새겨진 영어처럼 지팡이의 고대성에 첨가된 현대성임을 케인은 느끼고 있었다.

고양이의 머리, 케인은 그것을 볼 때면 종종 독특한 변형의 느낌을 받곤 했다. 지팡이의 손잡이가 한때는 다른 모양이었다는 막연한 느낌. 그리고 바스트의 머리를 조각하던 고대 이집트인이 지팡이의 원래 손잡이를 바꾸었을 뿐이라는 예감. 원래의 장식이 무엇이었는지에 대해서는 케인도 생각해 본 일이 없었다. 지팡이와 가까이 있으면 늘 불안감이 엄습했다. 그리고 더 이상의 추측을 불허하는 영겁의 심연, 그것을을 암시하는 현기증마저 일었다.

하루가 저물어갔다. 해는 무정하게 지평선을 향해 떨어지면서 거목들 사이에 모습을 감추었다. 노예들은 갈증으로 인해 매우 고통스러워했고, 무턱대고 비틀거리는 발을 끌면서 끝없이 신음을 토해냈다. 쓰러지거나 반쯤 기다시피 하는 노예들도 있었고, 멍에를 같이 쓴 동료에 의해 끌려가다시피 하는 노예들도 적지 않았다. 모두가 기진맥진해졌을 때, 해가 슬그머니 지더니 어둠이 빠르게 내려앉았다. 정지 명령이 떨어졌다. 야영지를 정하고, 노예들의 멍에도 느슨해졌다. 그들에게 소량의 음식과 생명을 부지할 만큼의 물만 주어졌다. 족쇄는 풀어주지 않았지만, 재량껏 눕는 것은 허락되었다. 극심한 갈증과 허기를 간신히 달래자, 노예들은 특유의 인내심으로 족쇄의 불편함을 견디어냈다.

케인은 두 손을 묶인 채 음식을 받아먹었고 물은 원하는 대로 마실 수 있었다. 그가 물을 마시는데 노예들이 인내의 시선으로 물끄러미 바라보았다. 다른 이가 고통스럽게 참고 있는 것을 꿀꺽 꿀꺽 마시고 있다니, 케인은 부끄러운 마음에 갈증을 마저 채우지 못했다. 야영지로 선택된 너른 빈터는 사방으로 거대한 나무들이 솟아 있었다. 아랍인들이 요기를 마치고 흑인 무슬림들은 아직 음식을 만드는 동안, 유세프 노인이 케인을 찾아와 또 다시 지팡이에 관한 이야기를 하기 시작했다. 케인은 노인의 질문에 순순히 대답했는데, 그가 유세프 하지의 부족 전체에 대해 품고 있는 증오심을 고려해 볼 때 대단한 인내심을 발휘한 셈이었다. 이야기를 나누는 동안, 하심이 큰 걸음으로 다가와 경멸의 눈길로 내려다보았다. 케인은 하심이라는 인물에 대해 생각했다. 하심은 호전적인 --용감하고 무모하며 세속적이고 용서도 두려움도 모르는--아랍인의 전형적인 인물이었다. 가장 강성한 서구의 왕이 그러하듯 그도 타인의 권리를 무시하는 경향을 타고났다.

"또 그놈의 지팡이 얘기를 횡설수설하는 거요?" 하심이 비아냥거렸다. "하지, 당신은 나이 값도 못하고 점점 더 아이처럼 구는구려."

유세프의 수염이 분노로 떨리었다. 그는 악의를 드러내듯 추장을 향해 지팡이를 흔들었다.

"추장이라는 지위에 있으면서 그런 조롱이나 일삼다니 어울리지 않네." 그가 발끈했다. "우리는 지금 암흑과 악마에게 유린당했던 땅 한복판에 와 있네. 그런 악마들이 아라비아에서 사라진 게 오래 전, 그러나 바보가 아닌 한 이 지팡이가 이 세상 어디에도 없는 것임을 알진대 실체가 있든 없든 또 다른 것들도 지금까지 존재하고 있을지 모르는 일 아닌가? 우리가 따라온 바로 그 길, 얼마나 오래 전부터 그래왔는지 자네 알고 있나? 셀주크가 동에서 오기 전, 아니 로마가 서에서 오기 전부터였지. 그 길을 따라 전해오는 전설에 따르면, 위대한 술래이만이 악마들을 아시아의 서쪽으로 내몰아 기이한 감옥에 가둔 것이네. 자네가 말하고 싶은 게ㅡ"

그때 시끄러운 고함 소리가 노인의 말을 막았다. 정글의 어둠 너머에서 전사 한 명이 마치 운명의 사냥개에게 쫓기기라도 하듯 헐레벌떡 달려왔다. 그는 팔을 마구 내저으면서 눈은 흰자위만 보이게 홉뜨고 입은 반짝이는 치아가 전부 드러날 정도로 쩍 벌린 상태여서 보는 이로 하여금 쉬이 잊을 수 없는 극한 공포를 떠올리게 만들었다. 무슬림 무리가 벌떡 일어나 무기를 집어 들자, 하심이 단언했다.

"저건 알리다. 내가 혹시 사자와 같은 고깃감이 있는지 살펴보라고 정찰을 보냈는데ㅡ"

하심의 발치에 쓰러진 전사가 행여 사자에게 쫓겨온 건 아닐까 했으나, 사자는 그림자도 보이지 않았다. 전사는 정신없이 떠들어대면서 검은 정글 너머를 마구 손가락질 했다. 깜짝 놀란 구경꾼들은 그곳에서 금방이라도 무시무시한 괴물이 튀어나올 것 같은 표정을 지었다.

"이 자의 말에 따르면, 정글 저쪽에서 이상하게 생긴 커다란 묘를 발견했다는군." 하심이 잔뜩 인상을 찌푸리고 말했다. "하지만 무엇 때문에 겁에 질렸는지는 설명을 못하고 있어. 그저 엄청난 괴물에 놀라 도망쳤나는 거야. 알리, 이 못난 머저리 녀석."

하심은 엎드려있는 전사를 모질게 발로 찼다. 그러나 다른 아랍인들은 반신반의하면서 전사 주변으로 모여들었다. 한편 원주민 흑인 전사들은 패닉 상태에 빠져 있었다.

"저 놈들은 우리가 있어도 도망칠 게 뻔해." 수염을 기른 아랍인 한 명이 원주민 전사들을 언짢게 쳐다보면서 중얼거렸다. 한데 모여 있던 원주민 전사들은 흥분한 목소리로 떠들어댔고, 겁에 질린 시선으로 어깨 너머를 힐끔거렸다. "추장, 좀 더 이동하는 것이 좋겠습니다. 어쨌거나 여긴 불길합니다. 저 멍청한 알리가 자기의 그림자에 놀랐을 수도 있습니다. 하지만--"

"하지만." 추장이 조롱조로 말했다. "찜찜한 이곳을 떠나야 마음이 놓이겠다 이거군. 좋아. 자네의 두려움을 덜어주기 위해 야영지를 옮기도록 하지. 하지만 우선은 정확한 사정을 알아야겠어. 노예들을 몰고 저기 무덤을 지나가 보자고. 꽤 세력을 떨쳤던 왕의 묘인가 보군. 총으로 무장하고 갈 테니까 아무도 무서워할 이유가 없다."

그렇게 하여 지친 노예들은 채찍을 맞으며 다시 고단한 걸음을 떼어야 했다. 원주민 전사들은 묵묵히 그러나 초조하면서도 마뜩찮게 하심의 단호한 명령에 따르긴 했지만 이동하는 과정에서 아랍인들 주위에 바짝 모여 있었다. 이미 솟은 달은 크고 붉고 음울했다. 정글은 불길한 은빛에 물들었고, 음침한 나무들은 검은 그림자 속에 새겨진 동판 같았다. 야만인 추장과 함께 있다는 것에 꽤 안심이 된 알리가 몸을 떨면서 길을 가리켰다. 그들은 정글을 헤치고 마침내 커다란 나무에 둘러싸인, 이상한 빈터에 다다랐다. 이상하다고 한 것은 빈터에만 아무 것도 자라있지 않아서였다. 나무들은 불안한 형태로 빈터 주위를 에워쌌고, 땅에는 이끼류마저 없었는데 언뜻 정체모를 재해를 입어 황폐화된 것으로 보였다. 그 빈터의 한복판에 커다란 묘가 자리잡고 있었다.

그 음침하고 거대한 돌덩어리는 오랜 악을 품고 있었다. 묘에 망자가 묻힌 지 수백 년은 지난 것 같았다. 그러나 케인은 눈에 보이지 않는 거대한 괴물의 잔인한 숨결처럼 묘 주변에서 공기가 맥동하는 것을 알아챘다.

원주민 전사들이 그곳의 사악한 분위기에 쫓겨 중얼중얼 뒤로 물러났다. 노예들은 참을성 있게 나무 아래서 잠자코 서 있었다. 아랍인들이 그 위협적인 검은 돌덩어리를 향해 나아갔고, 보초병에게서 케인의 밧줄을 넘겨받은 유세프는 미지의 위험에 대비하듯 케인을 맹견처럼 끌고 갔다.

"틀림없이 위대한 술탄이 여기 잠들어 있다." 하심이 권총집으로 돌을 두드리면서 말했다.

"이 돌들은 어디서 난걸까?" 유세프가 불편한 기색으로 중얼거렸다. "음침하고 꺼림칙한 걸. 위대한 술탄이 무슨 이유로 사람이 사는 지역에서 이리도 먼 곳에 묻힌 걸까? 이 주변에 폐허가 된 옛 도시가 있다면야 얘기가 달라지겠지만—"

그는 육중한 금속 문을 살피기 위해 허리를 굽혔는데, 문에 달린 대형 자물쇠는 특이한 합금으로 만들어져 봉인이 되어 있었다. 그리고 문에 새겨진 고대 헤브라이 문자를 들여다보면서 불길한 듯 고개를 저었다.

"문자를 읽을 수가 없는 걸." 그의 목소리가 떨렸다. "어쩌면 읽을 수 없다는 게 나한테는 다행인지 모르지. 고대 왕들이 은폐해 놓은 것을 파헤쳐봐야 좋을 것 없지. 하심, 묘를 그냥 놔두고 가세. 이곳엔 사람이 접해서는 안 되는 사악함이 스며있네."

그러나 하심은 유세프의 말을 무시했다. "여기 묻혀 있는 자는 이슬람의 후손이 아니오." 그가 말했다. "틀림없이 죽은 자와 함께 금은보화가 묻혀 있을 텐데 우리가 그걸 마다할 이유가 뭐요? 이 문을 열어봅시다."

의심스럽게 고개를 젓는 아랍인들이 적지 않았지만 하심의 말은 법이었다. 묵직한 망치를 들고 불려온 거구의 전사에게 문을 부수라는 명령이 떨어졌다.

전사가 커다란 쇠망치를 치켜드는 순간, 케인이 단발마의 고함을 질렀다. 미치기라도 한 걸까? 그 음침한 묘는 아주 오랜 세월 동안 사람의 손길이 닿지 않은 채 보존되어 온 것이 분명했다. 그런데 케인은 무덤 안에서 발소리를 들었다고 확신했다. 그 오싹한 감옥의 비좁은 공간을 끝없이 되풀이되는 단조로운 동작으로 이리저리 천천히 거니는 것처럼.

솔로몬 케인은 등골이 오싹해짐을 느꼈다. 그것이 귓가에 들려오는 진짜 소리인지 아니면 그의 영혼 혹은 잠재의식에서 들려오는 환청인지 확신이 서지 않았다. 그러나 그의 의식 어딘가에는 그 소름끼치는 무덤 속에서 들려오는 기괴한 발소리가 끝없이 메아리치고 있었다.

"안 돼!" 그가 소리쳤다. "하심, 날 미쳤다고 해도 좋다. 하지만 난 저 돌무더기 안에서 나는 악마의 발소리를 들었다."

하심이 손을 들어 전사의 망치질을 멈추게 했다. 그러고는 귀를 기울였고, 다른 사람들도 갑자기 긴장된 침묵 속에서 귀를 쫑긋 세웠다.

"아무 소리도 들리지 않는 걸." 하심이 심드렁하게 말했다.

"아무 소리도 안 들려." 또 누군가가 맞장구를 쳤다. "저자가 미쳤어!"

"유세프, 당신은 무슨 소리가 들리오?" 하심이 냉소적으로 물었다.

유세프 하지는 초조히 몸을 움직였다. 안색이 불편해 보였다.

"아니. 안 들리네, 하심. 하지만—"

케인은 자기 자신이 미쳤다고 생각했다. 그러나 스스로 생각하기에도 자신이 제정신이었던 적이 없었고, 아랍인들과는 달리 유독 그런 불가사의한 일에 민감해진 것은 지금 유세프 노인의 떨리는 손에 들린 쥬쥬 지팡이와 길고 깊은 관련이 있다는 건 알고 있었다.

하심이 껄껄 웃고는 전사에게 신호를 보냈다. 망치가 요란한 소리를 내며 떨어졌고 그 메아리는 기묘한 웃음처럼 검은 정글을 쩌렁쩌렁 뒤흔들었다. 또 한 번, 두 번, 세 번, 전사의 꿈틀거리는 근육과 거구의 몸에서 온힘을 다한 망치질이 이어졌다. 망치질의 막간, 케인은 또 묵직한 발소리를 들었다. 지금까지 인간의 두려움을 몰랐던 그가 자신의 심장을 움켜쥐는 차가운 손을 느꼈다. 발소리가 인간의 것이 아니듯, 그것은 속세 혹은 인간의 공포가 아니었다. 케인의 공포는 차가운 바람처럼 짐작할 수 없는 외계의 암흑으로부터 그에게 불어왔다. 그리고 그 바람에 실려 온 것은 오래 살아남은 시대와 차마 말로 형용할 수 없는 고대의 악과 부패였다. 케인은 그 발소리를 귀로 듣고 있는 것인지 아니면 희미한 본능으로 느끼고 있는 것인지 자신할 수 없었다. 그러나 발소리가 진짜라는 것만큼은 믿어의심치 않았다. 그것은 인간이나 짐승의 발소리가 아니었다. 어둡고 오싹한 고대의 무덤 속에서 정체불명의 괴물이 영혼을 뒤흔드는 코끼리의 발소리를 내고 있었다.

힘센 전사가 주저앉아서 고된 임무에 숨을 헐떡였다. 그러나 마침내 육중한 망치가 고대의 자물쇠를 박살냈다. 돌쩌귀가 휙 움직이더니 문이 안쪽으로 활짝 열렸다. 그때 유세프가 비명을 질렀다.

그 어두운 출입문에서 호랑이의 이빨을 지닌 짐승이나 악마 혹은 실체적인 육체를 지닌 그 어떤 것이 튀어나오곤 아니었다. 그 대신에 섬뜩한 악취가 눈에 보이는 진짜 파도처럼 영혼을 송두리째 파괴해버릴 기세로 쏟아져 나왔다. 열려진 출입문에서 마치 피가 뿜어지는 것 같았고, 괴물은 바로 그 물결을 타고 있었다. 그것이 하심을 덮쳤다. 용맹한 추장은 거의 눈에 보이는 듯한 괴물을 향해 부질없이 칼을 휘둘렀다. 언월도가 쇳소리를 내면서 괴물을 지나쳐 애꿎은 허공만 가르는 동안, 그는 갑작스럽고 생경한 공포감에 비명을 질렀고 죽음과 파멸의 똬리가 자신을 휘감는 것을 느꼈다.

미친 사람처럼 비명을 지르던 유세프가 쥬쥬 지팡이를 떨어뜨린 채 울부짖는 원주민 전사들에 이어 혼비백산해 도망치는 동료 아랍인을 쫓아갔다. 노예들만 도망치지 않고 족쇄에 묶인 채 그 자리에 서서 두려움에 울부짖었다. 망상의 악몽 속에서 케인은 바람에 휩쓸리는 갈대처럼 이리저리 흔들리는 하심을 보았다. 형태도 없고 지상의 존재도 아닌, 시뻘겋게 고동치는 거대한 괴물이 그를 칭칭 휘감고 있었다. 곧이어 뼈가 으깨지는 소리가 들려왔고, 족장의 몸은 발굽에 짓밟힌 지푸라기처럼 뒤틀려 버렸다. 영국인은 사력을 다해 결박을 풀고 쥬쥬 지팡이를 집어 들었다.

뭉개진 하심의 시체가 사지가 뒤틀린 장난감처럼 널브러져 있었다. 고동치는 붉은 괴물이 두터운 피 구름처럼 케인을 향해 다가왔는데, 계속 형태를 바꾸면서도 엄청난 발을 내딛듯 쿵쿵 소리를 냈다.

케인은 공포의 차가운 손가락이 자신의 머리를 움켜잡는 기분이 들었지만 마음을 추스르고 고대의 지팡이를 들어 올려 괴물의 중심을 있는 힘껏 후려쳤다. 정체모를 무형의 물체가 지팡이 앞에서 쓰러지는 느낌이 들었다. 곧이어 지독한 악취에서 확 풍겼고 그 메스꺼움에 숨이 막힐 지경이었다. 그리고 그의 영혼 어딘가에 펼쳐진 어렴풋한 풍경에서 참을 수 없을 만큼 끔찍하고 형체 없는 뭔가가 끝없이 경련을 일으켰다. 케인은 그것이 죽어가는 괴물의 울부짖음이라는 걸 알았다. 왜냐면 그것이 그의 발치에 쓰러져 죽어가는 동안, 불결한 해변으로 밀려왔다 밀려가는 붉은 파도처럼 그것의 심홍색이 서서히 옅어지고 있었기 때문이다. 그것이 색을 잃어감에 따라 인간 세계와는 다른 모종의 영역으로 사라져가듯 소리 없는 비명도 우주의 거리만큼 아득히 잦아들었다.

눈앞의 광경을 믿을 수 없어 멍해진 케인이 형태도 색깔도 없는, 그저 보이지 않는 덩어리로 그의 발치에 놓여 있는 괴물의 시체를 내려다보았다. 그것은 솔로몬의 지팡이 한 방을 맞고는 자기가 왔던 암흑의 제국으로 다급히 되돌아간 것이었다. 케인은 물론 알고 있었다. 아주 오래 전, 위대한 왕과 마법사의 손에 들려있던 똑같은 지팡이가 괴물을 이상한 감옥에 몰아넣었고, 무지한 인간이 결국은 그것을 세상에 다시 내보냈다는 것을.

그렇다면 솔로몬 왕이 악마들을 서쪽으로 몰아 이상한 감옥에 가두었다는 전설이 사실인 셈이었다. 왕이 악마들을 살려둔 이유는 무엇인가? 당시에는 인간의 마법이 미약하여 악마를 가두는 것 이상은 할 수 없었던 것일까? 케인은 의아해져서 어깨를 으쓱했다. 그는 마법에 대해서는 아는 것이 없었지만, 또 다른 솔로몬이 가두는데 그쳤던 괴물을 죽이는데 성공했다.

솔로몬 케인은 몸서리쳤다. 그가 알고 있는 생명과 다른 생명을 보았고, 그가 알고 있는 죽음과는 다른 죽음을 손수 불러와 목격했기 때문이다. 세상 안에 세상이 있고 존재의 형태가 한 가지 이상이라는 깨달음이 엄습했다. 먼지 자욱한 아틀란티스인의 니게리 전당에서, 소름끼치는 죽음의 언덕에서, 인간이 무수한 존재 중에 하나에 불과했던 아카아나에서도 그랬다. 인간이 지구라 부르는 행성은 무수한 세월 동안 자전을 거듭해왔고, 그것이 돌고 도는 동안 부패 속에서 태어나는 구더기처럼 생명이 나서 지상을 꿈틀거렸다. 지금은 인간이 가장 우세한 구더기였다. 인간과 그

종속물이 최초의 구더기였거나 아니면 미지의 생명체로 득시글거리는 한 행성의 마지막 통치자였다고 가정한다면, 과연 인간이 자부심을 느낄 수 있을까. 그는 고개를 저었고, 은롱가의 선물을 새삼 외경심에 젖어 바라보았다. 그 지팡이는 비단 흑마법의 도구일 뿐 아니라 불멸하는 악의 무리에 대항하는 선과 빛의 보검이었다. 그는 공포에 가까운 생경한 존경심으로 몸을 떨었다. 그리고 발치에 놓여 있는 괴물을 향해 허리를 굽혔다. 두터운 안개처럼 손가락 사이를 미끄러지는 이상한 덩어리가 느껴지자 소름이 돋았다. 그는 덩어리 밑으로 지팡이를 찔러넣고 조금 들어올린 뒤 묘지 속으로 도로 집어넣고는 문을 닫았다.

그러고는 이상하게 훼손된 하심의 시체를 물끄러미 내려다보았다. 시체는 역겨운 점액질로 더럽혀져 있었고, 벌써 부패가 진행되고 있었다. 그가 또 몸서리를 치는데, 갑자기 낮고 소심한 목소리가 그의 골몰함을 깨웠다. 나무 아래 무릎을 꿇고 있던 노예들이 무한한 인고의 눈빛으로 그를 지켜보고 있었다. 그는 깜짝 놀라 이상한 기분을 떨쳐버렸다. 썩어가는 시체에서 자신의 권총과 단도와 레이피어를 빼내 더러운 이물질을 씻기 위해 옮겨놓았다. 무기의 쇠 부분은 이미 녹이 슬고 있었다. 그리고 아랍인들이 정신없이 도망치느라 놓고 간 상당량의 폭약과 총알을 긁어 보았다. 그들은 다시 돌아오지 않을 터였다. 도망치다가 죽거나 끝없는 정글을 헤치고 간신히 해안에 도착하겠지만, 이 음산한 무덤의 공포를 마주하기 위해 감히 돌아오지는 못할 터이다.

케인은 가여운 노예들에게 다가가 힘겹게 그들의 족쇄를 풀어주었다. "전사들이 두고 간 이 무기들을 가져라." 그가 말했다.

"그리고 집으로 돌아가라. 여기는 사악한 곳이다. 너희들의 마을로 돌아가 다음에 또 아랍인이 쳐들어온다면 노예가 되지 말고 맞서 싸우다가 죽어라."

그러자 노예들이 무릎을 꿇고 케인의 발에 입을 맞추었다. 그러나 매우 심란해 있던 케인은 거칠게 그들을 물리쳤다. 그들이 돌아갈 준비를 하는 동안, 누군가 그에게 말했다.

"주인님은 어쩌실 겁니까? 저희와 함께 돌아가시지 않겠습니까? 우리의 왕이 되어 주십시오!"

그러나 케인은 고개를 저었다.

"나는 동쪽으로 가겠다." 그가 말했다. 부족들은 절을 하고 그들의 고향땅을 향해 기나긴 여정에 올랐다. 케인은 한때 파라오와 모세와 솔로몬과 이름 모를 아틀란티스 왕들의 것이었던 지팡이를 어깨에 짊어지고 동쪽을 바라보았다. 그가 거대한 묘를 힐끔 돌아본 것은 딱 한번, 또 다른 솔로몬이 아주 오래 전에 오묘한 기술로 만든 그 무덤은 이제 별무리 아래서 영원한 어둠과 침묵으로 남을 것이다.

한밤의 날개

제 1 장 화형대의 공포

솔로몬 케인은 이상하게 생긴 지팡이에 기대어, 앞에 고즈넉이
펼쳐져 있는 묘한 광경을 난감히 바라보았다. 노예 해안을 떠나
동쪽으로 길을 떠나온 지 몇 달, 그 동안 정글과 강가의 미로에
갇히고 버려진 마을을 지나온 것이 다반사였으나 이런 광경은 처
음이었다.

사람들이 그 마을을 떠난 건 기근 때문은 아니었다. 저기 버려진 경작지에서 줄 풀(습지에서 자라는 볏과의 다년초—옮긴이)이 무성히 자라 있었기 때문이다. 아랍인 노예 사냥꾼이 그런 오지의 마을까지 들어 왔을 리 없으니 마을이 황폐화된 건 부족간의 전쟁 때문이라고 케인은 생각했다. 그는 심각한 눈빛으로 무성한 잡초와 수풀 여기저기 널려있는 사람의 뼈와 두개골을 바라보았다. 뼈들은 산산조각이 나 있었고, 부서진 오두막 사이로 자칼의 무리와 하이에나 한 마리가 은밀히 돌아다니고 있었다. 그러나 공격자들은 왜 전리품을 남겨두고 떠났을까? 창과 화살 따위가 방치되어 흰 개미 떼에 갉히고 있었다. 비와 햇볕에 썩어가는 방패들. 부서진 유골의 목뼈에서 반짝이는 형형색색의 자갈과 조가비, 덩그러니 놓여 있는 식기류에 이르기까지 야만적인 정복자에겐 보기 드문 전리품들이었다.

그런데 오두막의 초가지붕들이 야수의 공격을 받은 것처럼 갈가리 찢기고 파헤쳐져 있는 것이 이상했다. 그때 케인의 냉엄한 눈빛에 화들짝 동요를 일으키는 뭔가가 있었다. 한때 마을의 방벽이었다가 지금은 허물어져가는 흙벽 바로 바깥에 거대한 바오밥 나무 한그루가 솟아 있었다. 잔가지가 없고 높이는 약 18미터, 엄청난 줄기는 두 손으로 안거나 오르기엔 너무 컸다. 그런데 그 우듬지에 해골 하나가 매달려 있었는데, 부러진 팔다리 중 하나를 찔러서 고정해 놓은 것 같았다.

정체불명의 차가운 손길이 솔로몬 케인의 어깨를 스쳐갔다. 어쩌다가 저 불쌍한 유골이 나무에 매달려 있는 것일까? 도대체 어떤 괴물이 잔인한 손으로 유골을 저 나무 위로 집어던진 것일까?

케인은 넓은 어깨를 으쓱하고는 무의식적으로 묵직한 권총의 검은 자루와 긴 레이피어의 칼집 그리고 허리띠의 단도를 만지작거렸다. 케인은 보통 사람에게 당연한 두려움이라고는 없이 정체 불명의 이름 없는 적들과 맞서왔다. 신기한 땅을 방랑하면서 기이한 괴물들과 싸워온 오랜 세월은 그의 두뇌와 영혼과 육신에 강철처럼 단단하고 고래 힘줄처럼 질긴 것만 남겨놓고 나머지는 다 없애버렸다. 키가 크고 마른 체격은 야성적이고 균형이 잡힌 늑대처럼 군더더기가 없었다. 떡 벌어진 어깨와 긴 팔, 냉철한 담력, 용수철과 같은 근육에 이르기까지 그는 타고난 검객이자 킬러였다.

정글의 가시를 헤쳐 온 여정은 녹록치 않았다. 옷은 너덜너덜해졌을 뿐 아니라 깃털 없이 챙이 처진 모자는 찢기고 코도반 가죽으로 만든 부츠는 여기저기 긁히고 해졌다. 가슴과 팔다리는 햇볕에 짙은 구릿빛으로 그을렸지만, 금욕주의자처럼 깡마른 얼굴은 땡볕에도 무덤덤했다. 이상하리만큼 창백한 피부는 차갑고 맑은 눈동자만 아니었다면 영락없는 시체의 느낌을 주었다.

케인은 다시 한 번 예리한 눈길로 마을을 휘돌아보았다. 이내 허리띠를 편안하게 고쳐 매고 은롱가가 준 고양이 머리 장식의 지팡이를 왼손으로 바꿔지고는 다시 길 떠날 채비를 끝냈다.

서쪽으로 빈약한 숲의 일부분이 길고 가늘게 펼쳐지다가 드넓은 대초원으로 이어지면서 허리 높이의 수풀이 바다처럼 출렁이고 있었다. 그 너머로 길고 가는, 또 다른 숲의 일부가 버티고 있다가 갑자기 빽빽한 정글 속으로 이끌었다. 그 정글을 빠져나가기 위해 케인은 쫓기는 늑대처럼 발길을 재촉했었다. 그런데 언제부

턴가 간헐적인 산들바람에 실려 투박한 북소리가 어렴풋이 들려오기 시작했다. 북소리는 정글과 대초원 너머 멀리서 증오와 피에 굶주림, 탐욕에 관한 섬뜩한 이야기를 전하고 있었다.

그렇게 간신히 탈출했던 기억이 케인의 뇌리에 아직 생생했다. 불과 하루 전, 식인종 나라에 들어온 걸 뒤늦게 깨닫고 오후 내내 울창한 정글의 악취 속에서 맹렬한 추적자들에 쫓기어 숨 가쁜 곡예를 펼쳐야 했다. 밤의 어둠을 틈타 대초원을 건너고 나서야 추적자들과의 거리를 벌려놓을 수 있었다.

지금은 아침나절, 추적자들의 모습이나 발소리는 전혀 없었지만 그들이 추격을 포기했다고 믿는 건 금물이었다. 케인이 대초원으로 접어들 때만 해도 추적자들은 바로 뒤에 따라붙어 있었다.

지금 케인은 앞쪽을 살폈다. 동쪽으로는 구불구불한 산맥이 북에서 남으로 이어져 있는데, 대부분은 메마르고 황량했다. 남쪽 하늘을 배경으로 들쭉날쭉한 윤곽으로 솟아있는 산등성이를 보고 있자니, 니게리의 검은 산간지역이 떠올랐다. 바로 앞에서 구불구불한 산맥에 닿기 전까지 나무는 울창하나 정글의 빽빽함과는 다른, 넓은 평원이 펼쳐져 있었다. 케인은 동쪽으로는 구불구불한 산간과 서쪽으로는 대초원에 접해있는 그 드넓은 고원에 깊은 인상을 받았다.

케인은 활기차고 긴 보폭으로 성큼성큼 걷기 시작했다. 틀림없이 뒤쪽 어딘가에서 야만의 악마들이 몰래 따라붙고 있을 터였다. 그는 화를 자초하고 싶지 않았다. 총알 한방이면 그들을 혼비백산하게 만들 수 있겠지만, 다른 한편으로는 지독히도 저급한 그들의 인간성을 생각해볼 때 그 아둔한 머리에 미신적인 공포조차 불러

일으키지 못할 것이었다. 프랜시스 드레이크 경이 데번셔에서 검객의 왕이라고 칭했던 솔로몬 케인조차 부족 전체와 맞붙어서는 이길 가망이 없었다. 죽음과 미스터리에 휩싸인, 적막한 마을이 뒤쪽으로 멀어져갔다. 마코 앵무새 한 마리가 거목 사이에서 소리 없이 날뿐 새소리마저 없는 그 신비한 고지대에 숨 막히는 침묵이 감돌았다. 침묵을 깨는 유일한 소리라고는 케인의 고양이처럼 민첩한 발소리와 미풍에 실려 속삭이는 북소리뿐이었다.

그때였다. 케인은 나무 사이에서 불현 듯 스치는 정체불명의 공포에 가슴이 철렁 내려앉았다. 잠시 후, 그는 공포의 실체 앞에 얼어붙은 채 몸서리쳤다. 넓은 빈터에 섬뜩한 말뚝이 기우뚱 세워져 있었고, 거기에 사람처럼 보이는 형체 하나가 묶여 있었다. 케인은 터키 갤리선에 묶여 노를 저어봤고, 바바리의 포도밭에서 중노동도 해보았다. 신대륙에서 아메리카 인디언들과 싸웠으며 스페인의 종교재판소 지하에서 온갖 고초를 겪었다. 그랬기에 인간의 악마 같은 잔인성을 잘 아는 케인마저도 지금 몸서리를 치면서 메스꺼움을 참아야했다. 그러나 케인의 영혼을 뒤흔들어놓은 것은 차마 눈 뜨고 볼 수 없으리만큼 끔찍한 신체 훼손이 아니라 그 불쌍한 사람이 아직 살아있다는 사실이었다.

그가 가까이 다가가자, 난도질당한 가슴에 축 늘어져 있던 피투성이 머리가 이리저리 움직였다. 움직일 때마다 귓불에서 피가 튀었고, 찢어진 입술에서는 야수와 같은 낑낑거림이 새어나왔다.

케인이 그 끔찍한 형체를 향해 말을 걸었다. 형체는 온몸을 미친 듯이 비틀어대면서 듣기 힘든 비명을 질렀고, 눈알이 빠진 휑한 눈구멍으로 주변을 살피려고 안간힘썼다. 그러다가 힘없이 애달프고 가련한 소리를 내며 자신이 묶여 있는 말뚝에다 몸을 마구 밀치락달치락했고, 하늘에서 무슨 소리라도 들리는 듯 오싹한 자세로 머리를 들고 귀 기울이는 시늉을 했다.

　"이 보시오." 케인이 강가 부족의 방언으로 말했다. "두려워 마시오. 당신한테 해코지 하려는 게 아니오. 하긴 지금보다 더 나빠질 수도 없겠지만 말이오. 내가 당신을 풀어 주리다."

　케인은 그렇게 말하면서도 자신의 말이 부질없다고 생각했다. 그런데 그의 목소리도 앞에 있는 남자의 가슴을 후벼 파는 괴성에 묻히고 말았다. 으깨진 치아 사이로 더듬더듬 흘러나오는 불분명한 말소리는 백치처럼 줄줄 흐르는 침과 뒤섞였다. 남자의 말은 케인이 방랑길에서 우호적인 강가 부족에게서 배운 방언과 비슷했다. 남자의 말로 짐작해보건대 그렇게 말뚝에 묶인 것이 오래 전인 모양이었다. 몇 달 동안이라고, 남자는 임종을 앞둔 착란 상태에서 처량하게 말했다. 그동안 인간과는 다른 사악한 무리가 그에게 몹쓸 짓을 해왔다는 것이다. 그는 그 무리의 이름을 말했지만 케인은 아카아나라는 생경한 말 외에는 도무지 종잡을 수 없었다. 그러나 그를 말뚝에 묶은 것은 그 무리가 아니라고 했다. 그가 고루라는 사제의 이름을 더럽혔기에 사제가 직접 밧줄을 가져와 자기의 발을 꽉 묶었다는 것이다. 케인은 죽음을 앞둔 남자가 괴로움의 붉은 혼란 속에서 발이 묶인 작은 고통의 기억이나 하소연하는 것인지 의아했다.

　놀랍게도 남자는 자기를 결박한 사람 중에 친동생이 있었노라 말하고는 아이처럼 흐느꼈다. 텅 빈 눈구멍에 물기가 어리더니 피눈물이 흘렀다. 그리고 그는 오래 전 어렴풋한 추격전에서 창이 부러졌다는 얘기를 중얼거렸다. 그가 착란 상태에서 중얼거리는 동안, 케인은 그의 결박을 조심스럽게 풀고 만신창이가 된 몸을 풀밭에 눕혔다. 그러나 이 영국인의 조심스러운 손길에도 불구하고 가여운 남자는 죽어가는 개처럼 몸부림치면서 울부짖었고, 그러는 동안 섬뜩하게 찢겨진 십 여 군데의 상처에서 다시 피가 흘렀다. 케인은 남자의 상처가 칼이나 창보다는 야수의 이빨과 발톱에 의해 생긴 것 같다고 생각했다. 이윽고 잠잠해진 남자는 피투성이 몰골로 부드러운 풀밭에 누워 있었다. 케인이 챙이 쳐진 낡은 모자를 쓴 채로 지켜보는 가운데 남자는 거칠고 가쁜 숨을 몰아쉬었다.

케인은 남자의 찢겨진 입술에 물통의 물을 부은 뒤, 가까이 구부리고 이렇게 말했다. "그 악당들에 대해 더 자세히 말해 주시오. 내 동족이 믿는 신의 이름을 걸고 기필코 그들을 응징할 겁니다. 사탄이 나를 막아선다고 해도."

죽음을 앞둔 남자가 케인의 말을 듣고 있는지 의문이었다. 그는 다른 소리를 듣고 있었다. 천성적으로 호기심이 많은 마코 앵무새 한 마리가 인근의 덤불을 지나 커다란 날개가 케인의 머리칼에 스칠 듯 지나갔다. 날갯짓 소리를 들은 만신창이 남자가 갑자기 상체를 일으키더니 케인이 죽는 날까지 악몽으로 남을만한 목소리로 비명을 질렀다. "날개! 날개! 놈들이 다시 오고 있어! 아, 제발, 저 날개!"

그는 입에서 피를 쏟고는 숨을 거두고 말았다.

케인은 일어서서 이마의 식은땀을 훔쳤다. 한낮의 열기 속에서 고지대의 숲이 가물거렸다. 침묵이 꿈의 마법처럼 고지대를 뒤덮고 있었다. 케인의 골똘한 시선이 멀리 시커멓게 웅크리고 있는 험준한 산들을 훑어보다가 아득한 대초원으로 돌아왔다. 그 신비의 땅에 고대의 저주가 드리워져 있었고, 그 그림자가 솔로몬 케인의 영혼까지 덮쳐왔다. 한때 생명과 젊음과 활력이 넘쳤을 피투성이의 시체, 케인은 그것을 조심스럽게 들고서 빈터 가장자리로 갔다. 거기에 차가운 사지를 정성을 다해 가지런히 누이고 보니 그 처참한 훼손에 다시금 몸서리가 쳐졌다. 케인은 먹이를 찾아 배회하는 자칼이 쉬이 파내지 못하게 시신 위에 돌을 쌓아올렸다.

돌을 거의 다 쌓았을 때 갑자기 그의 골똘한 생각을 깨우는 뭔가가 있었다. 희미한 소리 혹은 케인 자신의 늑대 같은 본능이 그를 휙 돌아보게 만들었다.

빈터 맞은편의 긴 수풀 사이에서 움직임이 스쳤다. 납작한 코에 상아 코고리를 한 섬뜩한 얼굴이 얼핏 스쳐갔는데, 멀리서도 두툼한 입술 사이로 드러난 치아와 구슬 같은 눈동자 그리고 곱슬머리에 가려진 좁은 이마까지 보였다. 그 얼굴이 시야에서 채 사라지기도 전에 케인은 빈터를 에워싼 나무 사이로 뛰어들었다. 그리고 사슴 사냥개처럼 나무 사이를 빠르게 뛰면서 혹시 전사들의 움직임이 들리는지 또 그들이 뒤쪽에서 뛰쳐나오지는 않는지 살폈다.

그러나 그들은 천천히 그리고 확실하게 먹잇감을 쫓는 야수처럼 케인을 몰아가는데 만족하는 것 같았다. 케인은 서둘러 엄폐물이 많은 고지대의 숲을 헤쳐 나갔고, 추적자들도 더는 보이지 않았다. 그럼에도 그는 쫓기는 늑대처럼 적들이 그를 칠 절호의 기회를 노리면서 가까이 맴돌고 있음을 직감했다. 케인은 쓴웃음을 지었다. 지금 지구력을 시험하는 것이라면, 야만인들의 체력과 용수철 같은 자신의 활력 중에 누가 더 강한지 두고 볼 생각이었다. 밤이 오면 적들과의 거리를 조금 더 벌려놓을 수 있을 터였다. 설령 그렇지 않더라도 그의 도주에 바짝 약이 오를 야만족의 본성을 생각하면, 일당백의 수적 우세에도 불구하고 야만족이 먼저 동요할 것이었다.

해는 서녘으로 졌다. 케인은 이른 아침에 마지막 남은 마른 고기를 먹은 이후 요기를 못했기에 배가 고팠다. 도중에 샘이 있어서 목을 축이는데 언뜻 멀리 나무 사이로 커다란 지붕이 스치는 것 같았다. 집이 있다면 잠자리 걱정은 덜 수 있었다. 그러나 이런 적막한 고원에 사람이 살고 있을 리 없고, 설령 그렇다고 해도 원주민들이 틀림없이 추격자들처럼 난폭한 무리일 것이었다.

음침한 산자락에 가까워질수록 울퉁불퉁한 표석과 가파른 비탈이 이어지면서 지세가 점점 험해졌다. 경계심을 갖고 뒤돌아볼 때마다 수풀이 갑자기 눕거나 휘어졌던 나뭇가지가 획 제자리로 돌아오거나 나뭇잎이 부스럭거리는 등의 어렴풋한 그림자만 스칠 뿐 추격자들의 모습은 여전히 보이지 않았다. 적들이 왜 저리도 신중한 걸까? 왜 단숨에 끝장을 보려고 하지 않는 걸까?

밤이 왔을 때 케인은 위로 음산하고 험상궂게 버티고 있는 산의 기슭으로 올라가는 첫 번째 긴 비탈에 도착했다. 그곳은 그가 적들을 물리치기로 마음먹은 목표지였지만 그곳에서 벗어나라는 까닭모를 반감이 일었다. 그 산들은 숨겨진 악을 잉태하고 있어서 수풀에서 잠든 커다란 뱀의 똬리를 보는 것처럼 혐오감을 주었다.

어둠이 짙어졌다. 뜨거운 열대의 밤하늘에서 별들이 붉게 깜박이고 있었다. 케인은 나무가 듬성듬성한 비탈을 넘어 이상할 정도로 울창한 숲에 들어서자 잠시 발길을 멈추었다. 밤바람과는 다른, 은밀한 움직임이 들려왔다. 그렇게 묵직한 나뭇잎들을 흔들만한 바람은 불고 있지 않았다. 그가 돌아서는 순간, 나무 밑 어둠 속에서 뭔가 돌진하는 것이 있었다.

어둠에 뒤섞인 검은 그림자 하나가 야수와 같은 포효와 함께 쇠붙이를 휘두르며 곧장 케인에게 돌진했다. 영국인이 달빛에 비친 무기를 슬쩍 피하면서 적에게 바짝 따라붙었다. 상대가 분노에 차서 메마른 팔로 케인을 움켜잡았다. 케인도 상대를 꽉 붙잡았다. 그의 너덜거리는 옷자락이 톱니 모양으로 찢어졌다. 그는 다급히 칼을 움켜쥔 상대의 손을 움켜잡고 다른 손으로 자신의 단도를 뽑아들었다. 금방이라도 등 뒤에서 창이 날아들 것만 같은 섬뜩한 느낌이 들었다.

그러나 영국인은 왜 다른 적들이 동료를 도우러 오지 않는지 의아해하면서도 지금의 일대일 결투에 강철 같은 힘을 쏟아 부었다. 엉겨 붙은 두 사람은 서로에게 칼을 꽂기 위해 거칠게 드잡이를 벌였다. 이윽고 청교도 쪽으로 힘의 균형이 넘어가기 시작하자, 식인종은 미친개처럼 울부짖고 날뛰었다.

격렬히 육박전을 벌이는 과정에서 별빛이 비추는 빈터 쪽으로 뒤엉킨 몸이 획 도는 순간, 케인은 상아 코뚜레와 그의 목을 향해 맹수처럼 쩍 벌어진 날카로운 이빨을 보았다. 그는 재빨리 단검으로 상대의 손목을 깊숙이 찔렀다. 야만족 전사가 비명을 질렀고, 밤공기 속에 피비린내가 진동했다. 그 순간 몸이 쓰러질 정도로 거세게 이는 돌풍과 강한 날갯짓에 케인은 깜짝 놀랐다. 한편 손목을 찔린 식인종 전사는 처절한 비명을 지르며 사라졌다. 케인은 벌떡 일어섰다. 불쌍한 야만인의 비명 소리가 희미해져갔다.

케인이 하늘을 노려보고 있는데 무형의 섬뜩한 괴물이 희미한 별빛을 스쳐가는 것 같았다. 커다란 날개와 인간의 팔다리로 몸부림치는 검은 그림자, 그러나 그것은 너무도 빨리 사라져 버렸기에 케인은 확신이 서지 않았다. 케인은 그제야 방금 악몽을 꾼 것은 아니라고 생각했다. 덤불 속을 찾아보니 그를 공격했던 짧은 창과 그것을 막아냈던 쥬쥬의 지팡이가 나란히 놓여 있었다. 게다가 그의 칼에 피가 묻어 있었으니 그 정도로 증거는 충분했다.

날개! 밤의 날개! 지붕들이 찢겨진 마을에 있던 해골 그리고 칼이나 창이 아닌 것으로 난자당한 채 날개라는 말을 외치며 죽어간 남자. 이 산간에 사람을 잡아먹는 거대한 새들이 출몰하고 있음이 틀림없었다. 그러나 새들이라면 만신창이 몸으로 말뚝에 묶여 있던 남자를 왜 남김없이 먹어치우지 않았을까? 별들을 스쳐간 그림자는 결코 새가 아니라고, 케인은 마음 한편으로 이미 알고 있었다.

그는 당혹스러워서 어깨를 으쓱했다. 밤은 고요했다. 멀리 정글에서부터 그를 추격해왔던 식인종 무리는 다 어디로 간 것일까? 케인과 싸우다가 내뺀 동료를 보고 겁에 질려서 도망이라도 친 것일까? 케인은 권총을 확인해보았다. 식인종 때문이든 아니든, 그런 밤에는 음침한 산을 오르고 싶지 않았다.

태고의 온갖 악마들이 그를 뒤쫓고 있다 해도, 지금은 잠을 자야했다. 서쪽에서 들려오는 낮고 굵은 포효 소리가 주위에 맹금류가 있음을 경고하고 있었다. 그는 완만한 비탈을 따라 급히 내려가 식인종과 싸웠던 곳에서 꽤 멀리 떨어진, 울창한 덤불에 도착했다. 그곳에서 커다란 나무 높이 오르자, 그의 큰 키를 누이고도 넉넉할 만큼 두껍게 갈라진 가지를 찾아냈다. 위쪽의 나뭇가지들은 날개달린 괴물의 급습에 대비해 그를 지켜줄 것이었다. 그리고 야만인 추격자들이 가까이 숨어있다고 해도, 고양이처럼 얕게 잠을 자는 케인을 속이고 그 높이까지 오르기는 힘들 것이었다. 뱀과 표범도 문제겠지만, 케인은 이미 그런 상황쯤은 무수히 경험한 터였다.

솔로몬 케인은 잠들었다. 인류 이전의 악을 암시하는 그림자와 그것이 마침내 현실의 생생한 장면과 합쳐지는 광경으로 인해 그의 꿈은 모호하고 혼란스러웠다. 꿈속에서의 케인이 갑자기 깨어나 권총을 잡아 뺐다. 오랫동안 늑대처럼 살아온 그였기에 갑작스럽게 깨어날 때 무기부터 빼드는 건 당연한 행동이었다.

꿈속에서 낯설고 흐릿한 형체 하나가 가까운 나뭇가지에 앉아서 탐욕스럽게 케인을 노려보고 있었다. 그 반짝이는 노란 눈동자에 케인의 머릿속이 타들어가는 것 같았다. 꿈속의 형체는 홀쭉하고 길었으며 이상하리만큼 기형적이었다. 어둠 자체처럼 검은 형상이어서 길쭉하고 노란 눈동자 외에는 보이는 것이 없었다. 케인이 꿈속에서 홀린 듯 기다리는 동안, 노란 눈동자에 반신반의하는 표정이 스치는가 싶더니 그 형체는 사람처럼 일어서서 커다랗고 검은 날개를 펼치고는 허공으로 사라졌다.

케인이 휙 상체를 일으키자 몽롱한 잠기운도 서서히 자취를 감추었다. 희미한 별빛 속, 고딕 풍의 아치를 닮은 나뭇가지 아래 케인 외에 아무도 없었다. 그렇다면 꿈을 꾼 것에 지나지 않았다.

그러나 꿈이라고 하기에는 너무도 생생했고, 비인간적인 불결함이 가득했다. 심지어 잠을 깬 지금에도 허공에 맹금이 맴도는 것처럼 희미한 냄새가 났다. 케인은 귀를 쫑긋 세웠다. 밤바람의 한숨소리, 나뭇잎의 속삭임, 멀리서 들려오는 사자의 으르렁거림 그게 전부였다. 솔로몬 케인은 다시 잠들었다. 한편 저 높은 창공에서 별빛을 배경으로 그림자 하나가 죽어가는 늑대 주위를 맴도는 독수리처럼 끝없이 원을 그리고 있었다.

제 2 장 공중전

케인이 깨어났을 때 동쪽 산맥 위로 여명이 허옇게 번지고 있었다. 악몽이 떠올랐고, 나무를 내려가는 동안에도 그 생생함에 새삼 의혹이 일었다. 근처의 샘에서 갈증을 달랬고, 그런 고지대에서는 보기드문 나무 열매로 허기를 채웠다. 이윽고 그는 다시 산 쪽을 바라보았다. 솔로몬 케인은 뛰어난 전사였다. 그 음침한 지평선을 따라 인간의 적이자 사악한 존재들이 살고 있었다. 그것은 데번의 열혈남아로서 또 청교도로서 케인에게 어느 때보다 도전 의식을 불러일으켰다.

그는 간밤에 잠을 잔 터라 가뿐해져서 긴 보폭으로 성큼성큼 걷기 시작했다. 한밤의 결투를 지켜봤을 덤불을 지나 비탈의 초입 그러니까 나무가 듬성듬성해지는 지역으로 들어섰다. 그는 비탈을 오르다가 잠시 멈춰 서서 지나온 길을 골똘히 뒤돌아보았다. 훤히 날이 밝은 뒤라 공격을 당할 것 같지는 않으나 박쥐 같은 괴물이 떠오르는 태양 근처에서 그를 노리고 있었다. 케인은 활짝

편 거대한 날개와 자신을 노려보는 섬뜩한 인간의 얼굴을 보았다. 그가 마침내 총을 겨누고 정확히 방아쇠를 당기자, 창공에서 마구 요동을 치던 괴물이 결국에는 빙빙 돌면서 그의 발치에 떨어졌다.

케인은 연기 나는 권총을 들고 앞으로 몸을 숙였다가 눈이 휘둥그레졌다. 그 괴물은 지옥의 구덩이에서 나온 악마가 틀림없다고, 청교도의 음울한 마음은 말하고 있었다. 그러나 납으로 만든 총알이 그것을 죽였다. 케인은 석연찮은 마음에 어깨를 으쓱했다. 평범함과는 거리가 멀었던 그의 삶에서도 그런 광경은 뜻밖이었다.

괴물은 인간을 닮았으면서도 인간과는 또 다르게 길고 가늘었다. 길고 좁고 털이 없는 머리는 육식 동물을 떠올리게 했다. 양쪽 귀는 작고 간격이 가까웠으며 이상하리만큼 뾰족했다. 생기가 없는 눈동자는 가늘게 기울어져서 누르스름한 빛을 띠고 있었다. 콧날이 가는 매부리코는 맹금류의 부리처럼 생겼고, 얇은 입술이 섬뜩하게 벌어진 입은 죽음의 고통에 뒤틀린 상태로 거품을 물고 늑대 같은 이빨을 드러내고 있었다.

알몸이고 머리털이 없는 그것은 여러모로 인간과는 사뭇 달랐다. 어깨는 넓고 억셌으며 목은 길고 가늘었다. 길고 힘찬 팔, 커다란 유인원처럼 손가락 옆에 달린 엄지. 그리고 손가락과 엄지에서 묵직한 갈고리 손톱이 튀어나와 있었다. 이상하게 기형적인 가슴, 가슴뼈가 배의 용골처럼 튀어나왔고, 갈비뼈는 뒤쪽으로 구부러져 있었다. 길고 튼튼한 다리, 발은 커다란 손처럼 물체를 붙잡기에 좋은 형태였고 엄지발가락은 사람의 엄지손가락처럼 나머지 발가락과 다른 방향으로 나 있었다. 반면에 발톱은 그저 길게만 보였다. 그러나 그 기묘한 생물체에서 가장 흥미로운 특징은 등에 있었다. 나비의 날개 같지만 뼈대와 가죽질로 이루어진 한 쌍의 거대한 날개가 뒤쪽 그러니까 팔이 연결되는 어깻죽지에서 나와 가느다란 엉덩이 중간까지 뻗어있었다. 케인이 어림짐작하건대, 날개의 길이가 5미터 50센티미터 가량이었다.

그 생물에 손을 대던 케인이 피부처럼 미끈거리고 단단한 가죽의 느낌에 자기도 모르게 몸서리를 쳤다. 그는 그것을 살짝 들어 올렸다. 비슷한 신장—약 2미터—의 사람과 비교해볼 때 무게는 사람의 반도 나가지 않았다. 골격은 독특한 새라고 해도 무방했고, 살은 전체적으로 단단한 근육으로 이루어져 있었다.

케인은 그것을 다시 살펴보기 위해 뒤로 물러섰다. 그 순간 그의 악몽이 현실로 바뀌었다. 꿈속에서 가까운 나무에 앉아있던 불결한 생물체, 거대한 날개로 회오리바람을 일으켰던 그것이 바로 눈앞에 있었다. 별안간 허공에서 맹렬한 소용돌이가 일었다. 휘청거리던 케인은 그제야 자신이 정글 여행자로서 치명적인 실수를 저질렀다는 걸 깨달았다. 놀람과 호기심 때문에 경계심을 풀고 있었던 것이다. 날개달린 괴물은 이미 그의 목을 노리고 달려드는 상황이라 권총을 쏠 겨를이 없었다. 퍼덕이는 날개 사이로 사람의 얼굴을 한 악마가 보였다. 날개들이 그를 후려치는 것 같았고, 무시무시한 발톱이 그의 가슴을 깊숙이 파고들었다. 그는 순식간에 끌어올려져 허공에 떠 있었다.

조인족은 팔다리로 영국인의 다리 근처를 휘감고 발톱으로 그의 가슴 근육을 꽉 물린 바이스처럼 움켜잡았다. 늑대처럼 날카로운 이빨이 케인의 목을 향해 왔지만 청교도는 그것의 목뼈를 붙잡아 밀쳐내면서 오른 손으로는 단검을 더듬거렸다. 조인족은 천천히 날아올랐고, 힐끔 내려다본 케인은 이미 나무 위로 높이 솟구쳐 있음을 깨달았다. 영국인은 이번 공중전에서 살아남기를 기대하지 않았다. 설령 적을 죽인다 해도 그는 땅으로 곤두박질칠 것이었다. 그러나 그는 투사의 타고난 맹렬함으로 적과 함께 죽기로 마음먹었다.

케인은 날카로운 이빨을 막고 간신히 단검을 뽑아 괴물의 몸 깊숙이 찔러 넣었다. 조인족은 한쪽으로 요동을 치면서 케인의 손에 눌린 목구멍으로 듣기 고약한 쇳소리를 토해냈다. 거대한 날개를 미친 듯이 퍼덕이며 몸부림쳤고, 케인의 손을 뿌리치고 계획대로 급소를 물어뜯기 위해 등을 구부리고 머리를 마구 뒤틀었지만 소용이 없었다. 한쪽 손의 손톱으로 케인의 가슴을 점점 더 깊숙이 후벼 파면서 다른 쪽 손톱으로는 머리와 몸을 사납게 할퀴었다. 그러나 영국인은 상처를 입고 피를 흘리면서도 불독처럼 조용하고 끈덕지게 괴물의 가는 목을 움켜쥔 상태에서 단검으로 찌르고 또 찔렀다. 한편, 땅에서는 까마득한 창공에서 벌어지는 무시무시한 공중전을 놀라움과 외경심 속에서 지켜보는 눈길들이 있었다.

조인족과 케인은 고원 위를 표류했고, 기진맥진한 조인족의 날개로는 그들의 무게를 지탱하기 어려워졌다. 그들은 빠르게 동쪽으로 추락했지만, 케인은 격정과 싸움의 분노에 빠져서 아무 것도 알아채지 못했다. 잡아채진 머리 가죽이 얼얼했고, 가슴과 어깨가 찢기고 할퀴어진 상태에서 눈에 보이는 것은 피투성이 괴물뿐이었다. 오로지 불독처럼 적을 물어뜯어 죽이겠다는 일념 밖에는 없었다. 죽어가는 괴물은 힘없이 경련을 일으키듯 날개를 퍼덕이다가 잠시 커다란 나무숲 위에 떠 있었다. 케인은 괴물의 발톱과 팔다리에서 점점 힘이 빠지는 것을 느꼈다. 날카로운 발톱도 부질없이 허공만 할퀴고 있었다.

케인이 마지막 힘을 다해 괴물의 가슴뼈에 시뻘건 단검을 찔러 넣자, 괴물의 온몸에 격렬한 경련이 일었다. 커다란 날개가 축 쳐졌고, 승자와 패자가 한데 육중한 추처럼 땅으로 곤두박질쳤다.

케인은 붉은 소용돌이를 뚫고 빠르게 다가오는 나뭇가지들을 보았다. 곧 나뭇가지에 얼굴이 부딪치고 옷이 찢기는 느낌이 들었고, 단단한 죽음의 뒤엉킴 속에서 곤두박질치는 동안 손을 뻗어도 나뭇잎은 잡히지 않고 연신 스쳐 지났다. 이윽고 그의 머리는 커다란 가지에 부딪쳤고, 끝없는 암흑의 심연이 그를 집어삼켰다.

제 3 장 어둠 속의 사람들

어마어마한 검은 현무암으로 이루어진 어둠의 복도, 거기서 솔로몬 케인은 끝없이 쫓기고 있었다. 거대한 날개달린 악마들이 칠흑 같은 어둠 속에서 박쥐같은 날개를 무섭게 퍼덕이며 그를 덮쳐왔다. 구석에 몰린 쥐가 흡혈 박쥐와 싸우듯 케인이 어둠 속에서 악마들을 상대하는 동안, 악마들은 뼈만 남은 입으로 지독한 모독과 섬뜩한 비밀들을 그의 귓가에 속삭였고, 그의 더듬거리는 발치에선 사람의 해골들이 밟혔다.

솔로몬 케인이 망상의 땅에서 갑자기 돌아와 정신을 차렸을 때, 제일 먼저 그를 살펴보고 있는 뚱뚱하고 다정한 원주민의 얼굴이 보였다. 그는 넓고 깨끗하고 통풍이 잘 되는 오두막에 와 있었다. 바깥에서 보글보글 끓고 있는 냄비에서 맛 좋은 냄새가 풍겨왔다. 케인은 몹시 배가 고팠다. 게다가 이상할 정도로 기운이 없었다. 붕대가 감겨있는 머리로 손을 들었지만 손길이 떨리고 힘이 없었다. 뚱뚱한 남자와 또 한 사람, 키가 크고 깡마른 체구에 시무룩한 얼굴을 한 전사가 그를 살펴보고 있었다. 뚱뚱한 남자가 말했다. "쿠로바, 저 사람이 깨어났어. 정신이 드는 모양이야." 깡마른 남자가 고개를 끄덕이다가 밖에서 들려오는 소리에 뭐라고 대답했다.

"여긴 어디요?" 케인이 방금 전에 들은 상대방의 말과 비슷한 방언으로 물었다. "내가 여기서 얼마나 오래 있었소?"

"여긴 보군다의 마지막 마을입니다." 뚱뚱한 남자가 여자의 손길처럼 부드럽게 케인을 다시 눕히고 말했다. "비탈에 있는 숲 속에서 당신을 발견했어요. 중상을 입고 정신을 잃고 있었지요. 며칠 동안 계속 헛소리를 질렀다오. 자, 요기를 해요."

호리호리한 젊은 전사가 나무사발에 김이 나는 음식을 가득 담아서 들어오자, 케인은 허겁지겁 먹기 시작했다. "쿠로바, 저 사람 꼭 표범 같구나." 뚱뚱한 남자가 감탄하면서 말했다. "저런 중상을 입고도 살아남는 건 불가능하지."

"그래요." 젊은 전사가 말했다. "고루, 게다가 저 사람은 아카아나를 죽였어요."

케인이 상체를 일으키려고 했다. "고루?" 그가 거칠게 소리쳤다. "사람들을 말뚝에 묶어 악마의 먹이로 주었다는 사제?"

그는 일어나서 뚱뚱한 남자의 목을 틀어쥐려고 했지만 무력감이 물결처럼 온몸을 휘감았고 오두막이 어지러이 떠다니는 것 같았다. 그는 숨을 몰아쉬면서 다시 쓰러진 후 곧바로 깊은 잠에 빠져들었다. 나중에 케인이 깨어나 보니 가녀린 소녀 하나가 자신을 바라보고 있었는데, 그 소녀의 이름은 나예라였다. 소녀는 그에게 음식을 먹여주었다. 원기를 되찾은 그가 이런저런 질문을 하자, 소녀는 수줍어하면서도 총명하게 대답했다.

그곳은 쿠로바 추장과 고루 사제가 다스리는 보군다라는 마을이었다. 보군다에서 백인을 보거나 얘기를 들은 일은 이번이 처음이었다. 의식을 잃고 누워 있었던 게 오래되었다는 소녀의 말에 케인은 깜짝 놀랐다. 그러나 그가 치렀던 격전 정도면 보통 사람은 살아남지 못했을 것이다. 케인은 몸에 부러진 곳이 없어 의아해했지만, 소녀의 말에 따르면 나뭇가지가 완충 역할을 해준데다 그는 아카아나의 몸 위로 떨어졌다고 했다. 그가 고루를 만나고 싶다고 청하자, 그 뚱뚱한 사제가 케인의 무기를 들고 나타났다.

"당신이 떨어진 곳에서 이 무기들을 발견했다오." 고루가 말했다. "당신이 죽인 아카아나 근처에도 불과 연기를 내는 무기가 있더군요. 당신은 신이 분명해요. 허나 신은 피를 흘리지 않는데, 당신은 목숨이 위태로울 정도로 피를 많이 흘렸어요. 당신은 누구입니까?"

"난 신이 아닙니다." 케인이 대답했다. "댁과 같은 사람일 뿐이오. 나는 멀리 바다 한복판의 땅에서 왔습니다. 거기가 내 고향땅인데, 세상에서 가장 아름답고 웅장한 곳입니다. 내 이름은 솔로몬 케인, 정처 없는 떠돌이입니다. 어느 죽어가는 사람의 입에서 댁의 이름을 처음 들었습니다. 하지만 당신의 얼굴은 선해 보입니다.”

마법사는 그늘진 눈길로 고개를 떨어뜨렸다.

“당신의 정체가 신이든 아니면 다른 누구든, 휴식을 취하면 조금씩 힘이 날거외다.” 그가 말했다. “그때 가서 이 고대의 땅에 드리워진 고대의 저주를 알려주겠소.”

그렇게 며칠이 지났고, 그동안 케인은 타고난 맹수의 생명력으로 원기를 되찾아갔다. 마침내 고루와 쿠로바가 자리를 마련하고 케인에게 기묘한 일들에 대해 말해주었다.

그들 부족은 원래부터 이 고지대에서 산 것이 아니라 150년 전에 이주하면서 이곳에 옛 마을의 이름을 붙였다. 그들은 한때 남쪽으로 멀리 큰 강에 자리 잡은 옛 땅 보군다에서 강성한 부족이었다. 그러나 부족 전쟁으로 인해 세력이 약해졌다가 결국에는 대규모 폭동을 겪으면서 부족 전체가 와해되기에 이르렀다. 고루는 무자비한 적들에게 쫓겨 정글과 늪지의 수천리 길을 헤쳐 온 부족의 대 탈주에 대해 되풀이해서 말했다. 마침내 그들은 난폭한 식인종 부락까지 통과한 뒤에 인간의 공격으로부터 안전한 땅을 찾아냈지만, 그들과 후손들까지 결코 벗어날 수 없는 함정에 빠진 죄수 신세로 전락하고 말았다. 그들은 아카아나가 사는 공포의 땅에 들어서고 만 것이었다. 고루의 선조들은 나중에야 고원의 경계까지 뒤쫓아온 식인 괴물의 비웃음을 이해하게 되었다.

보군다 부족은 깨끗한 물과 사냥감이 풍부한 비옥한 땅을 발견했다. 염소와 멧돼지도 아주 많았다. 처음에는 멧돼지를 식용으로 사용했지만 나중에는 그럴만한 이유로 비축하기 시작했다. 고원과 정글 사이의 대초원에는 영양과 들소 따위가 가득했고, 사자들도 많았다. 사자들은 고원에도 어슬렁거렸지만, 부족어로 "사자를 죽이는 자"라는 보군다의 어원에 걸맞게 몇 달이 지나지 않아 사자의 수가 눈에 띄게 줄어들었다. 그러나 고루의 선조들도 곧 깨달았듯이 두려움의 대상은 사자 무리가 아니었다.

대초원을 지나고부터는 식인종이 보이지 않았다. 부족은 기나긴 여정의 피로를 풀고 난 뒤, 위쪽과 아래쪽에 각각 하나씩 두 개의 보군다 마을을 지었다. 케인이 있는 곳은 위쪽 보군다였고, 아래쪽 보군다의 폐허를 앞서 보았던 터였다. 그러나 그들 부족은 굶주린 이빨과 발톱을 지닌 괴물의 땅에서 길을 잃었다는 걸 곧 깨달았다. 밤마다 거대한 날갯짓 소리가 들려왔고, 별빛을 스쳐 달빛에 어렴풋이 나타나는 섬뜩한 그림자들이 보였다. 어린 아이들이 사라지기 시작하더니 이윽고 청년 하나가 밤에 산속에 들어갔다가 돌아오지 않았다. 이튿날 잿빛 새벽녘에 난자당한 채 반쯤 뜯어 먹힌 시체 한 구가 하늘에서 마을 거리로 떨어졌고, 높은 창공에서 들려오는 야만적인 웃음소리에 마을사람들은 겁에 질려 얼어붙었다. 그리고 얼마 후 엄청난 공포가 보군다 부족을 덮쳐왔다.

처음에는 조인족들도 새로운 이주민들을 두려워했다. 숨어 있다가 밤에만 동굴에서 간신히 모습을 드러내곤 했다. 그들은 점점 대담해졌다. 그들의 동료 하나가 대낮에 보군다의 전사가 쏜 화살에 맞았지만, 악마들은 능히 인간을 해치울 수 있다는 걸 깨달았다. 전사의 비명을 듣고 악마들이 몰려들었고, 부족이 보는 앞에서 전사를 갈가리 찢어 떨어뜨렸다. 보군다 부족은 악마의 땅을 떠나기로 결정했고, 백 명의 전사들이 탈출로를 찾기 위해 산에 올랐다. 전사들은 남자도 오르기 힘든 가파른 절벽과 거기에 거미줄처럼 나있는 동굴 그러니까 조인족이 사는 은신처를 발견했다.

그때 인간과 조인족 사이에 첫 번째 전투가 벌어졌다. 결과는 괴물의 압승으로 끝났다. 보군다 부족의 활과 창은 발톱을 앞세운 악마들의 쇄도 앞에 무용지물이었다. 산에 올랐던 백 명의 전사 중에 단 한 명의 생존자도 없었다. 아카아나 무리가 도망치는 전사들을 보군다 윗마을의 지척까지 쫓아와 남김없이 죽였기 때문이다. 산을 통과하는 방법으로는 승산이 없다고 판단한 보군다 부족은 이주해 왔던 길로 되돌아가는 쪽을 택했다. 그러나 대초원에서 엄청난 수의 식인종들이 그들을 기다리고 있었다. 거의 하루 종일 벌어진 식인종과의 큰 전투에서 보군다 부족은 패퇴하고 말았다. 고루의 말을 빌리자면, 싸움의 열기가 한창일 때 하늘에서 조인족 기이한 형체들이 떼를 지어 맴돌면서 많은 사람들이 죽어가는 광경에 웃어대고 있었다.

두 번의 전투에서 살아남은 사람들도 크고 작은 부상에 시달렸고 결국에는 야만족다운 숙명론을 받아들일 수밖에 없었다. 남녀노소를 다해 약 1500명에 이르는 생존자들은 오두막을 짓고 땅을 일구며 악몽의 그림자 속에서 무신경한 삶을 살기 시작했다.

그 무렵 조인족의 수가 많아서 마음만 먹으면 보군다 마을을 완전히 쓸어버릴 수 있었다. 인간보다 강한 아카아나와 맞설 수 있는 전사는 없었다. 공격할 때는 매처럼 맹렬했고, 방어할 때는 날개를 펼쳐 상대의 반격이 미치지 않는 거리까지 날아갔다.

케인은 고루의 말을 끊고 화살을 이용해 악마와 싸우는 않는 이유에 대해서 물었다. 그러나 고루가 답하길, 날아다니는 아카아나를 맞추려면 빠르고 정확한 궁수가 필요한데다 설령 명중시킨다고 해도 살갗이 워낙 두꺼워 화살이 파고들지를 못한다고 했다. 케인은 원주민들이 활을 쏘는데 아주 서툴뿐 아니라 화살을 만들 때도 돌과 뼈 혹은 구리처럼 무른 쇳덩어리를 사용한다는 것을 익히 알고 있었다. 그는 푸아티에 전투와 아쟁쿠르 전투(두 전투는 백년전쟁의 일부로 영국군이 수적 열세를 극복하고 프랑스에 대승을 거둠—옮긴이)를 떠올리며 영국의 명궁과 최고의 석궁만 있었더라면 하고 아쉬워했다.

그러나 고루의 말에 따르면, 아카아나 무리는 보군다를 완전히 파괴할 의도는 없었다. 당시 그들은 고원에 많았던 작은 멧돼지와 염소를 주로 잡아먹고 살았다. 때때로 영양을 찾아 대초원으로 나가기도 했지만, 탁 트인 평야를 저어했고 사자를 무서워했다. 날개를 펴기엔 나무가 너무 빽빽하게 자라있는 대초원 너머의 정글까지 사냥하는 일은 없었다. 그들이 산과 고원을 본거지로 삼았기에 보군다 주민들은 그 산 너머에 무엇이 있는지 알지 못했다.

보군다 부족이 산짐승과 호수의 물고기를 충분히 남겨놓는 한, 아카아나 무리는 기꺼이 그들의 고원 생활을 묵인해 주었다. 이 박쥐같은 조인족들은 울부짖는 인간을 괴롭히면서 이상하고도 음산한 즐거움을 맛보았다. 그래서 음침한 산간에는 언제나 사람의 심장을 얼어붙게 만드는 비명이 메아리쳤다.

그러나 오랫동안 보군다 부족은 자신들의 지배자에게 대항하는 방법을 터득하지 못했고, 아카아나 무리는 이따금씩 갓난아기를 낚아채거나 마을 밖을 배회하는 처녀 혹은 밤길을 잃은 청년을 잡아먹는데 만족했다. 박쥐 인간들은 늘 마을 사람들을 믿지 않았다. 그래서 높은 창공을 맴돌기만 할뿐 마을 안으로 들어오려고 들지 않았다. 최근까지 보군다 주민들이 안전했던 이유가 거기에 있었다.

고루는 아카아나의 수가 급속도로 줄어드는 중이었다고 말했다. 보군다 부족민들이 아카아나보다 오래 살 수 있다는 희망이 생겼다. 그러나 그렇다고 해도, 고루는 자포자기식으로 말했는데, 식인종들이 정글에서 나와 보군다 부족민들을 잡아먹으려 들 것이 분명했다. 고루의 짐작에 따르면 현재 아카아나의 수는 150이 넘지 않았다. 그래서 케인은 보군다 전사들이 총공세를 퍼부어 악마들을 전멸시키면 되지 않느냐고 물었다. 고루는 쓴웃음을 짓고서 박쥐 인간의 뛰어난 전투력에 대해 되풀이해 말했다. 게다가 보군다 부족의 수를 다 합해도 400명 남짓이었고, 박쥐 인간들은 서쪽의 식인종을 막아주는 유일한 보호막 역할을 한다는게 그의 설명이었다.

고루는 지난 30년 동안 아카아나 무리가 수적으로 그 어느 때보다 많이 줄었다고 말했다. 수가 줄어들수록 그들의 광포함은 더욱 심해졌다. 점점 더 많은 보군다 주민들을 붙잡아 높은 산에 있는 그들의 검은 동굴에서 고문하고 잡아먹었다. 부족민들이 사냥을 하거나 바나나 밭에서 일하는 동안 급습을 당했고, 밤마다 검은 산에서 비명과 뜻 모를 말소리가 오싹하게 들려오는가 하면, 반인반수의 웃음소리가 피를 얼어붙게 만들었다. 뿐만 아니라, 잘린 팔다리와 이를 악물고 있는 피투성이 머리가 하늘에서 공포에 질려 있는 마을로 떨어지기 일쑤였고, 별들 사이에서 섬뜩한 향연이 벌어지기도 했다. 고루는 그런 이야기를 들려주었다.

그리고 가뭄과 심각한 기근이 들었다. 샘물 대부분이 말라붙었고, 쌀과 고구마와 바나나 농사는 흉작이었다. 보군다 부족이 먹는 육류의 큰 부분을 차지해온 영양과 사슴 그리고 들소까지 물을 찾아 정글로 이동했고, 굶주림에 시달리던 사자들은 더는 사람을 무서워하지 않고 고원으로 뛰어들었다. 많은 부족민이 죽었다. 배고픔을 참지 못한 부족민들이 박쥐 인간의 먹이였던 멧돼지를 잡아먹기 시작했다. 이로 인해 아카아나 무리는 분노했고, 멧돼지의 수는 줄어들었다. 염소 전부와 멧돼지의 반을 먹어치운 건 굶주림이었고 보군다 주민과 사자들이었다.

마침내 기근이 지나갔지만 그 여파는 엄청났다. 한때 고원에 넘쳐났던 짐승들은 거의 남아있지 않아서 좀처럼 잡히지 않았다. 보군다 주민은 멧돼지를 먹었고, 그 때문에 아카아나는 보군다 주민을 먹었다. 인간에게는 지옥과도 같은 삶이었다. 결국에는 150명 정도 밖에 남지 않은 아랫마을에서 반란이 일어났다. 계속되는 분노에 이성을 잃은 사람들이 지배자에게 반기를 든 것이었다. 때마침 아카아나 하나가 어린 아이를 잡아가려고 아랫마을에 들렀다가 화살에 맞아 죽는 사건이 벌어졌다. 그리고 보군다 아랫마을 주민들은 각자의 오두막에 몸을 숨기고 운명을 기다렸다.

그날 밤에 운명이 찾아왔다. 아카아나 무리는 마을의 오두막에 접근하지 않는다는 그간의 금기를 깼다. 그들은 한꺼번에 산에서 몰려나왔다. 보군다 윗마을 주민들은 비명과 신성모독으로 가득한 공포의 대 변주를 들었다. 그것은 같은 부족의 마을이 파멸하는 소리였다. 고루의 부족들은 밤새 공포 속에서 식은땀을 흘렸고, 꼼짝도 못한 채 밤을 찢어대는 울부짖음과 다급한 말소리에 귀를 기울였다. 마침내 소음이 멈추자, 고루는 이마의 식은땀을 훔쳤만 그 음산하고 역겨운 향연의 소란은 지금도 밤마다 악마의 비웃음과 함께 떠돌고 있다. 고루의 부족은 이른 새벽에 지옥으로 돌아가는 악마들처럼 산으로 돌아가는 섬뜩한 날개들을 보았다. 아카아나 무리는 배부른 독수리들처럼 천천히 그리고 육중하게 날아갔다. 나중에 용기를 낸 사람들이 저주받은 마을로 몰래 내려갔지만, 눈앞에 펼쳐진 광경에 그만 비명을 지르며 도망쳐야했다. 그리고 오늘날까지도, 고루의 말에 따르면, 아무도 그 소리 없는 참사의 현장에 얼씬도 하지 않는다고 했다. 케인은 알겠다는 듯 고개를 끄덕였고, 그의 차가운 눈동자는 그 어느 때보다 심각해져 있었다.

그 사건 이후 몇날 며칠 동안 고루의 부족은 몸서리쳐지는 공포 속에서 무슨 일이 벌어질지 기다렸다. 결국에는 공포의 절망에 빠진 부족민은 제비뽑기를 하여 선택된 사람을 두 마을의 중간에 말뚝을 박고 거기에 묶었다. 아카아나가 그것을 항복의 의미로 받아들여주기를, 그래서 동족이 당한 파멸에서 벗어날 수 있기를 바라는 마음에서였다. 고루에 따르면, 이런 관습은 오래 전에 아카아나를 숭배하면서 한 달에 한 번씩 사람을 제물로 바쳤던 식인종의 방식을 따른 것이었다. 그러나 우연히 아카아나가 죽는 것을 본 식인종은 숭배 의식을 그만두었다. 식인종은 아무리 사악하고 강한 존재라도 영원히 살 수 없는 운명이라면 진정한 숭배의 대상은 아니라고 생각한 모양이다. 적어도 고루의 추측은 그랬다.

고루의 조상들은 조인족을 달래기 위해 간헐적으로 제물을 바쳤으나 그것이 정기적인 관습이 된 것은 최근의 일이었다. 지금은 꼭 필요한 일이 되었다. 아카아나가 그것을 바라고 있었다. 한 달에 한 번씩 부족민은 점점 수적으로 줄어드는 주민 중에서 건강한 청년이나 처녀를 골라 말뚝에 묶었다.

고루가 제물을 바쳐야만 하는, 이루 형용할 수 없는 절망을 토로하는 동안 케인은 고루의 얼굴을 물끄러미 쳐다보았다. 영국인은 사제의 진심을 깨달았다. 케인은 괴물 종족의 먹이가 되어 서서히 그러나 필연적으로 죽어가는 인간들을 생각하다가 몸서리쳤다. 케인이 앞서 만났던 불쌍한 남자에 대해 말하자, 고루는 온화한 눈빛에 고통을 드러내며 고개를 끄덕였다. 그 남자는 꼬박 하루를 말뚝에 묶여 있었고, 그 동안 아카아나 무리는 공포와 고통에 떠는 육신을 상대로 몹쓸 가학의 쾌락을 즐겼다. 어쨌거나 지금까지는 제물을 바침으로써 마을은 파멸을 모면하고 있었다. 수가 점점 줄어든 아카아나 무리는 남아있는 멧돼지와 이따금씩 납치하는 부족의 갓난아기로 생명을 연장하는 한편, 한 달에 한 번씩 제물을 상대로 끔찍한 놀이를 즐기는데 만족하고 있었다.

케인에게 문득 떠오르는 생각이 있었다. "식인종이 이 고원까지 올라온 적이 단 한번도 없습니까?"

고루는 고개를 저었다. 식인종은 결코 안전한 정글을 벗어나 초원 너머까지 사냥을 하지는 않는다 했다.

"하지만 저들은 산기슭 바로 앞까지 나를 쫓아왔습니다."

고루는 또 한 번 고개를 저었다. 식인종은 딱 하나라고 했다. 고루의 부족들이 식인종의 발자국을 이미 발견했다. 동족에 비해 유독 용감한 식인종 전사 하나가 고원의 공포를 무릅쓰고 추격전에 나섰다가 그 대가를 치렀다고 말이다. 케인은 뜻밖의 모욕감을 느끼고 이를 앙다물었다. 하나뿐인 적에게 쫓겨 그토록 오랫동안 도망쳐왔다니, 분하기 이를 데 없었다. 식인종이 어두워질 때를 노리면서 아주 신중하게 케인을 쫓아온 것이 분명했다. 그러나 케인은 고루에게 물었다. 아카아나는 왜 자기가 아닌 식인종을 공격했을까? 지난밤 아카아나가 가까운 나무에 앉아있으면서도 그를 공격하지 않은 이유는 무엇인가?

그 식인종이 피를 흘리고 있었다고, 고루가 대답했다. 아카아나는 독수리처럼 피비린내에 민감하기에 식인종을 공격했다. 게다가 그들 무리는 경계심이 아주 많았다. 그들은 케인처럼 용맹한 사람을 한번도 본적이 없었다. 그래서 몰래 염탐하다가 무방비 상태에서 공격하려고 했을 것이다.

대체 그들의 정체가 뭐냐고, 케인이 물었다. 고루는 어깨를 으쓱했다. 고루의 조상이 그곳에 도착했을 때 전대미문의 아카아나 무리가 이미 거기에 있었다. 부족민은 식인종과 왕래가 없었기에 아무런 정보도 전해들을 수 없었다. 아카아나는 짐승처럼 알몸으로 동굴에 살았다. 불에 대한 지식이 없어서 오로지 날고기만 먹었다. 그러나 그들에게도 언어 비슷한 소통 수단이 있고 우두머리가 정해져 있었다. 강자가 약자를 잡아먹었던 대기근 동안 많은 아카아나가 죽었다. 그들의 수는 급감하기 시작했고, 최근에는 무리 중에서 암컷이나 새끼가 보이지 않았다. 지금의 상태가 지속된다면 아카아나는 멸종할 것이었다. 그러나 고루는 보군다의 운명이 이미 정해져 있다고 말했다. 그것이 아니라면, 이 대목에서 고루는 뭔가를 기대하는 이상한 눈빛으로 케인을 쳐다보았다. 그러나 청교도는 그때 생각에 골몰해 있었다.

케인이 방랑길에서 원주민들로부터 전해들은 무수한 전설 중에서 유독 한 가지가 선명했다. 아주 오래 전, 늙은 쥬쥬인이 그에게 들려준 이야기로, 북쪽에서 날아온 날개달린 악마들이 쥬쥬 마을을 지나 남쪽 정글로 사라졌다고 했다. 쥬쥬인은 그 괴물들에 얽힌 오랜 일화를 말해주었다. 한때 북쪽 멀리에 크고 험한 호수에 셀 수 없이 많은 괴물들이 살았는데, 오래 전에 어느 추장과 전사들이 활로 괴물들과 싸워 많은 수를 죽이고 나머지를 남쪽으로 쫓아냈다. 그 추장의 이름은 엔야순나, 그는 노가 많은 전투용 대형 카누를 몰고 격랑을 가르며 질주했다.

불현듯 시공간의 외부 틈을 향해 문 하나가 활짝 열린 것처럼 솔로몬 케인에게 차가운 바람이 불어왔다. 그제야 그는 그 왜곡된 신화와 오래고 음산한 전설이 사실이었음을 깨달았다. 거대한 격랑의 호수는 다름 아닌 지중해이고, 엔야순나 추장은 하피^(그리스 로마 신화에서 여자의 얼굴에 날개가 달린 탐욕스러운 괴물—옮긴이)를 물리쳐 스트로파데스^(이오니아에 있는 섬—옮긴이)뿐 아니라 아프리카로 내쫓은 희대의 영웅 이아손^(그리스 로마 신화에서 아르고호를 진두지휘한 영웅—옮긴이)이 아닌가?

그렇다면 이교도의 오랜 전설이 사실인 셈이었다. 케인은 갑자기 깨달은 기이한 세계에 놀라서 현기증을 느꼈다. 누설된 섬뜩한 가능성들. 하피의 신화가 사실이라면, 또 다른 전설들 요컨대 히드라, 켄타우루스, 키메라, 메두사, 판, 사티로스도 그렇지 않을까?

그 모든 고대의 전설 너머에 군침이 고인 이빨과 발톱을 치켜세운 악마를 비롯해 진짜 악몽이 잠재해 있는 것은 아닌가? 암흑과 공포의 땅이며 주술과 마법의 검은 대륙 아프리카, 서구의 문명 앞에서 사라져버린 사악한 존재가 전부 이 아프리카로 숨어들었단 말인가!

생각에 골몰해 있던 케인이 깜짝 놀라 정신을 차렸다. 고루가 그의 소매를 조심스레 잡아당기고 있었다.

"우리를 아카아나로부터 구해주시오!" 고루가 말했다. "당신이 신이 아니라 해도 당신 안엔 신의 능력이 있소! 당신은 몰락한 제국의 홀이자 위대한 마법사의 지팡이로 오래 전에 사라졌던 위대한 쥬쥬의 지팡이를 가지고 있어요. 게다가 당신한테는 불과 연기 속에서 죽음을 불러오는 무기들도 있어요. 당신이 아카아나를 둘씩이나 죽이는 광경을 우리 부족의 젊은이들이 목격했소. 원한다면 당신을 우리의 왕으로 섬기겠소! 당신이 보군다에 들어온 지 한 달이 더 지났고, 제물을 바칠 시간도 넘겼지만 저기 피 묻은 말뚝은 아직도 비어 있어요. 아카아나 무리는 당신이 와 있는 이 마을을 피하고 있어요. 우리 아이들을 잡아가지도 않아요. 우리가 당신을 믿음으로써 아카아나의 속박에서 벗어난 겁니다!"

케인은 손으로 관자놀이를 감싸 쥐었다. "당신은 지금 되지도 않는 부탁을 하고 있습니다!" 그가 소리쳤다. "나도 이 땅에서 악마를 없애고 싶은 마음이 간절하지만 나는 신이 아닙니다. 권총으로 악마 두 셋을 죽일 수는 있겠지요. 하지만 화약이 얼마 남아있지 않습니다. 남아있는 화약과 총알이 많고 뱀파이어의 은거지인 망자의 산에서 소총이 부서지지만 않았더라면 멋진 사냥을 할 수도 있겠지요. 하지만 저 악마들을 모두 죽인다 해도 식인종은 어떡할 겁니까?"

"그들도 당신을 무서워하고 있소!" 늙은 쿠로바가 소리쳤다. 한편, 나예라와 다음 제물로 정해진 로가라는 청년이 간절한 눈빛으로 케인을 바라보고 있었다. 케인은 주먹 쥔 손에 턱을 괴고 한숨을 쉬었다.

"정히 내가 부족의 보호자라고 생각한다면 남은 일생을 여기 보군다에 머물겠습니다."

그리하여 솔로몬 케인은 어둠의 보군다 마을에 머물게 되었다. 본디 쾌활하고 가무를 좋아하는 보군다 부족민은 암흑 속에서 오랫동안 살아온 탓에 위축되고 침울해져 있었다. 그러나 영국인이 마을에 오고부터는 부족민 사이에 새로운 활력이 일기 시작했다. 케인은 자신을 향한 부족민의 애처로운 믿음 때문에 마음이 몹시 아팠다. 사람들은 바나나 밭에서 노래를 부르고 모닥불 주위에서 춤을 추면서 존경과 신뢰의 눈빛으로 케인을 바라보았다. 그러나 스스로의 무력감을 원망하던 케인은, 날개달린 악마들이 불시에 하늘에서 공격을 해온다면 부족의 보호자라는 허상도 아무 소용이 없음을 알고 있었다.

그래도 그는 보군다에 머물렀다. 꿈에서 데번셔 주의 절벽 위를 맴도는 갈매기들이 거센 바람이 부는 맑고 푸른 하늘에 선명하게 새겨져 있었다. 그때는 보군다 너머 미지의 세계를 보고픈 맹렬한 열망에 사무쳤다. 그러나 지금 그는 보군다에서 벗어나지 못한 채 계획을 짜느라 머리가 터질 듯 했다. 행여 흑마술의 도움을 받을 수 있을까 하는 절박한 마음으로 몇 시간 동안 앉아서 쥬쥬 지팡이를 쳐다보기도 했다. 그러나 은롱가가 준 고대의 선물은 그에게 아무런 도움도 주지 않았다. 그가 노예 해안에서 수 천 리의 공간을 뛰어넘어 그 주술사를 소환한 적이 한번 있기는 했다. 그러나 그때 만났던 은롱가는 초자연적인 현상에 불과했고,

지금의 하피들은 현실이었다.

케인의 머릿속에 묘안이 그려지기 시작했지만 그는 그것을 단념해버렸다. 묘안이란 커다란 덫을 만드는 것인데, 무슨 수로 아카아나를 덫에 빠지게 한단 말인가? 사자들의 포효가 그의 골똘한 생각에 음산한 반주처럼 들려왔다. 사람들이 고원에서 움츠러들어 있는 동안, 사냥꾼의 창 말고는 두려운 것이 없는 육식 동물들이 기지개를 펴고 있었다. 케인은 쓴웃음을 지었다. 그가 맞서서 하나씩 쫓고 죽여야 할 상대는 사자의 무리가 아니었다.

마을에서 약간 떨어진 거리에 한때 회의장의 역할을 하던 고루의 커다란 오두막이 있었다. 오두막에는 기이한 주물이 많았는데, 고루는 통통한 손으로 힘없이 그것들을 가리키며 악령을 막아주는 영험한 마법이긴 하지만 연골과 뼈와 살로 이루어진 날개달린 괴물들에겐 제힘을 발휘하지 못한다고 했다.

제 4 장 솔로몬의 광기

케인은 꿈이 없는 잠에서 갑자기 깨어났다. 귓가에 아비규환의 비명이 들려왔다. 도살장에서 죽어가는 소처럼 케인의 오두막 밖 어둠 속에서 사람들이 죽어가고 있었다. 그는 평소처럼 무기를 몸에 지닌 채 자고 있었다. 그가 곧 문가로 뛰어갔을 때, 누군가가 그의 발치에 쓰러져 무릎을 부여잡더니 입을 옴짝거리며 침을 흘렸다. 그 사람은 경련을 일으키듯 히죽 웃고는 종잡을 수 없는 말로 살려 달라 애원했다.

가까이서 연기를 뿜으며 꺼져가는 불길 속에서 케인은 앳된 로가의 얼굴을 발견하고 깜짝 놀랐다. 끔찍하리만큼 갈가리 찢기고 피투성이가 된 로가는 이미 시체로 싸늘하게 식어가고 있었다. 밤은 잔혹한 울부짖음과 거대한 날갯짓 소리 그리고 초가지붕을 찢는 소리와 소름끼치는 악마의 웃음소리로 뒤엉켜 있었다. 케인은 죽은 자의 손을 뿌리치고 꺼져가는 불길 쪽으로 뛰어갔다. 분간할 수 있는 것이라고는 사방에서 엎치락뒤치락하는 모호하고 혼란스러운 그림자들뿐이었다. 하늘에는 검은 날개들이 별빛을 가리고 있었다.

케인은 불이 붙어있는 나무토막을 자신의 오두막 지붕에 갖다 댔다. 불길이 치솟았을 때, 그는 주변의 살풍경을 보고 그만 그 자리에 멍하니 얼어붙었다. 보군다는 무시무시한 핏빛 파멸에 휩싸여 있었다. 날개달린 괴물들이 마을의 거리를 휩쓸며 도망치는 사람들의 머리 위를 날거나 오두막 안에서 벌벌 떠는 제물을 노리고 지붕을 찢어대고 있었다.

영국인은 억눌린 고함을 치면서 공포의 멍한 상태에서 깨어났다. 그러고는 눈을 번뜩이며 스쳐가는 그림자 하나를 향해 방아쇠를 당겼다. 그의 발치에 부서진 해골이 떨어졌다. 그는 맹렬히 고함을 지르며 혼란의 한복판으로 뛰어들었다. 그의 핏속에 잠재해 있던 이교도 색슨 족의 광포한 분노가 괴물을 향해 한꺼번에 터졌다.

오랜 굴종으로 인해 위축되고 기습으로 인해 얼이 빠진 보군다 부족민은 힘을 합쳐 저항할 힘이 없었기에 대부분 양처럼 순순히 죽어갔다. 절망감에 쫓겨 격해진 몇몇이 반격을 시도했지만 그들의 화살은 강인한 날개를 한참이나 빗나갔고, 창과 도끼는 괴물들의 민첩성을 따라가지 못했다. 땅에서 날아올라 공격을 피한 괴물들은 부족민의 어깨를 뒤덮어 쓰러뜨린 뒤 이빨과 발톱으로 살육을 벌였다.

케인은 늙은 쿠로바를 발견했다. 마른 몸에 피 칠을 한 쿠로바가 어느 오두막의 담장을 등지고 괴물의 목을 짓밟고 있었다. 굳은 얼굴의 늙은 추장이 양손도끼를 힘껏 휘두르는 순간, 시끄러운 소리를 지르며 한꺼번에 달려들던 대여섯의 괴물들이 멈칫했다. 케인이 추장을 도와주러 달려가려는데 낮고 처량한 애원 소리가 그의 발길을 세웠다. 피범벅이 된 나예라가 힘없이 몸부림치는 동안, 독수리 같은 괴물 하나가 그녀의 등을 움켜잡고 마구 발톱을 휘두르고 있었다. 나예라의 흐릿한 눈동자가 처절한 애원의 빛으로 영국인의 얼굴을 찾고 있었다.

케인은 이를 갈면서 괴물을 향해 방아쇠를 당겼다. 뒤로 나가 떨어진 날개달린 악마는 듣기 고약한 비명을 지르고 날개를 마구 퍼덕이면서 죽어갔다. 케인은 죽음을 앞둔 나예라를 굽어보았다. 그녀는 알아들을 수 없는 말과 함께 흐느끼면서 케인의 손에 입을 맞추었고, 케인은 그녀의 머리를 두 팔로 안았다. 그녀의 눈이 감겼다.

케인은 시체를 조심스럽게 눕히면서 쿠로바 쪽을 쳐다보았다. 보이는 것이라고는 한데 뒤엉킨 악귀들이 형체를 알아볼 수 없는 뭔가를 빨고 할퀴어대는 광경뿐이었다. 케인은 이성을 잃었다. 그는 생지옥을 꿰뚫는 고함과 함께 벌떡 일어섰고, 이미 칼을 휘두르고 있었다. 굽혔던 무릎을 펴는 동안에도 독수리 같은 괴물의 목을 향해 칼을 뻗었다. 죽음의 고통 속에서 버둥거리는 괴물에게 케인의 레이피어가 사정없이 날아들었다. 격분한 청교도는 또 다른 사냥감을 찾아 돌진했다.

사방에서 보군다의 부족민이 무참하게 죽어갔다. 부질없이 맞서다가 죽지 않으면, 도망친다 해도 매한테 쫓기는 토끼의 신세였다. 행여 오두막으로 숨어들면 악마들은 그 지붕을 찢거나 문을 박살냈다. 그 안에서 무슨 일이 벌어지는지 케인이 볼 수 없었기에 그나마 다행이었다.

광기와 공포로 인해 이성을 잃은 청교도의 머릿속에는 모든 일이 그 자신의 잘못으로만 여겨졌다. 보군다 사람들은 케인이 그들을 구해주리라 믿었다. 제물을 바치는 것도 미루고 그들의 악랄한 지배자들에게 반기를 들었다. 그런 그들이 지금 끔찍한 대가를 치루는 중이었고 케인은 그들을 구할 수 없었다. 고통스럽게 자신을 쳐다보는 흐릿한 눈동자들, 케인은 쓰디쓴 독배를 들이킨 기분이었다. 그것은 격한 분노이거나 아니면 두려움에 대한 자책이었다. 그것은 상처였고 통렬한 비난이었다. 케인은 부족민의 신이었지만 그들의 기대를 저버렸다.

케인은 맹렬하게 학살의 현장을 누볐고, 악마들은 그를 피해 더 만만한 먹잇감을 찾아다녔다. 그러나 피한다고 물러설 케인이 아니었다. 불타는 오두막과는 또 다른 시뻘건 안개 속에서 케인은 괴물의 극악함을 보았다. 하피 하나가 버둥거리는 알몸의 여자를 움켜잡고 늑대처럼 날카로운 이빨로 걸신들린 듯 먹어치우고 있었다. 케인이 뛰어들어 칼로 찌르자, 박쥐 인간은 처절히 울부짖는 먹이를 떨어뜨리고 날아올랐다. 그러나 레이피어를 집어던진 케인이 피에 굶주린 표범처럼 뛰어올라 괴물의 목을 붙잡고 강철 같은 다리로 괴물의 하체를 휘어 감았다.

또 다시 케인은 공중에서 싸우고 있는 자신을 발견했다. 그러나 이번에는 오두막 바로 위였다. 하피의 잔혹한 머릿속에도 공포가 스며들었다. 하피는 케인을 제압하거나 죽일 생각이 없었다. 말없이 매달려서 단검으로 미친 듯이 찌르며 생명을 위협하는 이놈의 작자가 그저 몸에서 떨어져 주기만 바랐다. 균형을 잃고 요동치던 하피가 소름끼치게 울부짖으며 날개를 마구 퍼덕였지만, 케인의 단검은 더 깊숙이 파고들었다. 하피의 몸이 갑자기 비스듬히 쏠리더니 곤두박질치기 시작했다.

오두막의 초가지붕이 완충 역할을 해주었고, 케인과 죽어가는 하피는 오두막 안에서 몸부림치던 사람 위로 떨어졌다. 불에 타던 오두막 바깥에서 뻘건 불길이 안을 비추고 있어서 케인은 머리가 하얗게 비어질 정도로 무시무시한 광경을 보고 말았다. 벌어진 입에서 피가 뚝뚝 떨어지는 이빨과 아직도 고통스레 몸부림치는 사람, 아니 사람을 닮은 핏빛 형체. 곧 광기에 휩싸인 케인이 단단한 손가락으로 괴물의 목을 움켜잡았다. 그의 손아귀를 풀만한 괴물의 치켜세운 발톱이나 망치질 같은 날갯짓이 더는 없었기에 악마의 끔찍한 생명이 꺼지고 그것의 뼈뿐인 목이 부러질 때까지 그는 마음껏 틀어쥐고 있었다.

오두막 밖에서는 모진 학살의 광기가 계속되고 있었다. 케인이 손에 닿는 무기를 꽉 쥐고서 오두막을 뛰어나갔을 때, 그의 발치에서 하피 하나가 막 날아올랐다. 케인이 손에 쥐고 있던 것은 도끼였다. 케인은 괴물의 머리가 부서져 물처럼 흩뿌릴 정도로 도끼를 휘둘렀다. 수십 군데의 상처에서 피를 흘리고 있는 시체와 찢겨진 살덩어리를 넘어 돌진하던 그가 망연자실 멈춰서더니 울분을 터뜨렸다.

박쥐 인간들은 하늘로 날아오르고 있었다. 그들은 자기들보다 더 무서운 미치광이 이방인을 계속 상대할 마음이 없었다. 그러나 그들이 빈 몸으로 날아오르고 있는 건 아니었다. 저마다 탐욕스러운 발톱에 버둥거리며 울부짖는 사람들을 낚아채고 있었다. 격분한 케인은 핏물이 떨어지는 도끼를 들고 이리저리 오가다가 시체로 뒤덮인 마을에 자기만 혼자 살아남았음을 깨달았다.

그는 고개를 젖히고 창공의 악마들을 향해 저주를 퍼부었다. 그의 얼굴에 따뜻하고 끈적끈적한 액체가 떨어졌고, 어두운 하늘은 인간의 고통스러운 비명과 괴물들의 웃음소리로 채워졌다.

밤하늘에 가득한 오싹한 향연의 소음과 별들이 비처럼 떨어뜨리는 핏방울에 얼굴을 맡기고 있던 케인, 그에게서 제정신의 마지막 흔적도 곧 사라져버렸다. 그는 횡설수설하면서 마구 욕설을 쏟아냈다.

이빨 자국이 난 해골과 섬뜩하게 잘려진 인간의 머리 사이를 비틀거리며 헛되이 도끼를 휘두르고 되는대로 악을 쓰는 케인을 과연 사람의 모습이라고 할 수 있을까? 한편, 그를 광기로 몰아넣은 어둠의 날개들은 창공에서 악마적인 승리에 취해 낄낄거리며 미쳐버린 그의 눈 속으로 인간의 피를 뚝뚝 떨어뜨리고 있었다.

제 5 장 정복자

창백한 새벽이 진저리치면서 검은 산을 기어오르다가 한때 보군다 부락이었던 붉은 폐허 위에서 부르르 떨었다. 잿더미로 주저

앉은 오두막 한 채를 제외하고 나머지는 말짱했지만 초가지붕 상당수는 파헤쳐져 있었다. 절반 혹은 전부 살이 뜯긴 채 난자당한 해골들이 마을 거리에서 나뒹굴었고, 그중에서 일부는 아주 높은 곳에서 떨어진 것처럼 산산조각이 나 있었다.

그곳은 단 하나의 생명만이 살아남은 죽음의 땅이었다. 솔로몬 케인은 피가 말라붙은 도끼에 몸을 기대고 초점 없는 광기의 눈으로 주변을 바라보고 있었다. 가슴과 얼굴, 어깨에 길게 벌어진 상처에서 피가 흘러 반쯤 말라붙었지만 무서운 표정을 짓고 있을 뿐 상처에는 신경도 쓰지 않았다.

보군다 사람들만 죽은 건 아니었다. 그들의 유골 사이에는 열일곱 구의 하피 시체가 놓여 있었다. 그중에서 여섯을 케인이 죽였다. 나머지는 죽음을 앞둔 보군다 주민의 광기어린 절망에 의해 죽임을 당했다. 그러나 하피의 시체는 부족민의 희생에 답하기에는 턱없이 부족했다. 보군다 윗마을에 살던 400명 가량의 부족민 중에서 살아서 새벽을 본 이는 한 명도 없었다. 하피들은 돌아가 버렸다. 검은 산의 동굴로 돌아가 포만감을 즐기기 위해서.

케인은 느리고 기계적인 발걸음으로 주위를 돌아다니며 자신의 무기를 찾아냈다. 레이피어와 단검과 총기류 그리고 쥬쥬의 지팡이. 그는 마을의 중심에서 벗어나 고루의 커다란 오두막이 있는 비탈을 올랐다. 거기에 그의 발걸음을 떡 멈추게 하는 또 다른 공포가 있었다. 섬뜩한 유머감각을 지닌 하피들이 재미있는 장난질을 참지 못한 모양이었다. 오두막 문 위에서 고루의 잘려진 머리가 케인을 응시하고 있었다. 투실투실했던 뺨은 오그라들었고, 입술은 겁에 질린 백치처럼 늘어졌으며, 두 눈은 상처받은 아이처럼 물끄러미 열려 있었다. 케인은 고루의 죽은 눈동자에서 충격과 비난을 보았다.

케인은 보군다의 폐허를 보았고, 죽은 고루의 얼굴을 보았다. 머리 위로 주먹을 쥐고 이글거리는 눈빛과 거품을 물고 바르르 떠는 입술로 하늘과 땅과 세상의 모든 것을 저주했다. 차가운 별, 타오르는 태양, 조롱을 머금은 달, 바람의 속삭임까지 저주했다. 죽음과 운명, 그가 사랑했거나 미워했던 모든 것, 바다 밑 침묵의 도시들, 지나간 과거와 다가오는 미래를 다 저주했다. 인류를 유희거리로 삼은 신과 악마들을 향해 입에 담기 어려운 광인의 저주를 퍼부었고, 신의 쇠 발굽 아래 맹목적으로 몸을 조아리고 살아온 인간들을 저주했다.

그렇게 케인은 점점 숨이 차서 헐떡였다. 저 아래서 사자의 굵은 포효 소리가 들려왔고, 그때 불현듯 솔로몬 케인의 뇌리에 묘수가 스쳤다. 그가 얼어붙은 것 마냥 한참을 그 자리에 서 있는 동안, 광기 너머에서 점점 또렷이 떠오르는 필사의 계획이 있었다. 그리고 그는 신에게 퍼붓던 불경한 말들을 조용히 철회했다. 쇠 발굽을 한 신들이 인간을 유희와 놀이의 대상으로 삼았다 해도, 인간에게 그 어느 생명체보다 교묘하고 잔인한 지능을 준 것도 사실이었다.

"거기서 기다려 주십시오." 솔로몬 케인은 고루의 머리를 향해 말했다. "태양에 시들고 차가운 밤이슬에 오그라들겠지요. 하지만 당신의 원수들이 죽는 모습을 꼭 보게 해드리리다. 내가 보군다 사람들을 구하지 못했지만 기필코 놈들을 응징할 겁니다. 커다란 날개로 하늘을 맴도는 밤과 공포의 존재들에게 인간은 그저 장난감과 먹이에 불과합니다. 하지만 아무리 사악한 존재라고 해도 파멸을 피할 수는 없을 겁니다. 고루, 두고 보세요."

그 후로 며칠 동안 케인은 잿빛 새벽부터 해가 지고 허연 달빛 아래서 녹초가 되어 잠들 때까지 일에만 몰두했다. 일하는 짬짬이 간단한 요기로 때웠고, 부상을 입은 몸에는 아예 신경을 쓰지 않아서 상처가 저절로 낫는 것조차 모를 정도였다. 저지대로 내려가 대나무를 베어 길고 억센 줄기를 많이 가져왔다. 굵은 나뭇가지도 베었고, 밧줄 대신에 사용할 질긴 덩굴도 잘라왔다.

그렇게 가져온 재료들로 고루의 오두막 지붕과 벽을 보강했다. 벽에 대고 대나무를 땅 깊숙이 세우고 유연하고 질긴 덩굴로 단단히 엮었다. 길고 튼튼한 가지들로 지붕을 만들고 촘촘하게 연결했다. 일을 다 끝내고 보니, 코끼리도 오두막 벽을 뚫고 들어올 수 없을 것 같았다.

사자들이 큰 무리를 지어 고원으로 들어오는 바람에 새끼 멧돼지까지 격감하고 있었다. 케인은 그나마 남아있는 멧돼지들을 죽여 자칼의 무리한테 던져주었다. 어차피 맹수의 먹이가 될 운명이지만 멧돼지마저 살육을 당하는 상황은 본디 인정이 많은 케인에게는 가슴 아픈 일이었다. 그러나 그것도 그가 계획한 복수의 일부였기에 마음을 다잡았다.

며칠이 몇 주가 되었다. 케인은 밤낮으로 쉬지 않고 일하다가 미라처럼 말라붙은 고루의 머리를 상대로 짬짬이 말을 걸었다. 고루의 기묘한 눈동자는 폭염과 스산한 달빛 아래서도 변함이 없이 살아있는 듯한 눈빛을 하고 있었다. 마을에서 광기에 휩싸였던 기억들이 어렴풋한 악몽으로 희미해져갈 무렵, 이번에는 케인의 눈앞에서 고루가 메마른 입술로 신기한 일들을 말해주는 듯한 착각이 일었다.

케인은 멀리 창공에서 맴도는 아카아나들을 보았다. 그러나 그가 권총을 손에 쥐고 잠들었을 때조차 그들은 가까이 오지는 않았다. 그러나 날이 갈수록 아카아나들은 수척해갔고 멀리까지 먹이를 찾아다녔다. 케인은 미친 사람처럼 웃어댔다.

그의 계획이 전에는 성공하지 못했지만, 지금은 하피 무리의 허기를 채울 인간이 남아 있지 않았다. 게다가 멧돼지도 고갈 상태였다. 고원 어디에도 박쥐 인간이 먹을 만한 생물은 없었다. 그들이 왜 산의 동쪽으로는 사냥을 가지 않는지 케인은 그 이유를 알 것 같았다. 동쪽은 서쪽과 마찬가지로 울창한 정글이 자리 잡고 있음이 틀림없었다. 케인은 영양을 사냥하러 초원으로 들어갔던 하피 무리가 사자한테 당하는 광경을 보았다. 결국 아카아나들은 멧돼지와 사슴과 인간에게만 강한 상대일 뿐, 맹수 사이에서는 약자에 불과했다.

마침내 그들이 밤마다 케인에게 가까이 날아왔다. 케인은 어둠을 뚫고 자기를 노려보는 탐욕스러운 눈동자들을 보았다. 마침내 때가 온 것이라고 생각했다. 박쥐 인간이 사냥하기에는 너무 크고 난폭한 들소들이 고원으로 들어와 보군다 부족의 버려진 들판을 유린했다. 케인은 그 중 들소 한 마리를 골라 소리치고 돌을 던지며 고루의 오두막까지 유인했다. 그것은 위험하면서도 인내심을 요구하는 일이어서 성난 들소의 기습 공격을 몇 차례 간신히 모면한 끝에 드디어 오두막 앞에서 해치울 수 있었다.

강한 서풍이 불어왔다. 케인은 피 냄새로 산속의 하피를 유인하기 위해 허공으로 피를 흩뿌렸다. 그리고 들소를 토막 내 그 일부와 커다란 몸체까지 어렵게 오두막 안에 들여놓았다. 그러고는 근처의 굵은 나무로 숨어들어가 기다렸다.

오래 기다릴 필요가 없었다. 아침 하늘이 갑자기 무수한 날갯짓 소리로 가득해지더니 오싹한 무리들이 고루의 오두막 앞에 내려앉기 시작했다. 그 짐승들--혹은 인간들--전부가 모여든 것 같았다. 길쭉하고 이상하게 생긴--인간과 닮았으면서도 한편으로는 전혀 다른--생명체, 케인은 종교적인 전설에 등장하는 악마의 변이들 같은 그들을 놀라움 속에서 지켜보았다. 그들은 똑바로 걷는 동안은 날개를 망토처럼 접었고, 서로 말을 할 때는 인간의 흔적이라고는 느껴지지 않는, 딱딱거리는 듣기 고약한 목소리를 냈다.

'그래, 놈들은 인간이 아니야.' 케인은 생각했다. 그것은 조물주의 끔찍한 장난으로 태어난 존재들이었다. 조물주가 천지창조를 실험하던 태초에 만들어진 졸렬한 모조품이라고 할까. 어쩌면 인간과 짐승의 금지된 결합으로 태어난 자손들일 수도 있었다. 진화 단계에서 나온 돌연변이에 더 가까웠다. 케인은 이미 오래 전부터 고대 철학자들이 말한, 요컨대 인간은 고등동물에 불과하다는 유전론에서 어렴풋이 진실을 느꼈기 때문이다. 그래서 조물주가 아주 오래 전에 무수히도 많은 괴생물체를 만들었다면, 시험 삼아 인간을 닮은 괴물을 만들지 말란 법도 없잖은가? 케인이 아는 한, 인간은 지상을 걸었던 최초의 종족도 최후의 종족도 아니었다.

지금 보니, 오두막과 같은 구조물에 대해 천성적으로 의심이 많은 하피들이 머뭇거리고 있었는데 일부는 지붕을 파헤치고 있었다. 그러나 케인도 허술하게 준비를 한 게 아니었다. 이윽고 하피들이 다시 땅으로 내려앉더니 오두막 안에 있는 고깃덩어리와 피 냄새에 안달을 내기 시작했다. 그중에서 하나가 용감하게 안으로 들어갔다. 순식간에 하피들이 전부 커다란 오두막 안으로 몰려 들어가 게걸스럽게 고깃덩어리를 먹어치웠다. 마지막 하나까지 안으로 들어가는 것을 확인한 케인이 손을 뻗어 문을 지탱하도록 설치해둔 기다란 덩굴 하나를 획 잡아당겼다. 육중한 소리와 함께 문이 내려왔고, 미리 만들어둔 장벽도 정확한 위치에 떨어졌다. 이제 오두막의 출입문은 거센 황소도 뚫지 못할 만큼 견고해졌다.

케인은 숨었던 곳에서 나와 하늘을 살폈다. 140마리 정도의 하피들이 오두막 안에 들어가 있었다. 하늘에 조인족 형체가 없는 것으로 봐서 하피의 무리 전체가 덫에 걸렸다고 해도 무방했다. 케인의 얼굴에 냉혹하고 음산한 미소가 떠올랐다. 그는 부시와 부싯돌로 벽 옆에 쌓아둔 낙엽 더미에 불을 붙였다. 오두막 안에서 불안한 웅얼거림이 들려왔는데, 마침내 하피들도 상황을 눈치 챘다. 가는 연기가 구불구불 위로 올라갔고, 그 뒤를 쫓아 불길이 치솟았다. 짚더미가 한꺼번에 화염에 휩싸이는가 싶더니 잇따라 마른 대나무에 불이 붙었다.

삽시간에 오두막의 벽면 전체에서 불길이 일었다. 악마들은 연기냄새를 맡고 점점 불안해졌다. 케인은 안에서 나는 난폭한 괴성과 발톱으로 벽을 할퀴어대는 소리를 들었다. 그는 싸늘하고 황량한 미소를 머금었을 뿐 일말의 동정 따위는 없었다. 바람의 방향이 바뀌어 불길은 벽면에서 지붕으로 옮겨 붙었다. 요란한 소리와 함께 오두막 전체에서 불길이 치솟았다.

오두막 안에서는 아비규환의 소동이 일었다. 케인은 오두막이 뒤흔들릴 정도로 벽면에 마구 부딪치는 소리를 들었지만, 벽은 끄떡없었다. 끔찍한 비명이 그에겐 감미로운 음악이었다. 그는 두 손을 치켜들고 간담이 서늘해지는 웃음으로 비명에 화답했다. 듣기 고약한 공포의 충격과 비명이 화마의 포효보다 높게 들려왔다. 불길이 오두막 안을 집어삼키고 자욱한 연기가 피어오를 즈음, 괴물들의 비명은 억눌린 괴성으로 잦아졌다. 살이 타들어가는 고약한 냄새가 진동했다. 케인이 그때 광적인 승리감에만 취해 있지 않았더라면, 그 냄새가 오로지 인간의 살이 탈 때 나는 역겨우면서도 딱히 표현할 길이 없는 악취라는 걸 깨닫고 전율했을 터이다.

케인은 자욱한 연기 속에서 하피 하나가 뒤틀린 얼굴로 깩깩거리는 걸 보았다. 그것은 무너진 지붕을 헤치고 흉하게 타들어간 날개를 고통스럽게 퍼덕이며 날아오르려 안간힘을 쓰고 있었다. 케인은 침착하게 총을 겨누고 방아쇠를 당겼다. 하피가 악을 쓰면서 다시 불구덩이 속으로 곤두박질치는 순간, 오두막의 벽이 한꺼번에 무너졌다. 케인이 연기 속으로 사라져가는 고루의 얼굴을 봤다면 착각이었을까. 고루의 얼굴에 환한 미소가 번지더니 환희에 찬 사람의 웃음소리가 화염 속에서 기괴하게 뒤섞이는 것 같았다.

케인은 한 손에 쥬쥬 지팡이 다른 손엔 화약 연기가 나는 권총을 들고 서 있었다. 아주 먼 과거 어느 미지의 시대에 유럽의 또 다른 영웅에게 최후를 맞았던 반인반수의 괴물들, 그들의 마지막은 사람들의 시선에서 벗어나 연기 속에 영원히 묻혔다. 우뚝 서 있던 케인 자신은 몰랐겠으나, 그의 모습은 냉철한 눈과 강인한 힘을 지닌 탁월한 전사의 승전 기념상 그 자체였다.

연기가 아침 하늘로 올라갔고, 굶주린 사자들의 포효가 고원을 흔들었다. 안개 속으로 스며드는 빛처럼 케인은 서서히 이성을 되찾았다.

　"아침을 맞는 신의 햇살은 이 어둡고 쓸쓸한 땅에도 비추는군." 솔로몬 케인이 무겁게 말했다. "사악한 것들이 오지의 땅마다 세를 떨치고 있으나 그것들이 불사신은 아닐 거야. 밤이 가면 새벽이 오는 법, 이런 오지의 땅에서도 어둠이 걷히고 있어. 신이시여, 당신의 행하심은 참으로 오묘합니다. 당신의 지혜를 묻는 저는 과연 누구입니까? 당신은 악의 길에 들어선 저를 무사히 이끄시고, 악을 응징할 수 있는 힘까지 주셨습니다. 인간의 영혼 위로 거대한 괴물들이 독수리의 날개를 펼치고 온갖 극악한 방법으로 인간의 영혼과 육체를 먹어치우고 있습니다. 사악한 그림자가 사라지고 암흑의 마왕이 지옥에 영원히 묶이려면 아직 더 많은 시간을 기다려야 할지 모릅니다. 그리고 여전히 전능하신 신의 도움 없이 인류가 스스로 괴물들과 맞서 싸우기까지는."

　솔로몬 케인은 고즈넉한 산을 올려다보다가 산과 그 너머 미지의 땅으로부터 침묵의 부름을 들었다. 솔로몬 케인은 허리띠를 고쳐 매고 지팡이를 단단히 쥐고는 동쪽을 바라보았다.

미완성작

아수르의 아이들

제 1 장

　짐승의 가죽을 쌓아 만든 초라한 잠자리, 거기 놓인 무기를 낚
아채며 솔로몬 케인이 어둠 속에서 화들짝 깨어났다. 그를 깨운
건 오두막 지붕을 거세게 두드리는 열대의 빗줄기가 아니라 천둥
같은 울부짖음이었다. 인간의 처절한 비명 소리가 쇳소리처럼 열
대의 폭풍을 뚫고 들려왔다. 케인이 폭풍을 피해 들어온 원주민

마을에서 싸움이 벌어진 모양인데, 어딘지 대대적인 습격의 기운이 감돌았다. 칼을 움켜잡은 케인은 이런 한밤에 그것도 이런 폭풍 속에서 마을을 급습하는 무리의 정체가 자못 궁금해졌다. 칼옆에 총기류도 놓여 있었지만 그건 그냥 놔두었다. 이런 폭우 속에서 화약이 금세 젖을 것이기에 총기류는 무용지물이나 다름없었다.

그는 슬라우치 햇과 망토까지는 미처 챙기지 못한 채 오두막 문가로 뛰어갔다. 하늘을 찢어발기듯 거친 번개의 섬광이 내리치는 순간, 오두막 사이에서 서로 뒤엉켜 난투극을 벌이는 사람들과 쇠의 번뜩임이 어지러이 스쳐갔다. 폭풍을 뚫고 흑인들의 비명과 알아들을 수 없는 굵은 외침들이 들려왔다. 케인이 오두막에서 뛰쳐나오는데 불현듯 앞쪽에서 인기척이 느껴졌다. 그때 번개가 또 하늘을 가르면서 창공을 기이한 푸른빛으로 물들였다. 그 섬광이 스치는 순간, 케인은 칼을 움켜잡은 손에 바짝 힘을 주었지만 곧바로 자신의 머리를 향해 날아드는 묵직한 칼날을 보았다. 눈앞에 번개보다 더 환한 불똥이 튀는가 싶더니 정글의 밤보다 더 짙은 어둠이 그를 집어삼켰다.

솔로몬 케인이 오두막 앞의 끈적끈적한 땅바닥에서 간신히 몸을 일으켰을 때, 흠뻑 젖은 정글 위로 창백한 여명이 번지고 있었다. 머리에 피가 말라붙어 있었고 약간의 두통이 느껴졌다. 그는 조금 휘청거리면서 일어섰다. 비가 그친 지는 오래, 하늘은 맑게 개어 있었다. 마을은 적막했다. 케인은 곧 마을이 진짜 무덤으로 변해버렸다는 것을 깨달았다. 거리와 집집의 문간 그리고 집안까지 남녀노소를 가릴 것 없는 시체들로 뒤덮여 있었다. 어떤 집들은 그곳으로 숨어든 사람들을 찾기 위함인지 아니면 단순한 파괴의 쾌락을 위함인지는 몰라도 산산이 부서져 있었다. 케인이 판단하건대, 정체불명의 습격자들이 마을 주민들을 많이 생포해 가는 데는 관심이 없었다. 뿐만 아니라 창과 도끼, 요리 도구와 깃털이 달린 투구까지 그냥 놔두고 간 것으로 봐서, 습격자들은 문화와 기술 면에서 이 조악한 마을 사람들보다 뛰어난 부족인 것 같았다. 그러나 그들은 상아를 닥치는 대로 가져갔고, 그제야 살펴보니 케인의 레이피어와 단검, 총기류와 화약 그리고 가죽 탄대까지 모조리 가져간 뒤였다. 게다가 끝이 뾰족하고 고양이 머리가 기묘하게 조각된 케인의 지팡이도 보이지 않았다. 그것은 그의 친구이자 웨스트 코스트의 주술사인 은롱가에게서 모자와 망토와 더불어 선물로 받은 지팡이였다.

케인은 황량한 마을 한복판에 서서 종잡을 수 없이 떠오르는 이상한 생각에 골몰했다. 간밤에 폭풍이 몰아치는 정글에서 몸을 피해온 이 마을에서 원주민들과 나눈 대화를 떠올려 봐도 습격자 무리의 정체를 짐작할만한 단서는 없었다. 자기들보다 더 강성한 경쟁 부족에게 쫓겨 오랜 여정 끝에 이곳으로 들어온 지 얼마 되지 않아서 원주민들도 이 지역에 대해 아는 것이 거의 없었다. 소박하고 선량한 원주민들은 케인을 반겨주며 그들의 오두막과 변변찮은 음식일망정 넉넉히 내주었다. 케인은 알 수 없는 파괴자들에게 큰 분노를 느꼈지만 그보다 억누를 수 없는--지적인 사람들에겐 저주와도 같은--호기심에 더 끌린 것도 사실이었다.

케인 자신도 간밤에 수수께끼 같은 장면을 직접 목격했다. 폭풍 속에서--생생한 번개의 섬광 속에서--검은 수염을 기른 포악한 얼굴, 어느 백인의 얼굴이 스쳐갔었다. 그러나 이성적으로 따져볼 때 이곳에서 수백 킬로미터 반경 내에 백인은 고사하고 아랍인 침략자들마저 있을 확률은 없었다. 케인은 그 남자의 옷차림까지 살펴볼 여유는 없었지만 어딘지 유별나다는 느낌이 어렴풋이 남아 있었다. 그리고 언뜻 스치면서 그를 쓰러뜨린 칼도 투박한 원주민들의 무기는 분명 아니었다.

케인은 마을을 에워싸고 있는 투박한 진흙 벽을 쳐다보았다. 벽에 나 있던 대나무 관문은 습격자들에 의해 산산이 부서져 있었다. 습격자들이 떠난 시간에는 폭풍의 기세가 한풀 꺾인 모양이었다. 대규모 행렬의 발자국이 부서진 관문에서 정글 속으로 나 있었기 때문이다.

케인은 근처에 있던 원주민의 투박한 도끼를 집어 들었다. 전투 중에 습격자 측에서도 사상자가 있을 법 했지만 동료들이 그 시체와 부상자들을 모두 데려갔을 것이다. 폭염으로부터 머리를 보호하기 위해 나뭇잎을 엮어 임시변통으로 모자를 만들었다. 이윽고 부서진 관문을 지난 솔로몬 케인은 정체미상의 흔적들을 따라 빗물에 젖은 정글 속으로 들어갔다.

커다란 나무들 아래 이르자, 흔적들이 더욱 또렷해졌다. 대부분의 발자국은 케인에게 생경한 일종의 샌들 모양이었다. 나머지 발자국은 맨발인데, 마을 주민 중에 일부가 포로로 잡혀 있음을 암시했다. 그들이 출발한지 꽤 오래 전인지, 케인이 긴 보폭으로 쉼 없이 걸어왔음에도 행렬의 모습은 눈에 띄지 않았다.

그는 폐허가 된 마을에서 가져온 식량으로 요기를 하고 분노와 '번개에 스친 얼굴의 미스터리를 풀고자 하는' 욕구에 이끌려 주저 없이 발길을 재촉했다. 게다가 습격자들은 그의 무기를 가져갔다. 음산한 땅에서 무기는 생명줄이나 마찬가지였다. 날이 저물어 갔다. 해가 질 무렵, 정글은 삼림지로 바뀌었고 땅거미가 졌을 때는 풀이 물결치고 나무가 점점이 자라있는 평야에 다다랐다. 평야 너머로 야트막한 산처럼 보이는 것이 있었다. 발자국이 곧장 평야를 가로질러 갔기에 케인은 습격자들의 목적지가 저 너머의 낮고 완만한 산이라고 생각했다.

케인은 망설였다. 수풀 너머에서 사자들의 불길한 포효가 들려왔고 수십 군데에서 그 소리가 메아리치고 또 메아리쳤다. 사자 무리가 먹잇감을 쫓고 있다는 의미였다. 고작 도끼 한 자루만 지닌 채 광활한 평야를 건너는 건 자살행위였다. 케인은 커다란 나무를 발견하고 그것을 기어올라 나무 아귀에 최대한 편안하게 자리를 잡았다. 평야 건너 아득한 산속에서 불빛이 깜박이고 있었다. 그리고 산과 가까운 평야 쪽에서 또 다른 불빛이 산을 향해 구불구불 움직이고 있었다. 별빛을 등지고 지평선을 따라 보일락말락 하는 불빛은 원주민을 포로로 잡은 습격자들의 행렬이 분명했다. 그들은 횃불을 들고 빠르게 움직이고 있었다. 횃불은 사자의 접근을 막아줄 것이고, 케인이 판단하건대 육식 동물이 출몰하는 평야를 구태여 밤에 횡단하는 위험을 무릅쓴 것으로 봐서 그들의 목적지가 아주 가까운 듯 했다.

케인이 지켜보는 동안, 점처럼 깜박이는 불빛들이 위쪽으로 움직이다가 한동안 산속에서 반짝였다. 그리고 그들의 모습이 더는 보이지 않았다. 케인은 지금까지 벌어진 기이한 일들을 생각하다가 잠이 들었다. 나뭇잎 사이에서 밤바람이 고대 아프리카의 음산한 비밀을 속삭였고, 나무 아래서는 으르렁거리는 사자들이 굶주린 눈빛으로 위쪽을 노려보며 꼬리를 내리쳤다.

또 다시 불그스름한 황금빛 여명이 대지를 밝혔다. 솔로몬 케인은 나무에서 내려와 여정을 계속했다. 마지막 남은 식량을 먹고 깨끗해 보이는 시냇물을 마셨다. 혹시 산속에서 먹을 것을 구할 수 있을 런지, 그럴 수 없다면 매우 난처한 입장에 놓일 것이라는 생각이 들었다. 그러나 케인은 이미 굶주림을 경험해 보았다. 그 정도는 약과였다. 죽기 직전까지 굶주리고 추위에 떨고 탈진한 게 한두 번이 아니었다. 팔다리가 길고 어깨가 넓은 그의 신체는 강철처럼 단단했고 칼처럼 날렵했다.

그는 초원을 거침없이 걸어갔다. 숨어있는 사자를 경계하면서도 속도를 늦추지 않았다. 하늘 높이 솟았던 해가 서쪽으로 기울기 시작했다. 낮은 산맥에 다가갈수록 그 지세가 또렷해졌다. 험준한 산 대신에 낮은 고원이 주변에서 불쑥 솟아있었고, 지면도 평평해 보였다. 가장자리에서 나무와 긴 풀이 자라고 있는 반면, 낭떠러지는 거칠고 황량했다. 그러나 낭떠러지의 높이가 기껏해야 20내지 25미터 정도여서 오르기에 그리 어렵지 않을 것 같았다.

고원의 낭떠러지가 가까워졌을 때, 케인은 그것이 두터운 토양으로 덮여 있기는 하나 단단한 암석이나 다름없다는 걸 알았다. 표석들이 곳곳에서 튀어나와 있었고, 건강한 남자라면 능히 올라갈만한 지점도 많았다. 그런데 커다란 길 하나가 벼랑을 따라 가파르게 굽이쳐 올라가는 게 보였는데, 케인이 쫓아온 발자국들도 그 길을 따라 올라가고 있었다.

그 길에 가까이 다가간 케인은 그것이 뛰어난 건축 솜씨로 지어졌음을 깨달았다. 다시 말해 짐승이 다니는 길이나 원주민의 오솔길과는 차원이 달랐다. 정교한 기술로 낭떠러지를 파서 만든 그 길은 포장을 한데다 매끈하게 깎은 돌로 난간까지 만들어 놓았다.

케인은 늑대처럼 경계심을 품고 그 길을 피해갔다. 조금 더 가자 경사가 덜한 비탈이 나왔다. 발 디딜 곳이 불안정하고 표석들이 금방이라도 굴러 떨어질 것처럼 위험했지만 그는 조금도 망설이지 않고 그곳을 기어 낭떠러지의 끝으로 올라섰다.

케인은 표석이 널려 있는 울퉁불퉁한 비탈에 섰다. 가파른 내리막 경사를 형성하다가 평평한 고원으로 이어지는 위치였다. 그곳에서 보니 발밑으로 싱그러운 초록빛 풀밭과 함께 광활한 고원이 펼쳐져 있었다. 불현 듯 그는 눈을 깜빡이면서 머리를 흔들었다. 고원 한복판에서 신기루 혹은 착시를 일으키는 뭔가를 본 듯했기 때문이었다. 착각이 아니었다! 그것은 여전히 거기 있었다. 풀이 무성한 고원 뒤에서 솟구친 거대한 성벽 그리고 그 안에 자리 잡은 도시. 총안과 망루가 보였고, 그 주변에서 움직이는 작은 형체들이 있었다. 도시 맞은편으로 작은 호수가 보였다. 물가에 비옥한 농경지와 들판 외에도 풀을 뜯는 소떼가 가득한 꽤 커다란 규모의 목초지가 펼쳐져 있었다.

그 광경을 보면서 청교도는 한동안 얼어붙어 있었다. 그때였다. 쇠굽이 돌에 부딪치는 철커덕 소리가 들리는가 싶더니 표석 사이에서 남자 하나가 튀어나왔다. 그 남자는 케인만큼 큰 키에 다부지고 강했으며 체중은 케인보다 더 육중했다. 두 팔뚝은 근육질이었고, 두 다리는 쇠기둥을 꼬아 놓은 것 같았다. 그의 얼굴은 케인이 번갯불 속에서 본, 검은 수염을 기른 포악한 괴한과 꼭 닮아 있었다. 오만한 눈동자와 약탈적인 매부리코를 지닌 백인의 얼굴. 두툼한 목에서 무릎까지 코슬릿^(갑옷의 하나로 끈이 달린 몸통을 감싸는 옷—옮긴이)을 입었고, 머리에는 투구를 썼다. 왼손에는 가죽과 단단한 나무에 금속을 덧대어 만든 방패를 들었고, 허리띠에는 단검과 짧지만 묵직한 철퇴를 지니고 있었다.

이것이 그 남자가 고함과 함께 달려드는 동안 케인이 본 전부였다. 그 순간 영국인이 깨달은 것은 협상 따위는 있을 수 없는 사활을 건 혈투였다. 케인은 전사를 향해 호랑이처럼 뛰어들면서 장신에서 뿜어지는 온힘을 실어 도끼를 휘둘렀다. 전사는 케인의 일격을 방패로 막았다. 도끼날의 방향이 바뀌면서 도끼 자루가 케인의 손아귀에서 부러졌고, 전사의 방패도 박살이 났다.

맹렬하게 뛰어든 가속도 때문에 케인의 몸이 전사와 부딪쳤다. 전사는 무용지물이 된 방패를 내던지고 비틀거리며 영국인을 움켜잡았다. 숨 막히는 팽팽한 접전, 두 사람은 각자의 억센 다리로 버티며 숨을 몰아쉬었다. 케인은 상대방의 강한 힘을 느끼고 늑대처럼 으르렁거렸다. 전사의 갑옷 때문에 마음먹은 대로 공격을 할 수 없었다. 한편 철퇴를 짧게 고쳐 쥔 전사는 그것으로 케인의 머리를 후려치려고 안간힘쓰고 있었다.

영국인은 전사의 팔을 제압하려고 했지만 손가락이 자꾸 빗나갔고, 오히려 철퇴가 능살맞게 그의 머리를 향해 다가오고 있었다. 간밤에 이어 또 다시 포연 속에서 날아드는 총알처럼 철퇴가 케인의 눈앞을 가렸다. 그러나 이번에는 본능적으로 몸을 비틀어 철퇴를 피했다. 대신에 그의 어깨로 날아든 철퇴에 살이 찢어지고 피가 쏟아지기 시작했다.

격분한 케인이 철퇴를 휘두르는 전사의 건장한 몸을 있는 힘껏 들이받고는 전사의 허리띠에 있는 단검을 필사적으로 낚아챘다. 케인은 인정사정없이 상대를 찔러댔다.

두 사람은 서로 뒤엉킨 채 뒤쪽으로 비틀거렸다. 찔린 사람은 원한에 찬 침묵에 잠겨 있었고, 찌른 사람은 뒤엉킨 팔을 풀어 상대에게 치명상을 입히기 위해 버둥거렸다. 전사의 짧고 불완전한 공격이 케인의 머리와 어깨로 날아들면서 연거푸 살을 찢고 피를 불러냈다. 영국인의 몽롱한 머릿속으로 고통이 시뻘건 작살처럼 파고들었다. 그의 손에 들린 단검도 역시 상대방을 향해 연신 날아들었지만 번번이 갑옷에 막혀 엇나갔다.

이성을 잃은 맹목성과 상처를 입고도 물러서지 않는 늑대처럼 오로지 싸움의 본능에만 의지한 채, 케인은 야수처럼 상대의 두툼한 목을 물어뜯었다. 살이 찢어지고 피가 뿜어지자 그 억센 거구의 육체에서 고통스러운 울부짖음이 튀어나왔다. 철퇴가 멈칫하더니 전사가 뒷걸음질 쳤다. 그들은 한데 뒤엉킨 채로 경사지에서 데굴데굴 굴렀다. 경사지 바닥에서 먼저 일어선 사람은 케인이었다. 그는 단검을 머리 위로 높이 치켜들었다가 칼자루가 잠길 정도로 전사의 목 깊숙이 쑤셔 넣었다. 공격의 반동으로 고꾸라진 케인은 적의 시체 위에서 의식을 잃었다.

그들은 질펀한 피 웅덩이 속에 누워 있었다. 파란 하늘을 배경으로 창공에 반점처럼 나타난 독수리 떼가 원을 그리며 낮게 날았다. 그때 남자들이 나타났는데, 그들은 의식을 잃은 케인 밑에 깔려 있는 전사와 비슷한 복장과 외모를 하고 있었다. 그들은 싸움 소리를 듣고 왔는지, 지금은 빙 둘러서서 거칠고 걸걸한 말투로 의논을 하기 시작했다. 그들과 약간 떨어진 거리에서 노예들이 숨을 죽이고 있었다.

그들이 둘을 떼어놓고 보니, 한 사람은 이미 죽었고 다른 한 사람은 죽어가고 있었다. 다시 의논이 오간 후에 그들은 창 따위로 들 것을 만들어 노예들에게 두 남자를 옮기라고 명령했다. 일행은 초록빛 고원 한복판에서 기이하게 반짝이고 있는 도시를 향해 출발했다.

제 2 장

솔로몬 케인은 의식을 찾았다. 그는 말끔하게 무두질한 짐승의 가죽과 모피로 덮인 침상에 누워 있었다. 꽤 커다란 방은 바닥과 벽과 천장까지 돌로 만들어져 있었다. 하나뿐인 창문은 철통같이 막혀 있고, 출입문은 하나였다. 문밖에 서 있는 건장한 전사는 케인이 죽인 남자와 외모가 비슷했다.

케인은 문득 또 다른 것을 발견했다. 그의 팔목과 목 그리고 발목에 황금 사슬이 채워져 있었다. 복잡하게 한데 연결된 사슬들은 벽에 설치된 고리에 튼튼한 은 자물쇠와 함께 고정되어 있었다.

케인은 자신의 상처에 붕대가 감겨진 것을 발견하고 지금 어떤 상황에 처해 있는지 골똘히 생각에 잠겼다. 그때 노예 하나가 음식과 붉은 포도주 같은 것을 가지고 들어왔다. 영국인은 노예에게 말을 걸 생각은 접고 주는 대로 먹고 마셨다. 포도주는 약을 탄 것이어서 케인은 곧 잠이 들었다. 몇 시간이 지나 그가 깨어났을 때, 붕대가 새것으로 바뀌어 있었다. 문 밖의 경비병도 교체되어 있었는데, 건장한 체구와 검은 수염 그리고 입고 있는 갑옷에 이르기까지 앞에서 본 전사와 같은 신분이었다.

지금 깨어난 케인은 한결 가뿐한 기분과 활력을 느꼈다. 노예가 다시 나타나면 지금의 기묘한 상황에 대해 물어보겠다고 결심했다. 이윽고 가죽 샌들이 바닥에 스치는 소리가 들려왔다. 케인이 침상에서 몸을 일으키는데 한 무리의 사람이 방으로 들어왔다.

사람들 맨 뒤에 케인에게 음식을 가져다주었던 노예가 웅크리고 있었다. 케인 앞으로 몰려든 사람들은 옷차림이 괴상할 뿐 아니라 얼굴과 머리를 터럭 하나 없이 면도를 하고 있었다. 그들과 조금 떨어진 거리에 우두머리로 보이는 남자가 서 있었다. 키가 컸고, 비단 옷에다 황금 비늘이 달린 허리띠를 두르고 있었다. 진한 남빛 머리칼과 묘하게 구부러진 수염, 매부리코와 잔혹하고 탐욕스러운 얼굴. 이 알 수 없는 종족의 특징으로 보이는 눈빛의 오만함, 이 남자의 눈은 유독 그랬다. 머리에는 이상한 모양으로 조각한 황금 머리띠를 하고, 손에는 황금 홀(笏)을 들고 있었다. 다른 사람들이 이 남자를 대하는 태도가 공손하다 못해 비굴해 보였다. 케인은 이 남자가 도시의 왕이거나 고위 사제라고 생각했다.

그 남자 옆에 얼굴과 머리를 싹 밀어올린 땅딸막한 남자가 뒤쪽에 있는 천민들처럼 닳아빠진 그러나 퍽 값비싼 옷을 입고 서 있었다. 그는 보석 장식을 한 손잡이에 여섯 개의 가죽 끈이 달린 채찍을 들고 있었다. 가죽 끈마다 끝에 삼각형 모양의 금속이 달려 있는데, 케인이 지금까지 보지 못했던 야만적인 처벌의 도구로 여겨졌다. 채찍을 든 남자의 작은 눈은 교활하게 이리저리 움직였고, 홀을 든 남자에게는 아첨과 굴종으로 대하는 반면 자기보다 신분이 낮은 사람들에게는 지나치게 폭압적인 태도를 취했다.

케인은 넌지시 친근한 기색을 비추며 그들을 마주보았다. 그들에게서 어딘지 아랍인의 느낌이 전해졌다. 그러나 그가 지금까지 보아온 여느 아랍인과는 다른 뭔가가 있었다. 그들이 서로 이야기를 주고받을 때 간간이 익숙한 말이 들려오기도 했다. 그럼에도 어렴풋한 기억을 자극할 뿐인 그들의 정체를 딱히 단정 지을 수는 없었다.

이윽고 홀을 든 키큰 사내가 돌아서서 위풍당당하게 걸어갔고, 나머지는 굽신거리며 그 뒤를 따랐다. 케인은 혼자 남겨졌다. 얼마 지나지 않아 땅딸보가 십여 명의 병사와 노예들을 이끌고 다시 나타났다. 그들 중에는 케인에게 음식을 가져다준 앳된 노예도 있었고, 로인클로스 외에는 알몸인 어느 키가 크고 음울한 인상의 사내는 허리에 커다란 열쇠를 지니고 있었다. 병사들이 창을 겨누고 케인을 에워싸는 동안, 키큰 사내가 벽에 있는 고리에서 사슬을 풀었다. 그들이 사슬을 붙잡고는 케인에게 함께 가자는 신호를 주었다. 병사들에게 둘러싸인 채 케인은 방에서 나와 넓은 회랑처럼 보이는 공간으로 들어섰다. 회랑들이 어마어마한 구조물 내부를 따라 줄줄이 이어져 있었다. 층계를 오른 그들이 이윽고 도착한 곳은 케인이 있던 방과 흡사한 어느 내실이었다. 케인을 묶은 사슬은 역시 하나뿐인 창가 벽에 설치된 고리에 다시 채워졌다. 케인은 짐승 가죽으로 덮인 침상에서 똑바로 일어서거나 눕거나 앉을 수는 있었지만 어느 쪽으로든 여섯 발짝 이상은 움직일 수 없었다. 손길이 닿는 거리에 포도주와 음식이 놓여 있었다.

병사들이 떠난 후, 케인은 그 방의 출입문이 잠겨 있지 않은데다 경비병도 없다는 것을 깨달았다. 사슬만으로도 충분하다고 생각한 모양인데, 케인이 몇 차례 사슬을 시험해본 결과 그들의 생각이 틀리진 않았다. 그러나 나중에 알게 되겠지만, 그를 삼엄하게 감시하지 않는 이유는 따로 있었다.

영국인은 창문을 내다보았다. 전에 있던 방에 비해 창문이 컸고 그리 단단히 막혀 있지도 않았다. 상당한 높이에서 도시가 내려다보였다. 비좁은 거리들, 기둥과 사자석상을 세워놓은 큰길 그리고 지붕이 평평한 집들이 멀리까지 줄지어 있었다. 건물 대부분은 돌로 지어졌고, 어떤 것은 햇볕에 말린 벽돌로 지어져 있었다. 건물의 당당함에서 까닭모를 혐오감이 느껴졌다. 건축자들의 음산하고 잔인한 성격을 암시하는 듯한 음울하고 둔중한 건물의 특징 때문이었을까.

도시를 둘러싼 성벽은 높고 두터웠으며, 일정한 간격을 두고 망루가 세워져 있었다. 갑옷을 입은 사람들이 보초를 서는 것처럼 성벽을 따라 움직이고 있었다. 케인은 이들 종족의 호전성을 떠올려 보았다. 거리와 시장마다 총천연색 옷을 입은 사람들이 변화무쌍한 파노라마처럼 돌아다녔다.

케인은 자신이 갇혀 있는 건물이 어떤 곳인지에 대해서는 거의 알 길이 없었다. 아래쪽에는 거인국에서나 있을 법한 커다란 층계들이 줄지어 있었다. 마치 바벨탑처럼 하나씩 쌓아올린 것이 틀림없다고 생각하노라니 기분이 꺼림칙해졌다.

케인은 방안으로 시선을 옮겼다. 벽마다 다채로운 벽화와 조각상이 장식되어 있었다. 사실, 어떤 영국인도 아시아나 유럽에서 이처럼 수준 높은 예술을 접하지는 못했을 터이다. 대부분은 전쟁이나 사냥 장면을 묘사하고 있었다. 이를 테면, 검은--종종 구부러진--수염을 기른 건장한 남자들이 갑옷을 입고 사자를 죽이거나 다른 전사들을 쫓고 있었다. 쫓기는 전사들은 알몸의 흑인이거나 쫓는 자와 아주 흡사한 모습이었다.

인간보다는 동물을 묘사한 부분이 훨씬 더 뛰어났다. 인간들은 정형화된 모습으로 묘사되어 딱딱한 느낌이 들고는 했다. 반면에 사자들은 살아있는 듯 생생하게 묘사되어 있었다. 일부 장면에서는 검은 수염의 살육자들이 용맹한 말이 끄는 전차를 타고 있었는데, 케인은 또 다시 그런 장면을 어디에선가 본 듯한 묘한 느낌을 받았다. 전차와 말들은 사자에 비해서는 생동감이 떨어졌다. 그것은 틀에 박힌 묘사 때문이라기보다는 그림을 그린 사람의 무관심이 더 큰 원인으로 보였다. 사람을 비롯한 일부분에서 드러나는 허술함에 비해 그림 전체에서 발휘된 묘사력이 뛰어났기 때문이다.

그렇게 벽화를 보고 있자니 시간이 금세 지나갔다. 어느 새 과묵한 노예가 음식과 포도주를 가져왔다.

노예가 음식을 내려놓을 때, 케인이 노예의 얼굴에 난 특유의 반흔문신으로 그 출신을 짐작하여 오지 부족의 방언으로 말을 걸었다. 노예가 무표정한 얼굴에 살짝 화색을 띠더니 케인이 충분히 이해할 수 있는 말로 대꾸했다.

"이 도시의 이름이 무엇인가?" "닌입니다. 브와나^(나리)."

"이곳엔 어떤 사람들이 살고 있나?"

무표정한 노예가 의심스러운 듯 고개를 저었다.

"아주 오래 전부터 여기에서 살아온 사람들입니다. 나리."

"사람들과 함께 내 방에 들어왔던 자가 왕인가?"

"예, 나리. 그 분이 아수르-라스-아랍 왕입니다."

"채찍을 들고 있던 자는 누구인가?"

"예멘 사제입니다. 페르시아 나리."

"페르시아 나리? 왜 나를 그렇게 부르지?" 케인이 난처해하면서 물었다.

"주인님들이 나리를 그렇게 부르셔서—" 그때 노예가 움찔하면서 안색이 흙빛으로 변했다. 키 큰 전사가 방으로 들어왔기 때문이다. 머리를 빡빡 민 거구의 전사가 알몸이나 다름없는 옷차림으로 들어서자, 무릎을 꿇은 노예가 겁에 질려 울부짖기 시작했다. 전사의 억센 손가락이 겁에 질린 노예의 목을 움켜잡았다. 케인이 지켜보는 가운데 가여운 노예의 눈에서 눈알이 튀어나왔고 헐떡이는 입에서 혀가 밀려나왔다. 노예가 버둥거렸지만 부질없었다. 전사의 강철 같은 손목을 뿌리치려던 노예의 손길에서 점점 힘이 빠져나갔다. 노예는 곧 살육자의 손아귀에서 축 쳐졌다. 전사가 손을 놓자, 노예의 시체가 바닥으로 푹 고꾸라졌다. 전사가 손뼉을 쳤다. 이내 노예 두 명이 들어왔다. 그들은 동료의 시체를 보고 안색이 잿빛으로 변했지만, 전사의 손짓에 따라 무표정하게 시체의 발을 붙잡아 끌고 나갔다.

전사는 문간에서 돌아서더니 흐릿하고 냉혹한 눈으로 경고를 하듯 케인을 노려보았다. 적개심 때문에 케인의 관자놀이가 거칠게 뛰어올랐다. 결국에 분노한 영국인의 싸늘한 눈빛 앞에서 시선을 떨어뜨린 쪽은 냉혹한 살인자였다. 전사는 생각에 잠긴 케인을 홀로 남겨둔 채 조용히 사라졌다.

다음번 식사를 가지고 나타난 노예는 호리호리한 체구에 싹싹하고 총명해 보이는 청년이었다. 케인은 노예에게 말을 걸려고 하지 않았다. 노예의 주인들이 어떤 이유에서건 자신들과 관련된 정보의 노출을 꺼리고 있음이 분명했기 때문이다.

케인은 그 높은 곳에 얼마나 오랫동안 갇혀 있었는지 알 길이 없었다. 어제와 똑같은 오늘이 반복되다보니 시간 개념을 잃어버렸다. 이따금씩 예멘 사제가 나타나 흡족한 표정으로 케인을 바라보았고, 그때마다 케인의 눈동자는 벌겋게 살기를 띠었다. 그리고 또 이따금씩 거구의 살인자가 소리없이 나타났다가 소리없이 사라졌다.

케인의 시선이 말없는 거인의 허리띠에서 흔들거리는 열쇠에 못 박히듯 머물곤 했다. 일단 그 전사를 붙잡을 수만 있다면 어떡해든 해볼 여지가 있었다. 그러나 전사는 창을 겨눈 부하들과 함께 있을 때를 제외하고는 언제나 조심스럽게 케인과의 사이에 일정한 간격을 유지했다.

그러던 어느 날, 예멘 사제가 예의 그 과묵한 거인(이름이 셈이라고 했다)과 50명가량 되는 시종 그리고 병사들을 데리고 케인의 방을 찾았다. 셈이 케인의 사슬을 풀었다. 병사와 시종들이 두 줄로 호위한 가운데 영국인은 구불구불한 회랑을 따라 걸어갔다. 사제들이 들고 있는 것 외에 벽감에서도 횃불이 너울거리면서 회랑을 밝히고 있었다.

케인은 횃불 속에서 회랑의 거대한 벽면을 따라 끝없이 이어지는 벽화를 또 보았다. 상당수는 실물과 똑같은 크기로 그려져 있었고, 어떤 것은 세월의 영향으로 인해 희미해지거나 지워져 있었다. 대부분의 벽화에서 말이 끄는 전차를 탄 사람들이 묘사되어 있었는데, 케인은 방에서 본—말과 전차가 불완전하게 묘사된—벽화가 회랑의 이 오랜 벽화들을 모방해 그려졌다는 것을 깨달았다. 지금은 이 도시에 말이나 전차 따위는 없을 터였다. 사람의 모습에서 또렷하게 드러나는 인종의 다양성과 특징들 특히 중심이 되는 종족의 매부리코와 구부러진 검은 수염은 쉽게 눈에 띄었다. 반면에 그들의 적수들은 흑인이거나 그들 자신과 같은 종족으로 그려졌고, 간간이 키가 크고 팔다리가 긴, 영락없는 아랍인의 모습인 경우도 있었다. 그런데 간혹 더 오래 전의 장면 중에서 사람들이 닌족과는 전혀 다른 모습을 하고 있어서 보는 이에게 섬뜩한 놀라움을 주었다. 이들 이방인들은 언제나 전쟁을 하고 있었는데, 이들이 늘 지는 것 같지는 않았다. 이방인들이 뛰어난 전투력을 선보이는 장면도 자주 눈에 띄었고, 이들을 노예로 묘사한 그림은 어디에도 없었다. 그러나 무엇보다 흥미를 끈 것은 벽화에 새겨진 사람들이 마치 이국땅에 있는 케인의 친구처럼 느껴진다는 점이었다. 그들의 야만적인 무기와 옷차림은 낯설다뿐이지 유럽인의 외모에 금발을 묶은 영국인이라고 해도 무방했다.

케인은, 아득히 오래 전 어디에선가, 닌의 조상들이 케인 자신의 조상들과 전쟁을 벌였다는 것을 알고 있었다. 그러나 언제 어디서였을까? 비옥한 평야와 풀이 무성한 언덕과 너른 강들이 보이는 것으로 봐서 벽화의 전투 장면들은 현재 닌족이 살고 있는 땅에서 벌어진 것이 분명 아니었다. 그랬다. 닌처럼 큰 도시는 맞지만 이상하리만큼 다르게 보였다.

그런데 문득, 구부러진 검은 수염을 한 왕들이 전차를 타고 사자를 사냥하는, 그와 비슷한 벽화들을 어디에서 봤는지 기억이 났다. 오래전에 망각된 메소포타미아의 어느 도시, 그 유적의 부서진 석조물에서였다. 그곳에서 들은 이야기에 따르면 그 유적들은 신의 저주를 받았다는 잔인무도한 니네베의 폐허라고 했다.

영국인과 그의 체포자들이 거대한 신전의 기부에 도착하여 벽처럼 웅크리듯 늘어서 있는 거대한 기둥 사이를 지나갔다. 이윽고 그들은 어마어마한 벽과 측면 기둥들 사이에 있는 널찍한 원형 공간으로 들어섰다. 단단한 벽면을 깎아 만든, 석기 시대의 괴물처럼 인간적인 허점과 인정이라고는 없는 거대한 신상 하나가 앉아 있었다.

아수르-라스-아랍 왕이 기둥의 그림자에 가려진 석조 왕좌에 앉아서 그 신상을 마주보고 있었다. 왕의 근엄한 얼굴에 깜빡이는 불빛 때문에 코난은 얼핏 그 역시 왕좌에 앉아있는 석상이라고 생각했다.

신상과 그것을 마주보고 있는 왕좌 앞에 좀 더 작은 왕좌 하나가 또 있었다. 그리고 그 앞 삼발이 위에 놓여있는 화로, 거기서 석탄이 타면서 구불구불한 연기가 나른하게 위로 솟았다.

번들거리는 헐렁한 녹색 비단옷이 케인에게 입혀지자, 그의 찢어지고 얼룩진 옷과 황금 사슬이 가려졌다. 화로 앞의 왕좌에 앉으라는 신호가 떨어졌고, 그는 아무 말 없이 지시에 따랐다. 그러자 그의 발목과 손목이 비단 로브에 가려진 상태로 교묘히 왕좌에 묶였다.

케인과 야멘 사제 그리고 왕좌에 앉아있는 왕만 남겨둔 채 하급 사제들과 병사들이 홀연히 물러났다. 뒤쪽, 나무들처럼 서있는 기둥의 그림자 속에서 케인은 개똥벌레처럼 간간이 스쳐가는 금속의 번뜩임을 보았다. 전사들이 시야에서 벗어나 있을 뿐 아직 거기에 숨어 있었다. 그는 마치 무대 같은 것이 설치되어 있다는 느낌을 받았다. 그리고 그 모든 것에서 허세가 느껴졌다.

아수르-라스-아랍 왕이 황금 지팡이를 집어 들더니 왕좌 가까이에 매달려 있는 징을 한차례 때렸다. 웅숭깊고도 은은한 소리가 멀리서 들려오는 종소리처럼 음산한 신전 안에 울려 퍼졌다. 기둥 사이, 어두운 길을 따라 일단의 사람들이 나타났다. 케인이 보기에 그들은 이 환상적인 도시의 귀족들이 틀림없었다. 그들은 모두 큰 키에 검은 수염을 길렀고 번들거리는 비단과 반짝이는 황금으로 치장했는데, 어딘지 거동이 오만방자했다. 그런데 그들 중에 황금 사슬에 묶인 청년 하나가 불안감과 반짝심이 뒤섞인 듯한 태도로 걷고 있었다.

그들은 왕 앞에 무릎을 꿇고 바닥에 머리를 조아렸다. 왕이 한마디 명하자, 그들은 일어서서 영국인과 그 뒤의 신상을 정면으로 바라보았다. 까까머리와 사악한 눈에 불빛을 받아 배불뚝이 악마처럼 보이는 야멘이 기묘한 주문 같은 것을 외치고 화로에 가루 한줌을 뿌렸다. 곧 초록빛 연기가 솟구치면서 케인의 얼굴 반을 가렸다. 냄새와 입안에 느껴지는 맛이 너무도 역겨워 케인은 헛구역질을 했다. 어지러웠고 약에 취한 기분이 들었다. 만취한 사람처럼 머릿속이 빙빙 도는 바람에 사슬을 마구 흔들어댔다. 자기도 모르게 잘 쓰지 않던 욕까지 입에서 튀어나왔다.

마치 귀를 기울이듯 앞으로 몸을 내민 야멘 사제가 그를 향해 살벌한 저주를 퍼붓고 있었다. 가루가 다 타고 연기도 약해졌을 때, 케인은 현기증과 당혹감 속에서 왕좌에 앉아 있었다.

야멘이 돌아서서 왕 앞에 허리를 굽혔다. 그가 다시 똑바로 일어서더니 두 팔을 치켜들고 낭랑한 어조로 말했다. 왕은 엄숙하게 사제의 말을 따라했고, 케인은 귀족 포로의 얼굴이 창백하게 질리는 것을 보았다. 곧 다른 귀족들이 그의 팔을 붙잡더니 천천히 자리를 떴다. 그들의 발소리가 어둡고 드넓은 공간에 으스스하게 메아리쳤다.

어둠 속에서 침묵의 유령처럼 나타난 병사들이 케인의 사슬을 풀었다. 그들은 다시 케인을 포위한 뒤 길고 어두운 회랑을 지나 밀실로 데려갔다. 셈족이 또 그의 사슬을 벽에 채웠다. 케인은 주먹으로 턱을 괴고 침상에 앉아서 지금까지 목격한 기이한 일들의 의도가 무엇일까 생각에 잠겼다. 그런데 문득 저 아래 거리에서 큰 소동이 인 것을 깨달았다.

영국인은 창밖을 내다보았다. 큰불이 타오르는 마을 시장에서 우스꽝스러우리만큼 작게 보이는 사람들이 이리저리 오가고 있었다. 그들은 시장 한복판에 있는 어떤 사람 주변에서 부산스러웠지만, 너무 빼곡히 에워싸고 있어서 케인에겐 보이지 않았다. 그리고 군중 주변을 병사들이 에워싸고 있었다. 병사들의 갑옷에서 불빛이 스쳤다. 병사들을 향해 난폭한 군중이 떠들썩하게 고함을 치고 있었다.

갑자기 소란을 뚫고 공포에 찬 비명이 들려왔다. 그 비명은 금세 잦아드는가 싶더니 더욱 거센 소리로 되살아났다. 케인이 생각하기에 야유와 조롱과 고약한 웃음이 뒤섞여있기는 했으나 소동의 대부분은 뭔가를 항의하고 있는 것 같았다. 그런 와자지껄한 소음을 뚫고 가슴을 잡아 뜯는 섬뜩한 외침들이 줄기차게 울려 퍼졌다.

그때 잰 걸음으로 다가오는 맨발소리가 들려왔다. 곧이어 술라라는 젊은 노예가 안으로 뛰어 들어와 흥분으로 숨을 헐떡이며 창밖으로 머리를 빼 밀었다. 그의 찡그린 얼굴에서 불빛이 일렁였다.

"사람들이 창병들과 싸우고 있어요." 그가 흥분한 탓에 낯선 포로와 대화를 하지 말라는 명령도 까먹고 소리쳤다. "많은 사람들이 저 젊은 벨-라다스 왕자를 좋아합니다. 아, 브와나[나리], 왕자님은 악한 분이 아닙니다! 나리는 어쩌자고 산채로 저분의 살갗을 벗기라고 왕에게 청했나요?"

"내가!" 케인이 아연실색하며 뒤로 물러서서 소리쳤다. "나는 아무 말도 안 했다! 저 왕자를 알지도 못한다! 본 적도 없어."

술라라는 고개를 돌려 케인의 얼굴을 빤히 쳐다보았다.

"저 혼자 속으로 생각해온 겁니다만, 나리." 그가 케인도 아는 반투어로 말했다. "나리는 신도 신의 대변자도 아니고, 언젠가 저를 포로로 잡은 닌 부족과 아주 흡사한 사람입니다. 언젠가, 제가 어렸을 때, 나리와 비슷한 사람들이 원주민 하인들을 데리고 와서 불과 천둥이 치는 무기로 우리 전사들을 죽였습니다."

"그래, 나는 그저 인간이다." 케인이 얼떨결에 대답했다. "하지만 도무지 이해할 수가 없군. 사람들이 저 시장에서 대체 무얼 하고 있는 건가?"

"산채로 벨-라다스 왕자의 살갗을 벗기려는 겁니다." 술라가 말했다. "왕과 야멘이 압둘라이의 혈족인 왕자를 미워한다는 말이 시장에 파다합니다. 하지만 왕자를 추종하는 사람들이 많습니다. 특히 알비 사람들이 그렇지요. 그래서 왕도 섣불리 왕자를 사형에 처하지 못하는 겁니다. 하지만 나리가 아무도 모르게 신전에 갔을 때, 야멘은 나리가 신의 대변자라고 말했습니다. 그러면서 바알이 신들의 분노를 산 벨-라다스 왕자를 죽이라고 나리에게 계시를 내렸다고 했지요."

케인은 분을 삼켰다. 자신이 영어로 내뱉은 욕설 때문에 한 사람이 끔찍한 죽음을 맞게 되다니 참으로 어처구니가 없었고 소름이 끼쳤다. 하긴, 케인이 되는대로 쏟아낸 말을 교활한 야멘이 제 멋대로 통역했던 것이다. 그래서 케인이 본적도 없는 왕자가 저 아래 군중의 고함과 야유가 들끓는 시장에서 집행인들의 칼 아래 살갗이 벗겨질 운명에 처해있는 것이었다.

"술라." 그가 말했다. "저 사람들은 어떤 부족인가?"

"아시리아인입니다. 나리." 노예는 밑에서 벌어지는 음산한 광경을 겁에 질려 쳐다보느라 건성으로 대답했다.

제 3 장

그날 이후로 술라는 간간이 기회를 틈타 케인과 대화를 나누었다. 그가 케인에게 닌족의 기원에 대해 알려줄 수 있는 건 거의 없었다. 그가 아는 것이라고는 닌족이 아주 오래 전에 동쪽에서 나타나 고원에 거대한 도시를 세웠다는 정도였다. 술라의 부족에 전해지는 희미한 전설만이 닌족에 대해 말해주고 있었다. 그의 부족은 남쪽 멀리 완만한 평원에서 살았고 무수한 세월 동안 닌족과 싸웠다. 그에 따르면, 술라라고 불리는 그의 부족은 강하고 호전적이었다. 때때로 그들이 닌족을 급습했고, 닌족도 응수해왔으나 고원을 멀리 떠난 적은 흔치 않았다. 그런 급습 과정에서 술라는 포로가 되었다. 다른 부족들이 그 음산한 고원을 피하여 해를 거듭할수록 황야 깊숙이 이주함에 따라 닌족은 노예를 찾아 점점 더 멀리까지 사냥에 나서야했다.

닌족의 노예로 사는 건 무척 고단한 일이라고 술라는 말했다. 케인은 청년의 몸에 난 채찍과 고문 그리고 낙인의 흔적을 보았기에 그의 말을 믿었다. 유랑의 세월도 고대 동양의 전형인 아시리아인의 기질을 누그러뜨리지 못했고 그들의 난폭함을 바꿔놓지도 못했다.

케인은 여기 이름 모를 땅에서 고대의 부족과 맞닥뜨린 것에 적잖은 의문이 생겼으나 술라가 더 자세히 말해줄 수 있는 건 없었다. 저들은 아주 오래 전에 동쪽에서 왔다. 그것이 술라가 아는 전부였다. 영국인은 그제야 아시리아인의 외모와 언어가 어딘지 익숙하게 느껴졌던 이유를 깨달았다. 원래 셈족의 혈통을 타고 난 그들의 외모는 나중에 메소포타미아 거주자의 그것으로 변모되었고, 언어의 대부분은 헤브루의 단어와 어법에 상당히 유사했다.

술라가 알려준 바에 따르면, 이곳의 거주민들이 전부 한 혈통은 아니었다. 노예와는 혈연을 맺지 않는데, 설령 그런 일이 있다 해도 그 자녀들은 태어나자마자 죽임을 당했다. 핵심 혈통은 아시리아인이지만 평민이건 귀족이건 "알비"라고 불리는 다른 혈통이 섞여 있었다.

"칼디"라 불리는 또 다른 혈통은 마법사와 예언자들로서 순수 아시리아인들로부터 그리 존경을 받진 못했다. 셈과 그 일족은 엘람인이라고 말하자, 케인은 성서적인 이름에 깜짝 놀랐다. 엘람인은 수적으로 그리 많지 않았지만 사제들의 수족 노릇, 요컨대 괴이하고 이상한 일들을 처리하고 실행하는 역할을 하고 있었다. 술라는 신전의 다른 노예들과 마찬가지로 셈에게 고역을 치렀다고 했다.

케인을 굶주린 눈으로 노려보던 사람이 바로 셈이라는 작자였다. 셈의 허리춤에는 케인을 풀어줄 수 있는 황금 열쇠가 매달려 있었다. 그러나 케인의 차가운 눈동자에서 뭔가를 눈치 챘는지, 셈은 언제나 냉혹한 표정의 검은 거인과 함께 나타날 뿐 아니라 경계를 늦추지 않았다. 그는 무장한 경비병들을 데려왔을 때 외에는 케인의 길고 억센 팔이 미치는 거리까지 접근하는 법이 없었다.

불로 지지고 때리고 무두질 칼로 살갗을 벗기는 등의 고문하는 소리와 노예들의 비명이 들려오지 않는 날이 단 하루도 없었다. 이 도시, 닌은 사악한 아수르-라스-아랍과 그의 교활하고 탐욕스러운 종자인 야멘 사제에 의해 좌지우지되는 생지옥이나 다름없다고 케인은 생각했다. 왕은 고대 니네베에서 자신의 선대 왕족들이 그러했듯이 고위 사제를 겸하고 있었다. 그리고 케인은 왜 사람들이 그를 페르시아인이라고 부르는지 깨달았다. 왕의 외모가 옛날 산악지대에서 내려와 아시리아 제국을 쓸어버린 고대의 난폭한 아리아 부족과 흡사했기 때문이다. 아프리카로 들어온 닌족, 그들이 바로 질주하는 금발의 정복자들임에 틀림없었다.

케인이 닌의 포로로 있는 동안 며칠이 지났다. 케인은 성벽에서 요란하게 울리는 트럼펫 소리와 케틀드럼 소리를 들었다. 거리에서 쇠붙이가 철커덕거렸고, 사람들의 행진 소리가 케인의 높은 감옥까지 들려왔다. 그가 밖을 내다보니 고원을 가로질러 느슨한 대오를 갖춘 벌거숭이 흑인무리가 도시를 향해 다가오고 있었다. 그들의 창이 햇빛 속에서 번뜩였고, 투구에 단 타조 깃털 장식들이 미풍에 날렸다. 그들의 함성이 희미하게 케인에게 들려왔다.

술라가 이글거리는 눈빛으로 뛰어 들어왔다.

"내 동족들입니다!" 그가 소리쳤다. "닌을 치기 위해 온 겁니다. 내 동족들은 전사입니다! 보가가 사령관, 카타요가 왕입니다. 술라의 사령관들은 강하기 때문에 존경을 받지요. 사령관을 이길 만큼 강한 자가 누구든 새 사령관이 되니까요! 보가가도 그렇게 사령관이 되었지만 누구보자 강하기 때문에 쉽게 물러나진 않을 겁니다."

케인이 갇혀있는 방은 바알 신전에서 가장 높은 위치여서 어느 곳보다 성벽 너머가 잘 보였다. 야멘 사제가 솀과 엘람을 대동하고 험악한 경비병들의 호위를 받으며 케인의 방에 나타났다. 그들은 케인과 안전한 거리를 유지한 채 창문 하나를 내다보았다.

육중한 성문들이 활짝 열려 있었다. 아시리아 인들이 적군과 싸우기 위해 행군하고 있었다. 케인은 어림잡아 병사의 수가 1500명은 되겠다고 생각했다. 그리고 300명의 병사와 왕의 호위대, 경비대, 각각의 귀족들이 거느린 사병들은 도시에 남아 있었다.

케인이 보기에 군대는 4개의 부대로 나뉘어져 있었다. 앞장선 중앙부대는 600명으로 구성되어 있고, 양쪽 측면부대는 각각 300명으로 구성되어 있었다. 그리고 나머지 300명은 중앙부대의 뒤와 측면부대 사이에서 밀집 대형을 이루어 행진함으로써 전체적으로 /~~\ 이런 모양을 띠었다. 전사들은 투창과 칼, 철퇴와 묵직한 단궁短弓으로 무장하고 있었다. 그들의 등에는 화살통과 화살이 삐죽 나와 있었다.

닌의 군사들은 일사분란하게 평원으로 나가 공격을 대비하듯 진을 치기 시작했다. 상대는 빠르게 진격해 왔다. 케인은 공격군의 수를 최소 삼천으로 보았고, 멀리서도 그들의 위용과 용기를 가늠할 수 있었다. 그러나 그들은 전투에 필요한 조직이나 대형을 갖추고 있지 않았다. 들쭉날쭉 무질서하게 돌진해오던 그들은 빗발치는 화살 세례에 주춤해야 했다. 황소 가죽으로 만든 그들의 방패는 종잇장처럼 화살에 찢겨졌다.

목까지 방패를 들어 올린 아시리아인들은 크레시와 아쟁쿠르의 궁수만큼 질서정연하진 않아도 나름대로 체계적으로 또 중단 없이 안정되게 활을 쏘았다. 술라 부족은 무모하리만큼 용맹하게 엄청난 화살비속으로 뛰어들었다. 케인이 지켜보는 가운데 술라군의 전열이 흐트러지더니 평원은 시체로 뒤덮였다. 그러나 공격자들은 목숨을 초개처럼 여기고 계속 돌진해왔다. 케인은 훈련을 받듯 침착하게 대응하는 셈족 병사들의 완벽한 기강에 내심 놀라고 있었다. 측면 부대가 앞으로 이동했고, 그 끝이 중앙부대의 끝과 연결됨으로써 허점 없는 대형을 이루었다. 반면, 측면 부대 사이에 자리 잡은 병력들은 움직임 없이 위치를 고수하면서 아직까진 전투에 직접 나서지 않고 있었다.

공격군은 인간이 감당할 수 없는 맹공 앞에서 비틀거리며 와해되었다. 들쭉날쭉한 거대한 초승달 모양의 대오마저 뿔뿔이 흩어진 술라군은 닌군의 우측과 중앙에서 날아드는 화살 공격에 쫓기어 우왕좌왕 물러났다. 그러나 술라군의 왼쪽에서 400명 가량 되는 맹렬한 전사들이 무시무시한 화살 세례를 뚫고 미친 듯이 함성을 지르며 돌진하자 아시리아의 측면부대가 크게 놀랐다. 그런데 본격적인 전투가 시작되기 직전, 아시리아군의 양측 사이에서 숨죽이고 있던 병력들이 위험에 처한 측면부대를 돕기 위해 재빠르게 이동했다. 600명의 무장병력에 이중으로 포위된 술라군은 전의를 잃고 비틀거리며 후퇴했다.

창 사이에서 칼이 번뜩였다. 케인은 아시리아군의 창검 앞에서 맥없이 쓰러져가는 알몸의 전사들을 보았다. 핏빛 평원을 뒤덮은 시체들이 전부 술라군의 소속은 아니었지만 아시리아군 한명에 술라군 열 명이 죽었다.

이쯤 되자 공격군은 사력을 다해 평원을 가로질러 도망쳤고, 아시리아의 철갑병들은 신속하면서도 질서정연하게 진군하면서 매 걸음마다 도주하는 술라군을 향해 활을 쏘았다. 그들은 술라군을 생포하는 대신에 부상자들을 단도로 찔러버렸다. 술라 부족을 포로로 잡아봐야 얌전한 노예로 부리기 어렵다는 건 솔로몬 케인도 금세 눈치 챘다.

케인의 방 창가에 모여 있던 사람들은 광기와 유혈의 현장에서 눈을 떼지 못했다. 흥분으로 인해 술라의 가슴이 들썩였다. 동족의 외침과 살육과 투창들이 술라의 영혼 속에 잠든 사나운 전사의 기질에 불을 붙이자 그의 눈은 피에 굶주린 야만인처럼 이글거렸다.

술라가 난폭한 표범처럼 포효하더니 주인들의 등을 향해 뛰어들었다. 누가 손쓸 틈도 없이 그는 셈의 허리춤에서 단도를 낚아채서 야멘의 어깨 사이를 깊숙이 찔렀다. 사제가 여자처럼 비명을 지르다가 무릎을 꿇고 피를 쏟는 동안 엘람이 격분한 노예와 맞서 싸웠다. 셈이 술라의 허리를 붙잡으려고 했지만, 엘람과 술라는 꽉 뒤엉켜 있었고 그들의 칼은 곧 칼자루까지 피로 흥건해졌다.

두 사람의 눈에서 불똥이 튀었고 입술에서 거품이 일었다. 엎치락뒤치락, 그들은 사정없이 칼을 휘둘렀다. 술라의 허리를 잡으려던 셈은 서로 뒤엉킨 그들의 몸에 부딪쳐 옆으로 튕겨나갔다. 그는 균형을 잃고 케인의 침상에 부딪쳐 비틀거렸다.

그 틈을 타 사슬에 묶인 케인이 커다란 고양이처럼 셈에게 달려들었다. 얼마나 기다려왔던 기회던가! 케인이 팔을 뻗으면 닿을 거리에서 셈이 막 일어서려다가 케인의 무릎에 가슴을 맞고 갈비뼈가 부러졌다. 케인의 강철 같은 손가락이 셈의 목을 틀어쥐었다. 케인은 자신의 손아귀를 풀려고 맹수처럼 달려드는 엘람의 손길조차 느끼지 못했다. 영국인의 시야는 붉은 안개로 뒤덮였고, 그 사이로 셈의 냉혹한--부풀어 오르고 핏발이선--눈동자에서 점점 커지는 공포를 보았다. 셈의 박박 밀어올린 머리가 끔찍한 각도로 젖혀지더니 입이 벌어지고 혀가 튀어나왔다. 그러고는 묵직한 나뭇가지처럼 목이 꺾였고 뻣뻣한 몸은 케인의 손아귀에서 힘없이 늘어졌다.

영국인은 시체의 허리춤에서 열쇠를 낚아채자마자 자유의 몸으로 우뚝 섰다. 사슬에서 벗어난 사지를 움직여보자 환희의 거센 물결이 그의 온몸을 휘감았다. 이 신전의 하인들은 창가에 몰려들어 전투를 구경하느라 정신이 없는 게 분명했다. 그런데 케인은 아래층에서 신전 경비대 한 명과 맞닥뜨렸다. 경비병은 미련하게 덤벼들었다가 케인의 주먹에 검은 수염이 난 아래턱을 맞고 정신없이 뻗어버렸다. 케인은 그의 묵직한 투창을 집어들었다. 사람들이 전투를 구경하느라 거리가 한산할 것이니 도시를 가로질러 호수 쪽 측벽을 기어오를 수 있을 거라는 생각이 그의 뇌리를 스쳤다.

그는 신전의 빼곡한 기둥 사이를 달려 굳센 출입문을 빠져나갔다. 엄숙한 신전에서 뛰어나오는 이방인의 모습을 보고 사람들이 비명을 지르며 흩어졌다. 케인이 맞은편 성문 쪽으로 나 있는 거리를 내달리는 동안 사람들은 거의 눈에 띄지 않았다. 그가 지름길이라고 생각하고 옆길로 접어드는 순간, 천둥 같은 고함소리가 들려왔다.

케인의 앞쪽에서 노예 네 명이 귀족들이 탄 듯한 화려한 가마를 들고 있었다. 가마에 탄 사람은 젊은 여자인데 치장한 보석 장식은 그녀의 지체와 부가 상당함을 보여주고 있었다. 곧이어 커다란 황갈색의 형태가 포효하면서 모퉁이를 돌더니 모습을 드러냈다. 도시의 거리를 활보하는, 그것은 사자였다!

노예들이 가마를 내려놓고 소리를 지르며 도망쳤고, 지붕위에 있던 사람들도 비명을 질렀다. 젊은 여자가 곧 울부짖더니 하필 사자가 오는 길목으로 허둥지둥 도망치려고 했다. 여자는 사자와 마주치고 겁에 질려 얼어붙고 말았다.

솔로몬 케인은 맨 처음 야수의 포효를 들었을 때만 해도 아주 흡족한 기분을 느꼈다. 닌이 증오스럽기 짝이 없던 그로서는 야수가 거리를 날뛰며 닌의 잔인한 주민들을 잡아먹을 거라 생각하니 당연히 기분이 좋았다. 그러나 육식 동물과 맞닥뜨린 가엾은 여자를 보고 있는 지금, 그는 여자에게 연민을 느끼고 곧 행동에 나섰다.

사자가 공중으로 뛰어오르는 순간, 케인은 온힘을 다해 투창을 던졌다. 투창은 사자의 억센 어깨 죽지에 꽂혀 황갈색의 몸뚱이를 관통했다. 사자는 귀청이 떨어질 듯한 울음을 토했고, 단단한 벽에 부딪친 것처럼 공중에서 휙 방향을 틀었다. 그 커다란 맹수가 땅에 떨어지면서 날카로운 발톱이 아니라 육중하고 털이 많은 어깨가 연약한 여자를 후려쳐 옆으로 나뒹굴게 만들었다.

케인은 자신의 처지 따위는 안중에도 없이 앞으로 뛰쳐나가 여자를 부축하고 부상을 당하지는 않았는지 확인했다. 아시리아의 귀족 여성 대부분이 그렇듯이 그 여자 또한 몸을 가리기보단 장신구만 달랑 걸친 옷차림이어서 상처를 확인하기는 쉬운 일이었다. 케인이 보기에 여자는 타박상만 입은 상태였고 극도로 겁에 질려있었다.

여자를 일으켜 세우던 케인은 호기심 어린 구경꾼들에게 둘러싸여 있음을 깨달았다. 그는 사람들 사이를 헤쳐 나갔고, 누구도 그를 막지 않았다. 그런데 갑자기 사제 한 명이 나타나더니 그를 가리키며 뭐라고 소리를 질렀다. 사람들이 곧 뒤로 물러섰지만 여섯 명의 무장병사가 창을 겨누고 앞으로 나섰다. 사제와 마주선 케인, 그의 영혼에서 분노가 들끓었다. 그는 기꺼이 적들에게 뛰어들어 맨손으로 싸우다가 죽을 각오가 되어 있었다. 그런데 그때 거리의 돌부리를 지려 밟는 행군 소리가 들려왔다. 일단의 전사들이 시야에 나타났는데 그들의 창은 방금 전의 전투로 붉게 물들어 있었다.

여자가 소리치며 앞으로 뛰어나오더니 전사 중에서 젊은 장교의 억센 목을 부둥켜안았다. 곧이어 재빠른 말투로 대화가 이어졌지만 케인은 당연히 알아들을 수 없었다. 곧 장교가 뒤에 물러서 있던 부하들에게 뭐라고 명령을 내리는 것 같았다. 그는 케인에게 다가와 입가에 미소를 머금고 손을 내밀었다.

케인은 장교의 태도가 아주 우호적인 것으로 봐서 그의 누이 아니면 연인임에 틀림없는 그 여자를 구해준 것에 고마움을 전하는 것이라고 생각했다. 사제가 입에 거품을 물고 악담을 퍼부었지만 젊은 귀족은 무뚝뚝하게 대꾸한 뒤 케인에게 함께 가자고 손짓했다. 영국인이 미심쩍어하면서 망설이자, 장교는 자신의 칼을 꺼내 칼자루를 앞으로 향해 케인에게 내밀었다. 케인은 칼을 받아들었다. 그것을 거절하는 것이 예의일 수 있겠으나 위험을 감수하고 싶지는 않았다. 무기를 손에 쥐자 한결 마음이 놓였다.

바스티의 매

"솔로몬 케인!"

이끼 덮인 땅에서 수 십 미터 높이, 거목들의 나뭇가지가 커다란 아치처럼 뒤엉킨 가운데 그 우람한 나무줄기 사이로 고딕풍의 황혼이 자리 잡았다. 그것이 마법이었을까? 음산한 미스터리로 가득한 이 미개한 망각의 땅에서 무거운 침묵을 깨고 낯선 방랑자의 이름을 소리쳐 부르는 이는 과연 누구란 말인가?

케인의 차가운 눈동자가 나무 사이를 두리번거렸다. 그의 단단하고 날렵한 한 손은 끝이 날카로운 지팡이를 움켜쥐고, 다른 손은 긴 수석총(수발총이라고도 하며 부싯돌로 불꽃을 일으켜 발사함--옮긴이) 가까이에 멈춰서 있었다.

이윽고 어둠 속에서 기이한 형체 하나가 모습을 드러냈다. 케인의 눈이 조금 커졌다. 이상한 옷차림을 한 백인 남자였다. 그는 비단으로 만든 로인-클로스만 달랑 걸치고 묘한 샌달을 신고 있었다. 굴렁쇠 같은 귀고리뿐 아니라 금팔찌와 묵직한 금목걸이까지 그의 야만적인 외모를 더욱 도드라지게 만들었다. 그러나 다른 장신구들이 이상하고 낯선 반면에 귀고리는, 케인이 유럽의 선원들 사이에서 흔히 봤던 종류였다.

그 남자는 울창한 숲을 정신없이 달려왔는지, 긁히고 멍이 들어 있었다. 그러나 팔다리와 온몸에 살짝 찢겨있는 상처는 가시나 야생식물에 다친 흔적은 아니었다. 그의 오른손에 쥐어진 굽은 단도는 섬뜩하게 붉은 빛으로 물들어 있었다.

"솔로몬 케인, 이 지옥의 사냥개 같은 놈!" 남자가 소리쳤다. 그는 놀란 눈을 부릅뜨고 영국인에게 다가왔다. "사탄의 요술을 부린다고 날 탓해도 좋다만, 정말 놀란 건 바로 나다! 이 일대에서 백인은 나 혼자라고 생각했거든!"

"나도 그렇다." 케인이 말했다. "하지만 나는 널 모른다."

상대방이 험상궂게 웃었다.

"그럴 수도 있지." 그가 말했다. "나라도 이런 몰골의 나를 알아보지 못 할 테니까. 아무튼, 솔로몬, 이 살인자 같은 놈. 네 놈의 칙칙한 상판을 보게 된 것도 몇 년만이구나. 마지막으로 네놈을 본 게 지옥에서였지. 허허, 우리가 아조레스에서 다리엔까지 돈 강 일대를 약탈하던 옛날을 잊었단 말인가? 단검과 대포! 우린 피의 장사꾼이 아니었던가! 네가 제레미 호크를 잊었을 리 없지!"

얼어붙은 호수 같던 케인의 얼굴로 어두운 그림자가 스치는가 싶더니 차가운 눈동자가 뭔가 알아본 듯 빛을 발했다.

"기억나는군. 같은 배를 타지는 않았지만. 나는 리처드 그렌빌 경과 함께 있었지. 너는 존 벨폰트 쪽이었고"

"맞아!" 호크가 소리쳤다. "다시 옛날로 돌아갈 수만 있다면 뭐든 주겠어! 하지만 리처드 경은 바다 밑에 가라앉았고, 벨폰트는 지옥에 가 있는데다 용감했던 동료들은 대부분 노예가 되거나 잘난 영국인들을 위해 고기나 낚고 있으니 원. 이봐, 우울한 살인자양반, 지금도 베스 여왕이 영국을 다스리고 있는지 궁금하군."

"나도 영국을 떠난 지 오래다." 케인이 말했다. "내가 떠날 때만 해도 여왕에겐 문제가 없었다."

그가 무뚝뚝하게 말하자, 호크가 그런 그를 호기심어린 눈으로 쳐다보았다. "너는 튜더 왕조를 싫어하는구나, 응, 솔로몬?"

"베스의 언니(엘리자베스 여왕의 이복언니인 메리 여왕을 말함―옮긴이)는 우리 동료들을 먹잇감처럼 착취했다." 케인이 거칠게 말했다. "베스도 마찬가지야. 여왕을 믿는 사람들을 기만하고 배반했다. 그런데 너는 여기서 무얼 하는 거냐?" 케인이 보고 있자니, 호크는 추격자라도 있는 것마냥 간간이 자기가 온 방향을 돌아보면서 귀를 쫑긋하고 있었다.

"말하자면 길다." 그가 대답했다. "간단히 말해주마. 너도 벨폰트와 다른 영국인 선장들 사이에 격론이 벌어졌던 거 알고 있을 텐데--"

"그자는 시시한 해적이 됐다고 들었다." 케인이 부루퉁하게 말했다.

호크가 짓궂게 히죽 웃었다. "그야 사람들 말이고 어쨌든, 우리는 남미 북해안으로 항해했다가 군도에서 금은보화를 실은 배들을 약탈하면서 왕처럼 생활했지. 그런데 얼마 후에 스페인 군함이 나타나서 우리를 아주 괴롭히더군. 대포에 맞아 벨폰트가 죽는 바람에 일등 항해사였던 내가 선장이 됐지. 라 코스타라는 이름의 프랑스 악당 놈이 내게 반기를 들었어. 그래서 놈을 큰 돛대에 목매달아 버리고 남쪽으로 항해했지. 마침내 스페인 군함을 따돌리고 흑인 노예를 포획하려고 노예 해안으로 향했어. 하지만 우리의 운도 벨폰트처럼 좋지 않았어. 짙은 안개 속에서 암초에 걸려 꼼짝 못하다가 안개가 걷히고 보니, 100척이나 되는 소형 전투선과 벌거숭이 악마들이 새카맣게 우리를 에워싸고 있더라고.

반나절을 싸워서 놈들을 해치웠지. 그런데 화약은 거의 떨어졌고 선원의 반은 죽은 후였어. 게다가 배가 암초에서 미끄러지더니 가라앉기 시작했어. 우리가 할 수 있는 건 두 가지 뿐이었어. 작은 배를 타고 바다로 나가던가 아니면 해안으로 가는 거였지. 전투 중에 부서지지 않은 배는 한 척뿐이었어. 선원 일부는 그 배에 올라타고 서쪽 바다로 노를 저어갔어. 나머지는 뗏목을 타고 뭍에 올랐지.

빌어먹을! 미친 짓이지만 그것 말고 우리가 뭘 할 수 있었겠나? 정글엔 피에 굶주린 야만인들이 득시글거렸어. 우리는 노예상인들이 들르는 노예 수용소를 찾아낼 요량으로 북쪽으로 향했지만 길이 막혀서 할 수 없이 동쪽으로 방향을 돌렸지. 한걸음 옮기는 것도 고역이었어. 우리 일행은 태양 앞의 안개처럼 사라져갔어. 야만인의 창과 야수와 독사들이 우리의 목숨을 앗아갔으니까. 결국 동료들을 모조리 집어삼킨 정글에 나 홀로 남았지. 나는 원주민들을 피했어. 몇 달 동안 이 위험한 땅에서 변변히 무장도 못한채 혼자 헤맸어. 마침내 커다란 호숫가에 도착했을 때, 어느 섬 왕국의 성벽과 망루가 내 앞에 버티고 있더군."

호크가 사납게 웃었다. "빌어먹을! 존 맨더빌 경(중세의 여행 저술가—옮긴이)의 이야기 같군! 나는 그 섬에서 이상한 부족을 만났지. 사악하고 기묘한 종족이 그 부족을 지배하고 있었어. 그들은 평생 백인을 본 적이 없었지. 나는 젊은 시절에 도적떼와 함께 방랑길에 오른 적이 있는데, 그때 그들은 텀블링과 요술로 도둑이라는 정체를 숨겼어. 나는 교활한 손재주로 섬 부족의 환심을 샀어. 나를 신처럼 떠받들더군. 다만 그들의 사제인 아가라 늙은이만 예외였지. 그 늙은이는 내 피부색이 왜 흰색인지 설명하지 못하더군.

그들은 나를 숭배했고, 아가라 늙은이는 비밀리에 내게 고위 사제직을 제안했지. 나는 그 제의를 승낙하는 척 하고 그의 비밀을 꽤 알아냈다. 독수리 같은 그 늙은이가 내 손재주로는 어림없는 마법을 구사하는 바람에 처음에는 그자를 무서워했지만 다른 사람들은 나한테 반해 있었어.

그 호수의 이름은 엔야나, 거기 있는 섬들의 이름은 라 군도 그중에서도 가장 큰 섬을 바스티라고 부르지. 지배계급은 자칭 카바스티, 노예들은 마수토라고 불려.

노예들의 삶은 참담하기 이를 데 없어. 그들은 잔인한 지배자의 탐욕에서 스스로 벗어날 의지마저 없으니까. 그들은 스페인이 달린의 인디언에게 했던 것보다도 더 가혹한 대접을 받고 있지. 여자들이 죽을 때까지 채찍질을 당하고, 남자들이 사소한 잘못으로도 처형되는 걸 목격했어. 카바스티가 자신들의 고향 땅에서 들려온 종교 제식은 음산하고 잔혹한 것이야. 문 신전에 있는 커다란 제단 위에서 매주 울부짖는 희생양들이 늙은 아가라의 단도에 죽임을 당하고 있어. 제물은 언제나 마수토 중에서 선택한 건강한 청년이나 처녀지. 그냥 죽는 것이라면 차라리 낫지. 단도에 찔려 고통에서 벗어나기 전까지 희생양은 끔찍한 방식으로 난도질당하거든. 종교 재판관들도 바스티의 사제가 자행하는 고문을 보면 질리고 말거야.

하지만 놈들의 솜씨가 얼마나 교묘한지, 이리저리 잘리고 눈멀고 살갗이 벗겨진 희생자들은 마지막 단도의 일격에 고문관의 손아귀와 고통에서 벗어나기 전까지 살아 있더란 말이야."

호크가 슬쩍 곁눈질했을 때, 케인의 묘한 눈동자에서 깊고도 격렬한 불꽃이 차갑게 일렁이고 있었다. 케인이 해적에게 계속 말해보라는 손짓을 하는 동안 그의 표정은 그 어느 때보다 어둡고 침울했다.

"어떤 영국인도 날마다 보게 되는 약자들의 고통에 연민을 느끼지 않을 수 없을 거야. 나는 그들의 말을 배우자마자 우두머리가 되었고, 마수토의 일원으로 자처했어. 그러자 늙은 아가사가 나를 죽이려 했지만, 노예들이 들고 일어나 왕위를 차지하고 있던 그 악마를 몰아냈지. 그들은 내게 남아서 통치자가 되어달라고 청했어. 내가 다스리는 동안, 바스티는 번창했고 마수토와 카바스티모두 잘 살았지. 하지만 은밀한 곳에 숨어 있던 아가사 늙은이가 비밀리에 수작을 벌이고 있었지. 그자가 반역 음모를 꾸몄는데 결국에는 구원자인 나를 배반하고 많은 마수토가 가담했지. 불쌍한 멍청이들 같으니! 어제 그가 모습을 드러내면서 격전이 벌어졌고 고대 바스티의 거리는 피로 물들었어. 아가라가 사악한 마법을 쓰는 바람에 내편 대부분이 쓰러졌어. 우리는 카누에 몸을 싣고 작은 섬으로 피했지만 거기서도 적들과 마주치고 말았지. 우린 또 싸움에서 패했어. 믿을만한 부하들은 모두 죽거나 잡혔고 나만 탈출했어. 제발 그들이 살아있어 주기를! 그때부터 놈들은 늑대처럼 나를 쫓아왔어. 지금도 나를 뒤쫓고 있을 거야. 놈들이 난생 처음으로 대륙을 횡단해야 한 대도 나를 죽일 때까지는 멈추지 않을 거야."

"그렇다면 얘기나 하면서 시간을 낭비해선 안 되지." 케인이 말했다. 그러나 호크는 차가운 미소를 머금었다.

"그야 그렇지만, 숲속에서 널 보는 순간 내 동족을 만났다는 뭐랄까, 묘한 운명 같은 걸 느꼈어. 그리고 내가 황금과 보석이 박힌 바스티의 왕관을 다시 쓰게 될 거라는 예감도."

"가서 놈들과 한판 붙자!"

"내 말 잘 들어, 간 큰 청교도 양반. 난 무기 하나 없이 손재주만으로 일을 벌였어. 내게 무기가 있었다면 지금도 바스티의 왕으로 남아 있었을 거야. 저들은 총을 구경한 적도 없어. 너한테 권총 두 자루가 있잖아. 그 정도면 우리가 열 두 번은 왕이 되고도 남지. 하지만 만약 머스킷총이 있다면--"

케인은 어깨를 으쓱해 보였다. 그의 머스킷총은 격렬한 전투를 치르는 동안 이미 부서지고 없었다. 지금 생각해도 그 오싹한 전투가 환영은 아니었을까 의심이 가곤 했다.

"내게 무기가 있어." 케인이 말했다. "화약과 총알이 많지는 않지만."

"세 발만 쏴도 우린 바스티의 왕이 될 거야." 호크가 말했다. "청교도 양반, 옛 친구랑 한번 도전해 보겠나?"

"널 힘껏 돕겠다." 케인이 침울하게 말했다. "하지만 나는 자만과 허영의 속된 왕관 따위를 원치 않는다. 우리가 고통 받는 사람들을 구하고 사악한 자들을 벌할 수 있다면, 그것으로 족하다."

거대한 열대림의 그늘 속에 서 있는 두 사람, 그들은 묘한 대조를 이루고 있었다. 제레미 호크는 솔로몬 케인처럼 키가 컸고, 단단한 용수철과 고래수염처럼 날렵하고 강인했다. 그러나 솔로몬의 피부가 거무스름한 반면, 제레미 호크는 희었다. 햇빛을 받아 타는 듯한 제레미의 금발이 헝클어진 채 좁은 이마 위로 내려와 있었다. 누런 수염으로 뒤덮인 턱은 마르고 공격적이었으며 살짝 벌어진 입은 잔인했다. 이글거리는 회색 눈동자는 불안정했고 그 눈빛은 아주 거칠고 수시로 변했다. 거기에 가는 매부리코까지, 그의 전체적인 얼굴은 맹금류를 연상케 했다. 그는 금방이라는 무슨 일을 낼 것 같은 평소의 태도대로 약간 앞쪽으로 몸을 내밀고 서 있었는데, 거의 알몸이었고 손에는 붉게 물든 칼을 쥐고 있었다.

"내게 권총 한 자루를 줘." 호크가 소리쳤다. "가지고 있는 화약과 총알의 반도 주고, 놈들이 곧 나타날 거야. 젠장, 마냥 놈들을 기다릴 수는 없어! 우리가 놈들을 찾아야 해! 나만 믿어. 총알 한방이면 놈들이 넙죽 엎드려서 우리를 떠받들 테니까. 어서! 네가 어쩌다가 이곳까지 왔는지는 가면서 얘기하자고."

"몇 달 동안 헤매고 다녔지." 케인이 내키지 않는 듯 말했다. "왜 이곳까지 왔는지는 나도 모른다. 다만 푸른 바다 저 멀리까지 정글이 나를 불렀고, 그래서 여기에 왔다. 평생 나를 이끌어온 신의 섭리가 이번에도 미약한 내 눈이 보지 못하는 어떤 목적을 위해 이곳까지 나를 데려온 게 틀림없다."

"이상한 지팡이를 들고 있군." 호크가 거대한 나무 아래를 성큼성큼 걸어가면서 말했다.

케인은 자신의 오른 손에 쥐어진 지팡이를 힐끔거렸다. 그것은 칼처럼 길고 쇠처럼 단단하며 끝이 좁고 날카로운 지팡이였다. 손잡이 쪽은 고양이의 머리 모양을 하고 있었고, 전체적으로 묘한 곡선과 이상한 조각들로 이루어져 있었다.

"흑마법을 부린다는 것 외에 나도 정확히 몰라." 케인이 침울하게 말했다. "하지만 예전에 어둠의 무리를 상대해 강력한 힘을 발휘한 적이 있으니 좋은 무기다. 은롱가라는 노예 해안의 이상한 주술사가 내게 준 거야. 그자가 정체불명의 불경한 재주를 부리는 걸 내 눈으로 봤다. 하지만 나는 그자의 야만적이고 주름진 얼굴 내면에 참된 인간의 마음이 있다고 믿는다."

"가만!" 호크가 갑자기 경직되어 멈춰 섰다. 앞쪽에서 무수한 발소리--우듬지에 이는 바람처럼 희미한 가죽신 소리--를 들었고, 사냥개처럼 청각이 예민한 두 사람은 그 소리의 의미를 간파했다.

"바로 앞에 빈터가 있어." 호크가 험악하게 미소를 지었다. "그곳에서 놈들을 기다리자."

그리하여 빈터 한쪽에서 맹렬한 늑대의 무리처럼 무수한 적들이 튀어나왔을 때, 케인과 바스티의 옛 왕은 시야가 확 트인 맞은 편에서 기다리고 있었다. 적들은 깜짝 놀라 소리 없이 멈춰 섰다. 필사적으로 도망치던 자가 지금은 잔인한 비웃음을 띠고 그들을 마주보고 있는데다 그 옆에는 말없는 동료까지 있었으니 말이다.

적들을 응시하던 케인도 놀라기는 마찬가지였다. 그들의 절반 은 땅딸막하고 다부진 체격의 흑인으로서 오랜 시간 카누를 타서 가슴통이 두툼하고 하체가 짧았다. 그들은 알몸에 묵직한 창으로 무장하고 있었다. 영국인의 이목을 끈 것은 나머지 무리였다. 그 들은 키가 크고 체격이 건장했는데, 균형 잡힌 몸매와 곧은 흑발 에서 흑인의 혈통은 거의 찾아볼 수 없었다. 피부색도 약간 불그 스름하게 그을리거나 짙은 청동색을 띠는 등 대체로 구릿빛이었 다. 그들의 얼굴은 음흉하지도 않았고 불쾌하지도 않았다. 옷이라 고는 가죽신과 로인클로스가 전부였다. 그들 상당수는 머리에 청 동으로 만든 투구 같은 것을 썼고, 하나 같이 왼손에 작고 둥그스 름한--짐승의 가죽을 덧대고 구리 못을 박아 보강한--방패를 들 고 있었다. 무기로는 호크의 것과 비슷한 굽은 칼과 잘 닦은 전곤 그리고 가벼운 전투용 도끼가 있었다. 일부는 강력해 보이는 육중 한 활과 미늘이 달린 긴 화살통을 지니고 있었다.

케인은 어디선가 그들과 비슷한 사람을 만나거나 아니면 그림 에서 본 적이 있다는 느낌이 들었다. 그러나 어디서였는지는 분명 하지 않았다. 적들은 빈터 한복판에 멈춰 서서 갈피를 못 잡고 두 백인을 쳐다보고 있었다.

"허허." 호크가 비웃었다. "너희들이 왕을 찾아냈구나. 왕에 대 한 의무를 잊었더냐? 무릎을 꿇어라, 이 개자식들아!"

우두머리로 보이는 건장한 체격의 젊은 전사가 뭐라고 열심히 말했고, 케인은 곧 그 말을 알아들을 수 있어서 깜짝 놀랐다. 그 말의 일부분은 고어의 흔적이 섞여 알아들을 수 없긴 했으나 케인이 여행 중에 많이 접해본 반투의 무사한 방언과 흡사했다.

"잔인한 살인자!" 젊은 전사가 소리쳤다. 그의 검은 뺨이 노기로 확 달아올랐다. "우리를 감히 비웃는 건가? 저자가 누구인지 모르지만 우리의 상대는 아니다. 아가라에게 가져갈 머리의 주인은 바로 너다. 저놈을 잡아라."

그가 투창을 뒤로 젖히는 순간, 호크가 총을 정조준해 발사했다. 귀청이 떨어질 듯한 총성, 케인은 연기 속에서 젊은 전사가 통나무처럼 쓰러지는 것을 보았다. 그 효과는 지금까지 케인이 여러 나라의 미개인에게서 본 것과 똑같았다. 적들은 깜짝놀라 무기를 떨어뜨리고 겁먹은 아이들처럼 입을 쩍 벌린 채 얼어붙어 있었다. 일부는 울부짖으면서 무릎을 꿇거나 얼굴을 땅에 갖다댔다.

휘둥그레진 눈들이 말없는 시체를 향해 자석에 끌리듯 옮겨갔다. 묵직한 탄알이 말 그대로 청년의 두개골을 박살내는 바람에 뇌수가 사방에 튀어있었다. 적들이 양처럼 순하게 서 있는 동안, 호크가 기회를 놓치지 않았다.

"무릎 꿇어라, 이 개자식들!" 빽 소리를 치고 앞으로 나간 호크가 총을 들지 않는 빈손으로 전사 한명을 후려쳐 무릎을 꿇였다. "너희 모두 죽음의 천둥을 맞겠느냐 아니면 나를 다시 왕으로 받아들이겠느냐?"

어안이 벙벙해진 전사들이 무릎을 꿇었다. 일부는 바짝 엎드려 흐느꼈다. 호크는 가장 가까이에 있는 전사의 목을 밟고, 케인을 향해 난폭하고 의기양양하게 웃었다.

"일어나라." 그가 경멸스럽게 발길질을 하고 말했다. "하지만 내가 왕이라는 것을 절대 잊지 마라! 바스티로 돌아가 나를 위해 싸우겠느냐 아니면 여기서 모두 죽겠느냐?"

"주인님을 위해 싸우겠습니다." 한목소리로 대답이 들려왔다. 호크가 또 히죽 웃었다. "왕관을 되찾는 게 생각보다 훨씬 쉽군." 그가 말했다. "모두 일어나라. 저 시체는 그대로 내버려 두라. 나는 너희들의 왕이고, 이분은 나의 동료 솔로몬 케인이다. 이분은 무시무시한 마법사이니, 혹시나 너희들이 영원히 죽지 않는 나를 해하려 한다면, 이분이 너희들을 모두 죽일 것이다."

두 부류로 구성된 적들이 하나 같이 호크의 말에 순순히 따르는 모습을 보면서 케인은 사람들이 양처럼 순하구나 생각했다. 그들이 곧 대오를 갖추자, 케인과 호크가 그 한가운데로 걸어갔다.

"뒤에서 공격하진 않을 테니까 걱정마." 해적이 케인에게 말했다. "놈들은 겁쟁이야. 저 얼빠진 눈빛 보이지? 그래도 조심하라고."

로버트 E. 하워드의 생애와 문학

로버트 어빈 하워드는 1906년 1월에 텍사스의 작은 마을 피스터Peaster에서 태어났다. 의사였던 아버지 아이작 하워드는 임신한 아내의 건강을 염려해 의료지원이 보다 쉬운 피스터로 이사한 것으로 전해진다. 하워드의 생애 전반에서 심리적 영향과 깊은 유대관계를 형성한 어머니 헤스터 하워드는 원래 건강이 좋지 않아 하워드의 일생 대부분 병마와 싸워야했다. 하워드의 가족은 여러 번 이사를 다니다가 1919년 크로스 플레인Cross Plains에 정착한다. 1920년대 인구 2000명 정도의 작은 마을이었던 크로스 플레인, 이곳은 오일 붐과 더불어 개발의 열기에 휩싸인다. 조용하던 마을이 갑작스레 변하면서 많은 사람들이 이주해왔고 그만큼 혼란도 들끓었다. 그런데 마을은 갑자기 찾아온 열기처럼 갑자기 몰락한다. 하워드는 오일 붐에 대해 부정적인 기억을 밝힌 적이 있는데, 마을의 갑작스러운 성장과 몰락은 나중에 그가 문명의 생리에 대해 생각하는 계기가 되기도 한다.

하워드는 크로스 플레인의 실업계 고등학교에 입학하는데, 학교 시절 예의바르고 과묵한 학생으로 기억된다. 용돈을 벌기 위해 쓰레기 운반, 세탁물 배달, 상점 점원, 기차역 화물 하역 등등 많은 아르바이트를 한다. 친한 친구들이 꽤 있었으나, 시를 좋아하는 어머니의 영향과 유년시절부터 지속된 그의 문학적 흥미를 공유할만한 친구는 없었다. 친구들의 회고에 따르면, 그는 속독과 다독에 능하고 기억력이 비상했다고 한다. 하워드는 시와 소설, 역사, 스포츠 분야에 이르기까지 광범위한 독서뿐 아니라 이야기를 들려주고 듣기를 좋아했다. 이런 특징은 나중에 소설을 집필하는데 중요한 토대가 된다. 크로스 플레인 고등학교에 다니다가 브라운우드Brownwood 고등학교로 전학, 그곳에서 고등학교를 졸업한다. 브라운우드 고등학교 때 비로소 문학 열정을 공유할만한 친우들을 만난다.

의사가 되기를 바라는 아버지의 뜻과 스스로 생각했던 대학 진학과는 달리 하워드는 하워드 페인 상업학교에서 부기 과정을 수료한다. 그동안에도 창작활동을 계속하여 생애처음으로 《위어드 테일스》에 고료를 받고 단편 「창과 송곳니」를 팔고 작가로서의 가능성을 확인한다. 그러나 지속적인 돈벌이를 위해 여러 일을 전전하다가 아버지와 딱 일년만 작가가 되기 위한 유예기간을 두기로 정한다. 1928년은 하워드에게 의미 깊은 해였다. 꿈꾸던 전업 작가로의 길이 비로소 가시권에 들어온 것이다. 「창과 송곳니」를 계약한 이후 《위어드 테일스》는 실제적인 발표 시기와 원고료 지급을 미루어 작가 지망생의 애를 태우다가 하워드의 단편 「붉은 그림자」를 비롯한 4편을 한꺼번에 계약한 것이다. 하워드는 이때부터 생을 마감하기 전까지 《위어드 테일스》에서 지속적인 작품 활동을 전개한다. 《위어드 테일스》에서 활동하던 대표 작가들과의 교우--특히 러브크래프트와의 서신--는 하워드 개인뿐 아니라 문학사적으로 장르 문학에 한 획을 긋는 사건이다.

하워드가 창조한 주요 캐릭터들은 어린 시절의 상상력에서 비롯된 것들이 많다. 일명 '엘 보락'으로 통하는 프랜시스 자비어 고든은 하워드가 열 살 때 처음 구상한 인물이다. 청소년기에 집필한 초기 작품에서 고든은 여행가이자 모험가로 묘사된다. 하워드의 유년에 잠재해 있던 고든이 1934년 단편 「에를릭 칸의 딸」에 정식으로 등장했을 때는 여행가의 이미지에 미개척지의 투사 이미지가 결합된다. 13세 때에는 고대 영국의 역사에 관심을 갖고, 켈트 족과 그 이전의 픽트 족에 매료된다. 하워드는 후대 종족에 비해 상대적으로 미약했던 픽트 족을 야성의 강한 부족으로 바꾸고, 영광스러운 고대의 역사와 연결시킨다. 그리고 이 부족의 왕으로 탄생시킨 캐릭터가 바로 브랜 맥 몬이다.

이어 16세 무렵에 솔로몬 케인을 구상한다. 솔로몬 케인은 엄숙한 청교도 방랑자로 그 자신을 불의에 대항하는 신의 도구이자 응징자로 여긴다. 하워드 본인의 말에 따르면, 솔로몬 케인은 16세기를 배경으로 한 냉정하고 강인한 전사에 대한 그 자신의 흠모에서 잉태된 인물이다. 그래서 솔로몬 케인이라는 캐릭터 자체는 16세기에서 17세기를 살아간 뛰어난 검객이자 전사이다. 영국 데번Devon 출신으로 엘리자베스 여왕의 청교도 박해와 그 자신의 타고난 방랑벽 때문에 생애 대부분을 영국 밖에서 떠돈다. 대부분의 모험이 펼쳐지는 배경은 아프리카, 하워드는 아프리카를 태고의 미스터리와 강렬한 마법의 땅으로 묘사한다. 하워드가 창조한 코난, 컬 등의 여러 캐릭터는 서로 비슷하면서도 다르다. 이를 테면, 코난은 액션, 컬은 깊은 사색의 분위기에 초점이 맞춰진다. 반면에 단편과 시, 미완성작을 포함해 총 16편의 단편으로 구성된『솔로몬 케인』은 청교도와 이교적 악의 대결을 주축으로, 하워드의 작품 중에서도 가장 침울한 분위기를 자아낸다. 컬이 형이상학적인 문제와 음모에 봉착해 있다면, 솔로몬 케인은 주된 동인은 강박 혹은 집념이다.

　『컬』은 상대적으로 성년기인 스무 살 무렵에 집필한 작품으로 《위어드 테일스》 1929년 8월호에 첫 선을 보인다.『컬』은 영웅 모험담에 판타지와 호러를 가미함으로써 키메리아인 코난과 더불어 "검과 마법" 장르의 대표작으로 통한다.「그림자 왕국」을 시발점으로 한『컬』은 기원전 2000년경, 가상의 투리아를 배경으로 고대 발루시아 왕국의 패권을 놓고 뱀인간^{비늘 달린 피부와 뱀의 머리를 한 종족}과 컬의 대결을 다룬다. 1929년 하워드는 《위어드 테일스》외에 다른 잡지와도 계약을 맺고 작품 발표의 장을 더욱 넓혀간다. 이런 계기를 마련해 준 것은 야만인과 검객 이야기와는 또 다른 분야, 즉 복싱이었다. 하워드는 특히 복싱에 관심이 많아서 지역 클럽의 복싱 경기에 자주 참가했던 것으로 알려져 있다. 복싱과 초자연적인 이야기를 결합시킨 일련의 독특한 단편들 중에서 대표적인 작품이 스티브 코스티건 연작이다. '시걸 Sea Girl'이라는 상선에서 일하는 코스티건은 선원이자 무쇠 주먹과 강인한 의지력을 지닌 복싱 챔피언인데, 하워드의 작품 중에서 드물게 현대적인 배경과 유머스러운 분위기를 풍긴다.

하워드의 생애에서 빼놓을 수 없는 부분은 앞서 말한 러브크래 프트와의 만남이다. 《위어드 테일스》에 발표된 러브크래프트의 작품 「벽속의 쥐」를 읽은 하워드가 당시 편집장이었던 판스워스 라이트에게 편지를 보냈고, 이 편지가 러브크래프트에게 전달되면서 판타지의 두 전설이 교우하는 단초가 된다. 물론 두 사람은 생전에 직접 만난 적은 없는 것으로 알려졌으나, 서신을 주고받으며 문명과 야만, 정신과 육체, 예술과 상업 등등 많은 주제를 놓고 때로는 서로를 격려하고 때로는 치열하게 논쟁한다. 겉보기에 판이한 (하워드는 운동으로 다져진 건장한 체격이었고, 러브크래프트는 위아래로 길쭉하고 허약해 보였다) 외모만큼이나 차이가 더 도드라져보였던 두 사람은 크툴루 신화라는 연결 고리를 통해 후대의 독자들에게 대단히 흥미롭고 독특한 문학의 상찬을 선사한다.

러브크래프트와의 서신 중에서 하워드가 창조한 가장 유명한 캐릭터, 코난의 탄생 과정도 엿볼 수 있다. "지금 새로운 인물과 하이보리언 시대라는 새로운 시공간에 대해 작품을 쓰고 있습니다. 하이보리언 시대는 오랜 명칭과 왜곡된 신화 속에만 남아있을 뿐 인류에게 망각된 시대지요. 편집장(판스워스 라이트)은 이 시리즈 대부분을 거절했지만, 아킬로니아의 왕이자 키메리아인 코난의 모험을 다룬 「칼날 위의 불사조」는 받아주더군요." 하워드는 《위어드 테일스》의 또 다른 핵심 작가 중에 한 명인 클라크 애슈턴 스미스에게 보낸 서한에서 지금까지 구상한 캐릭터들의 종합 판이 키메리아인 코난이라고 말하기도 한다. 코난은 이후 후대 작가의 강렬한 영감 속에서 공동 저작 혹은 연작 형태로 재생산되고 있다. 코난은 하워드의 작품 전체를 대변하는 동시에 다양한 문학적

성과를 외려 제한하는--재미만 추구하고 철학적 깊이는 부족하다는--양날의 칼일 수 있으나, 어쨌든 만화와 애니메이션, 영화, 게임에 이르기까지 셜록 홈즈, 제임스 본드, 드라큘라에 버금가는 유명 캐릭터이자 문화 아이콘으로 자리매김한다. 판타지, 호러, 웨스턴, 탐정소설, 복싱, 역사를 넘나드는 다양한 장르에서 방대한 양의 작품을 남긴 로버트 어빈 하워드. 왕성한 필력을 과시하던 그였기에 돌연한 자살로 끝난 서른 살의 짧은 생은 많은 억측과 혼란을 낳았다. 하워드의 죽음과 관련해 가장 빈번하게 거론되는 부분은 그의 어머니 헤스터 하워드와 또 다른 여성 노블린 프라이스 엘리스다. 독신으로 살면서 연애에 그리 관심을 두지 않았던 하워드에게 어머니를 제외한 여성의 등장은 퍽 의미 있는 일이었다. 하워드의 일생 동안 병을 앓았던 어머니에 대한 애착과 의존 관계는 지인들의 증언이나 서한을 통해 신빙성을 얻는 대목이다.

계속 늘어가는 어머니의 치료비 때문에 아버지와 함께 경제적인 어려움을 겪었지만, 하워드는 어머니가 돌아가신다면 자기 자신도 살아갈 수 없다고 지인들에게 자주 말했던 것으로 알려진다. 그래서 하워드가 자살한 중요한 요인으로 어머니와 관련한 오이디푸스 콤플렉스 나아가 그의 정신적 문제를 꼽는 이들이 많다. 노블린 프라이스는 어머니에 대한 하워드의 유별난 애착 관계를 더욱 복잡한 양상으로 이끈 것으로 보인다. 작가를 꿈꾸는 교사였던 노블린 프라이스와 하워드는 친구의 소개로 자연스러운 만남을 갖는다. 그녀는 하워드 생에서 처음이자 마지막으로 긴밀한 교감을 나눈 여성으로 알려져 있다. 둘 다 열정적이고 자아가 강하다는 공통점 외에 성격이나 기질 차가 컸지만 두 사람은 급속도로 가까워지고 많은 것을 공유한다. 평범한 가정주부나 아내의 이미지와는 거리가 먼, 의지와 자기주장이 강했던 프라이스가 하워드의 작품에 등장하는 강인한 여성상에 영감을 주었을 거라는 추측도 가능하다. 그러나 공교롭게도 두 사람이 교제하던 시기는 하워드의 어머니가 급속도로 위중해진 시점이었다.

1936년 봄, 프라이스가 루지애나 주로 전근을 가면서 두 사람의 관계는 일단락되는 상황을 맞는다. 프라이스는 10년 뒤 윌리엄 엘리스와 결혼한다. 프라이스는 하워드에 관한 회고록 『홀로 걸었던 사람』을 출간하는데, 이 책에 두 사람이 교제했던 2년여의 시간이 담겨 있다. 이 책은 나중에 「세상의 모든 사랑The Whole Wide World」이라는 영화로 만들어진다. 그러나 다가오는 어머니의 임종과 노블린 프라이스와의 이루지 못한 사랑, 이것만으로 하워드의 자살을 오롯이 설명하기는 어렵다. 하워드의 자살이 충동적이기보다 오래전부터 준비해온 결과라는 견해도 우세하다. 어머니의 병세 걱정 외에 하워드는 유독 늙어간다는 것에 대한 거부감과 두려움이 컸던 것으로 알려져 있다. 일례로 죽기 한 달 전, 오거스트 덜레스(나중에 아컴 출판사를 차려 러브크래프트의 작품들을 출간했고 그 자신도 많은 작품을 쓴 작가)에게 보낸 편지가 그렇다. "나이든 사람이 죽는 것은 당연하지만, 나는 종종 그것이 젊은이의 죽음보다 더 비극이라고 느끼곤 해요. 젊은 나이에 죽으면 많은 고통을 면하는 반면, 가진 것이라고는 생명뿐인 노인의 연약한 손에서 그 가련한 생을 낚아채는 것은 한창 때의 생명을 빼앗는 것보다 더 비극으로 보이거든요. 나는 늙을 때까지 살고 싶지 않아요. 힘과 건강이 정점에 있을 때, 단번에 그리고 홀연히 죽고 싶어요."

당시에는 어머니의 병간호를 위해 의사인 아버지가 집에서 환자를 받던 시기여서 하워드가 창작에 몰두할 수 없는 상황이었다. 하워드가 창작 과정에서도 심리적 부담과 절망을 느꼈을 가능성이 크다. 자신이 죽은 뒤 원고들의 처리 방향을 에이전시와 미리 상의해 놓고, 친구에게 담담히(이상하다는 의심을 전혀 주지 않고) 38구경 콜드 자동권총을 빌리는 등 하워드는 미리 죽음을 준비한 것으로 보인다. 어머니 헤스터 하워드가 마지막 혼수상태에 빠져든 것은 1936년 6월 8일이었다. 6월 11일 아침, 간밤에 아버지에게 쾌활한 모습까지 보였던 하워드가 간호사에게 어머니의 회복 가능성을 묻자, 간호사는 가능성이 없다고 말한다. 하워드는 자신의 방으로 가서, 10년 동안 애용해왔던 언더우드 타자기로 다음과 같은 짧은 글을 남긴다.

> "모든 것이 사라지고, 다 끝났다.
> 그러니 나를 화장용 장작더미 위에 올려다오.
> 축제는 끝나고
> 램프도 꺼졌다."

하워드는 곧 집 밖으로 나가 자신의 1935년형 시보레에 올라 탄다. 그는 자신의 오른쪽 귀 위에 총구를 대고 방아쇠를 당긴다. 그의 아버지와 동료 의사가 뛰어나와 그를 집안으로 옮긴지 8시간만인 오후 4시경, 그는 숨을 거둔다. 그의 어머니도 다음날 숨을 거둔다. 6월 14일, 어머니와 아들의 장례식이 열리고, 두 사람은 브라운우드의 그린리프 묘지에 안장된다.

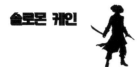

솔로몬 케인

초판 발행 | 2024년 6월 15일

지은이 | 로버트 E. 하워드
옮긴이 | 미스터고딕 정진영
펴낸이 | 정진영
펴낸곳 | 아라한

출판사등록 | 2010년 7월 29일 제396—2010—000096호

주　소 | 경기도 고양시 일산동구 중산동 25
전　화 | 070—7136—7477
팩　스 | 0508—917—7477
이메일 | arahanbook@naver.com

ⓒ 미스터고딕 정진영, 2024

ISBN | 979-11-93264-91-1　　03840